FRANCESCO TOTTI
CON PAOLO CONDÒ

Un Capitano

Rizzoli

Pubblicato per

Rizzoli

da Mondadori Libri S.p.A.

ISBN 978-88-17-10586-6

Prima edizione: settembre 2018
Seconda edizione: settembre 2018
Terza edizione: ottobre 2018
Quarta edizione: ottobre 2018

Realizzazione editoriale: Librofficina

Crediti dell'inserto fotografico:
p. 10 in basso © Ansa
p. 12 in alto © Vincenzo Pinto/Reuters/Contrasto
p. 13 in basso © Italy Photo Press
p. 14 in basso © AP Photo/Fabrizio Giovannozzi
Tutte le altre foto: © Luciano e Fabio Rossi / RomaPhoto / AS Roma

Un Capitano

A Ilary, Fiorella, Chanel e Isabel
le mie donne.
A Enzo, Riccardo e Cristian
i miei ragazzi.

Introduzione

Il ragazzo seduto in seconda fila è molto agitato. Non credo abbia ascoltato il discorso del direttore del carcere, e non credo nemmeno che adesso stia seguendo il mio. Non che sia qualcosa di indimenticabile ma insomma, un po' me l'ero preparato. Macché. Saltella impaziente su quella sedia, si capisce che per lui il momento più atteso deve ancora arrivare. La foto, certo. Nell'angolo del salone di Rebibbia hanno montato la solita postazione, terminata la premiazione del torneo di calcetto mi piazzerò lì per uno scatto con chiunque lo desideri. Ecco cosa sta aspettando.

«Io pe' primo, eh» dice, ridendo di un'allegria eccitata, sopra le righe, che mi incuriosisce. Io per primo cosa? Finisco il discorso e lo guardo ancora, è lì che saltella nervosamente. Avrà vent'anni, ventidue al massimo, ed è vestito un po' meglio rispetto agli altri detenuti.

«Io faccio 'a foto pe' primo» ripete, e stavolta si rivolge a me, mostrandomi i pollici belli alti, come se mi stesse comunicando un aspetto organizzativo che sarei tenuto a conoscere.

La consegna delle targhe, le strette di mano, gli sguardi che sono quelli classici dei tifosi, ma un po' più intensi. Non è la prima volta che vengo a Rebibbia, e ho visitato anche Regina Coeli: esperienze toccanti, da fuori non t'immagini cosa possa voler dire una prigione.

«Èccome, èccome, prima io.»

Lo spostamento generale verso la postazione fotografica, dove alcune guardie disciplinano con buone ma decise maniere il traffico verso di me, è preceduto dallo scatto in avanti del mio "amico". Ormai sono curioso: cosa gli cambia se fa la foto per primo, o per decimo, o per centesimo? Resto finché non ho posato per l'ultima, già l'ho detto a tutti. Il ragazzo però cammina più rapido degli altri, accorcia la fila saltando di qua e di là senza prepotenza ma con determinazione, e il bello è che glielo lasciano fare. Non ha una presenza fisica che intimidisce, è magrissimo e minuto, eppure gli altri lo trattano con un misto di rispetto e divertimento. Saltella ancora, come un pugile che sta studiando l'avversario.

«Ci sono, tocca a me» dice, quando ormai siamo distanti tre metri, ma in mezzo ci sarebbero altri due reclusi. Li guarda con un sorriso un po' sdentato, e quelli si spostano per farlo passare. Ma chi è? Sarà mica un boss? Così giovane?

Lo chiamo accanto a me in tono falsamente burbero – «Daje, vie' qua, basta che te calmi» –, lui mi scivola al fianco, mi cinge la vita mentre io gli appoggio il braccio sulle spalle, uno, due, tre, clic col pollice all'insù, bello orgoglioso. Ha gli occhi accesi di quei tifosi che mi vogliono un bene dell'anima, e la sua allegria è contagiosa perché al solo vederlo tutti ridono. Mentre sta per andarsene lo blocco per un braccio, sono troppo curioso, devo sapere. Perché assolutamente per primo?

«Capita', io dovevo usci' 'na settimana fa, finito, pena scontata. Però, quanno ho saputo che venivi, me so' detto: "E quanno me ricapita l'occasione de famme 'na foto cor capitano in posa? Mai, campassi cent'anni...". Allora ho chiesto de parla' cor direttore e l'ho implorato de resta' fino a oggi. Ma siccome er regolamento nun lo prevede, me so' giocato er jolly: "Guardi, se lei me fa usci' io faccio 'na cazzata pe' torna' dentro subbito, nun conviene a nessuno dei due", e lui ha capito. Mo' però me ne vojo anna', so' tre anni che 'a pischella mia m'aspetta...»

Spero che la pazienza di quella ragazza abbia resistito anche alla settimana supplementare, specie se il tizio gli ha raccontato la sua bravata. Sette giorni in galera gratis, solo per farsi una foto con me.

È una storia che fa ridere, lo so: quando salta fuori a cena gli amici prima spalancano gli occhi, poi credono che me la sia inventata e infine si divertono un sacco. Ma dopo averli salutati, ed essermi chiuso alle spalle la porta di casa, prima di andare a dormire a volte ci ripenso. Che cosa devo fare per essere degno di un amore così folle, così assoluto, così esagerato? Io non l'ho mai chiesto, e se ve lo dico non è per rifiutare le responsabilità che comporta, a quelle non sono mai sfuggito. No, non l'ho mai chiesto perché sono timido.

Ecco, l'ho detto. Lo so che in campo non sembrava, ma non dovete basarvi soltanto su quello perché il campo è una giungla, se i denti non ti crescono in fretta non hai chance, il campo è innanzitutto una questione di sopravvivenza. Io parlo del Francesco intimo, del bambino che a casa – quando mamma usciva a fare la spesa, lasciandolo mezz'ora da solo – si rannicchiava sotto le coperte dalla paura, e per non sentire i rumori strani che s'immaginava nelle altre stanze alzava il volume di *CHiPs*, i due poliziotti in moto sulle strade della California, i suoi primi amici d'infanzia. Ero timido da bambino e lo sono anche adesso. Imbarazzato davanti a manifestazioni d'affetto che mi lusingano oltre ogni limite, ma che qualcosa anche mi costano. Succede ancora oggi: entro con la squadra in uno stadio, in un aeroporto, in un albergo, e tutti corrono da me. In quei momenti vorrei scavarmi una buca e sparire: non gioco più, ora i protagonisti sono altri, andate da loro e caricateli di amore come avete fatto con me per venticinque anni. Andate da Daniele, adesso è lui il nostro capitano. Macché. Cerco di consolarmi pensando che così tolgo pressione ai giocatori, faccio in modo che restino più tranquilli, che conservino le energie nervose per la partita. Ma mi dispiace, mi dispiace tantissimo.

È sempre stato così, praticamente dal primo giorno. Romano e romanista, vengo considerato uno di famiglia. Tutti i tifosi mi vorrebbero invitare alla comunione dei figli. Ecco, questa forse è la vera differenza con gli altri: il calciatore forte, il migliore della squadra, di solito è un idolo, un modello, un poster in una cameretta. Sono cose dolcissime, ma diverse dall'essere uno di famiglia. Io sono di più, il figlio e il fratello. Meraviglioso, ma un po' stressante. Gli idoli passano, i poster si strappano. Figli e fratelli, invece, non tradiscono mai, o almeno nessuno pensa che possa succedere. Questo sentimento così speciale, e così diffuso, mi ha fatto diventare per molti il simbolo della romanità. Intendiamoci, un altro grande onore. Ma non avevo chiesto nemmeno questo.

Una volta, dopo la vittoria agli Oscar, decisi di vedere *La grande bellezza*, che sapevo essere un po' impegnativo. Tempo sessanta secondi, forse meno, e c'ero finito in mezzo. Mica scherzo. Non se n'è accorto nessuno, o almeno nessuno me l'ha mai detto, ma io l'ho notato subito. La scena d'apertura è girata al Gianicolo, accanto alla statua di Garibaldi, e la prima scritta che si legge nel film è "Roma o morte". Poi la telecamera si sposta nei giardini, inquadra un paio di facce strane tra i busti dei patrioti e si ferma su una signora non più giovane eppure truccatissima, con una sigaretta che le penzola dalle labbra. Regge un giornale, lo sta leggendo, è una «Gazzetta». Bene, il titolo della pagina in vista è la seconda scritta che compare nel film: "Allarme per Totti". M'è preso un colpo. Sotto il titolo s'intuisce una fotografia scattata mentre sono a terra dolorante, immagino che l'articolo parlasse di qualche mio acciacco, l'allarme doveva essere relativo alla presenza in campo nella gara successiva. Sciocchezze, ma intanto il film che tutto il mondo ha visto perché è innamorato di questa città si apre col mio nome.

Roma è mamma, lo sappiamo tutti. Essere il suo figlio prediletto è bellissimo, eppure a volte spaventa. Allora riecco quella domanda: che cosa devo fare per essere degno di un amore così folle, così assoluto, così esagerato?

1

Il prescelto

Mio cugino Angelo mima gesti impazienti. «Vai! Vai!» sussurra, ma con la faccia di uno che sta urlando. Io sono totalmente paralizzato, pelle d'oca alta così, mi vorrei sotterrare per la vergogna.

L'altoparlante ha appena chiamato il mio nome per il premio di capocannoniere del torneo, è una bella sera d'estate e l'intera tribuna del campo della Fortitudo si è messa ad applaudire, saranno duemila persone. E io ho appena sei anni.

«Totti. Francesco.» Breve pausa del dirigente. «Ma dov'è andato? Francesco?»

Angelo mi batte le mani davanti al viso, come a dire ehi, svegliati, tocca a te. Gli rispondo con l'espressione brutta, quella che fa venire le rughe sulla fronte. Facile per lui, il mio amico d'infanzia più caro, figlio del fratello di mamma: ha sempre avuto la faccia tosta, soprattutto con gli adulti, e non soltanto perché è di dieci mesi più grande.

«Francesco!» Alla fine il dirigente mi ha visto, e mi chiama a voce alta, attirandomi con la sua manona, «Vieni, vieni», sembra che tutti ripetano due volte ogni parola, come se fossi tardo di comprendonio, e invece sono soltanto timido. Molto timido. Mi faccio forza, un bel respiro e salgo le scalette per arrivare in cima alla tribuna, lì dove i premi vengono consegnati.

Gioco nella Fortitudo da un annetto, è il campo sotto casa, nel cuore del quartiere. Tutti i bambini di Porta Metronia sono iscritti, così ogni estate viene organizzato un torneo, dodici squadre da otto giocatori, noi siamo il Botafogo e abbiamo vinto in finale sul Flamengo: il capitano è un altro, e quindi stasera sono venuto qui tranquillo, tanto sarebbe toccato a lui ritirare la coppa. Non sapevo che ci fossero pure i trofei individuali. Il dirigente mi consegna la targa, da qualche parte ci sono anche mamma e papà ma non li vedo, mentre Angelo – che ovviamente è in squadra con me – sorride soddisfatto perché pensa che io abbia vinto la timidezza. Macché. Vorrei ancora sprofondare, ma una volta che duemila paia d'occhi ti hanno individuato non puoi più fare finta di niente. Penso confusamente che sarebbe educato ringraziare, ma l'idea di parlare al microfono non è neanche considerabile. Tengo lo sguardo fisso a terra e appena avverto che la stretta di mano del dirigente si è un po' allentata me la svigno, sperando che la gente sia già concentrata sulla premiazione successiva. Scendo veloce i gradini, riguadagno il campo e l'abbraccio protettivo dei miei compagni di squadra, qualcuno vuole guardare la targa, io mi piazzo proprio al centro del gruppetto, perfettamente nascosto.

Un fischio segnala che l'altoparlante è di nuovo in funzione. La voce del dirigente è monocorde, non sembra cogliere la notizia: «Miglior giocatore del torneo: Totti Francesco». Oh, no.

Timido, certo. Silenzioso, soprattutto. Ci metto parecchio a parlare correttamente, quasi cinque anni: fatico a mettere assieme le sillabe, tanto che mamma mi porta regolarmente dal logopedista per capire se esiste qualche problema serio alla laringe. «Non si preoccupi» la rassicura lui dopo aver eseguito i vari test. «Francesco deve soltanto "partire". Faccia conto una macchina col freno a mano tirato. Ecco, deve rilasciarlo.» Ha ragione. Come succede a tutti i bambini, una volta iniziato non ci penso più.

Ragionando a posteriori su quella ritrosia a esprimermi, è probabile che incidesse anche la tristezza per nonno Costante, il padre di mia mamma, che dopo l'amputazione di una gamba era venuto ad abitare con noi, e non stava bene. Aveva lavorato per tutta la vita alla manutenzione delle celle frigorifere, ed evidentemente gli sbalzi continui tra caldo e freddo gli avevano portato la cancrena. Dormivamo nella stessa camera e ogni sera, fingendo di essere già nel sonno, seguivo con crescente impressione gli sforzi di mia madre per sfilargli la protesi e posarla accanto al termosifone. Ai miei occhi lei gli tirava via la gamba, e la cosa mi spaventava moltissimo. Una notte, dopo aver atteso che nonno russasse, mi alzai e quatto quatto andai a toccare la protesi, scoprendo che era di legno. Tornai di corsa a letto, rischiando di svegliarlo, e nascosi la testa sotto il cuscino. Più avanti, quando già andavo a scuola, le sue condizioni si aggravarono e mamma chiese a una vicina, la signora Schibba, se poteva ospitarmi per qualche tempo: papà prese una poltrona-letto e la sistemò a casa sua, io andavo a scuola con Flavia e Roberta, le figlie della signora, e quindi mi trovai bene. Quando nonno Costante mancò, mamma, mettendo a posto le sue cose, mi fece vedere la tessera di socio vitalizio della Roma. Ne andava molto orgoglioso.

Mi capita spesso di rimanere a casa da solo. E sono un po' fifone. Succede al mattino, perché papà va in banca a lavorare, mio fratello Riccardo è a scuola – ha sei anni di più – e mamma deve pur andare a fare la spesa. Si raccomanda di tutto e poi esce, io sono ancora a letto, e due minuti dopo aver sentito la chiusura della porta e i suoi passi sulle scale, cominciano le paure. Avverto una presenza nelle altre stanze, rumori strani, scricchiolii, qualcosa che struscia a terra, un suono attutito, forse metallico. Allora mi rannicchio sotto le coperte fingendomi morto, e penso che quando il ladro – perché certamente di là c'è un ladro – verrà a ispezionare la camera rimarrà sorpreso e intristito dalla presenza di un bambino morto, e se ne andrà. Come strategia è un po' lugubre, ma funziona perché nessuno è mai entrato per controllare, o almeno nessuno ha mai alzato le coperte. Di più: quando mi convinco di averla scampata un'altra volta accendo il televisore – papà ne ha comprato un secondo, più piccolo rispetto a quello che abbiamo in salotto, e me l'ha piazzato in camera: regalone – cerco *CHiPs*, che è il mio telefilm preferito, e alzo il volume al massimo per non sentire più rumori inquietanti. Dopo qualche minuto mamma fa irruzione nella stanza trafelata, mica l'ho sentita rientrare, e abbassa di colpo: «Ma sei matto? Così diventi sordo!». Metto un po' il broncio, ma in realtà sono felice di aver superato un'altra prova di solitudine, e soprattutto che lei sia tornata. (Detto fra noi, la paura non se ne è mai andata del tutto: ancora oggi, a casa, se di notte parte l'allarme io fingo di dormire e lascio che sia Ilary ad alzarsi per controllare...)

CHiPs mi piaceva perché conteneva i sogni dell'epoca: due poliziotti americani di pattuglia in moto sulle autostrade della California. Cosa puoi desiderare più di una Harley-Davidson? Al pomeriggio arrivavano prima *Magnum, P.I.* e poi, naturalmente, *Holly e Benji*: non conosco giocatori della mia generazione che da bambini non si siano divorati i cartoni dei piccoli calciatori giapponesi. Però erano anni in cui la strada esercitava un richiamo fortissimo, perché nel quartiere ci si conosceva tutti e le mamme si sentivano tranquille a lasciarti uscire, tanto c'erano decine di occhi a controllarti. Quelli dei negozianti di via Vetulonia, per esempio, che se non avevano clienti non rimanevano dietro ai banconi come succede oggi, ma si piazzavano sulla porta o direttamente fuori, sul marciapiede, e lì chiacchieravano fra loro, con i passanti e pure con noi bambini. I loro figli erano tutti miei amici. C'era Antonio, detto il Morto perché era sempre pallido, c'era Bambino, c'erano i due Giancarlo, Pantano e Ciccacci, e poi Marco e Sonia, i figli del barista, oltre ovviamente al mio inseparabile cugino Angelo. Una vera combriccola, ma di bravi ragazzi: mai combinato nulla di grave. Ehm, quasi mai.

Una volta, avrò avuto dodici anni, Angelo, Bambino e io scendiamo in strada senza pallone e vediamo che, all'interno del cortile della scuola, due fratelli stanno palleggiando. Non fanno parte della compagnia a pieno titolo perché si fanno vedere solo di tanto in tanto, devono avere genitori molto insistenti sullo studio. Però ci si conosce, e quindi diamo per scontato di poterci aggiungere: a quel punto ne mancherebbe soltanto uno per un bel tre contro tre. Invece quelli non ce la passano, pensa che soggetti: «Il pallone è nostro e voi non ci giocate», gnè gnè gnè, e più noi insistiamo più loro, scambiandosi sempre la palla con attenzione per tenerla fuori dalla nostra portata, si allontanano. Bambino è il più fumantino, quello che in certe situazioni prende l'iniziativa: recupera la catena con la quale lega la bicicletta al palo e comincia a passarla sulla cancellata della scuola, ottenendo un rumore sinistro. Ma i due sono proprio testardi, di mollare con le buone non ne vogliono sapere, e alla fine partono gli spintoni. Non c'è match, a quell'età conta quanto sei grosso ma anche quanto tempo hai passato in strada. I fratelli scappano lasciando il pallone lì, a nostra disposizione. Cominciamo a giocare felici di aver vinto quel braccio di ferro, e la lite è presto dimenticata. Da noi. Peccato che a fine pomeriggio, quando torniamo a casa, troviamo le mamme in attesa davanti al portone. Furibonde, mai viste così. Sono appena rientrate dal commissariato di via Cilicia. Per farla breve, i genitori dei fratelli antipatici hanno fatto un esposto per l'aggressione e il furto del pallone, e gli agenti – che ci conoscono – hanno convocato le nostre mamme per comporre la questione senza ulteriori denunce. Nell'accordo, oltre al costo della palla, c'è ovviamente la promessa di una solenne punizione, e per qualche giorno ci dobbiamo scordare i pomeriggi a zonzo per il quartiere. E non finisce qui, l'indomani a scuola ci aspetta il resto: sono in classe quando si sente bussare alla porta, è la professoressa Paracallo – un autentico donnone, insegna musica – che butta dentro la testa, si scusa con l'insegnante in cattedra e mi si rivolge con dolcezza sospetta: «Francesco, potresti uscire un attimo, per favore?». Non posso non andare, anche se sento puzza di bruciato. Infatti. Appena esco lei – fulminea – mi cattura un orecchio con la presa a due dita: con l'altra mano sta tenendo Angelo nello stesso modo, sorda alle sue proteste. Così, portati letteralmente per le orecchie, ci conduce in giro per l'intero istituto, senza risparmiarci un piano: nel frattempo suona la campanella dell'intervallo e tutti i ragazzi che escono dalle aule ci vedono e ridono. Devono esserci anche quei due dannati fratelli, lì in mezzo a sghignazzare. Vergogna assoluta, totale.

Naturalmente non è un caso che la peggiore delle mie "imprese" abbia avuto per oggetto un pallone. Papà mi ha raccontato che a soli otto mesi, in vacanza a Porto Santo Stefano, davo spettacolo spingendo con i piedi sulla spiaggia di sassi il Super Santos arancione che mi aveva regalato, primo di una lunga serie. Non per fare il fenomeno, ma di solito a otto mesi i bambini nemmeno camminano: io invece portavo a spasso il pallone, e pure su una superficie irregolare. Addirittura ci dormivo, mi hanno raccontato: niente giocattoli, nemmeno Jeeg Robot, che all'epoca andava a ruba. Solo il Super Santos, si vede che intuivo l'influenza che avrebbe avuto sulla mia vita.

Scendevo in strada ogni giorno. Tornavo da scuola – che voleva dire attraversare la via perché la Manzoni era proprio lì, davanti a casa –, mangiavo qualcosa e mi sedevo sul balcone a studiare, non per godermi il fresco ma perché appena individuavo un volto conosciuto potevo precipitarmi giù gridando a mamma che mi stavano aspettando tutti. «Hai studiato?» era l'anticamera della sua resa, perché io di rimando gli urlavo tre sì e subito dopo ero troppo lontano per sentire eventuali repliche.

La compagnia dei ragazzini era composta da una trentina di noi, e percepivamo il quartiere come fosse il più bello di Roma: popolare ma non povero, pieno di corti nelle quali giocare, e soprattutto animato dalla gente per strada a tutte le ore. La mia famiglia era molto estesa, la domenica capitava spesso di andare a trovare i parenti a Trastevere oppure a Testaccio: erano gite piacevoli, ma io mi sentivo veramente bene soltanto a Porta Metronia. Tanto calcio, tante corse, tanti scherzi innocenti: per un periodo ci fu la moda di suonare ai citofoni, e anziché scappare il divertimento consisteva nel rispondere usando un nome famoso. Io ero fissato con Gerry Scotti. «Chi è?» «Gerry Scotti!» e allora sì che me la davo a gambe. A calcio giocavamo in cortile ma anche in strada, perché non esisteva ancora l'orario continuato e alle due i negozi abbassavano la saracinesca regalandoci, a volte fino alle cinque, le migliori porte che potessimo desiderare. La gente non ne era felice, perché ogni pallone calciato violentemente contro le serrande provocava un rumore esagerato e le conseguenti proteste, ma nessuno di noi se ne curava. Giocavamo "alla tedesca", ovvero con passaggi corti e al volo, classico esercizio da marciapiede per evitare che la palla vada in strada. Nell'anno dello scudetto abbiamo segnato un gol così, al Perugia: tanti tocchi sotto porta senza che il pallone cadesse mai a terra. Il problema più grave lo avevamo quando il cortile della scuola era chiuso e la palla ci finiva dentro. Toccava citofonare al custode, tipo un po' burbero, sperando di trovare suo figlio Gigi, nostro coetaneo: un ragazzo che non usciva quasi mai, molto solitario ma buono e gentile nell'animo, altro che i due fratelli della denuncia. Si sobbarcava sempre la seccatura di recuperarci il pallone, una, due, tre volte a pomeriggio. Gli volevo bene, per questo.

Non è semplice individuare il momento preciso dell'infanzia nel quale mi sono reso conto del talento, perché è sempre stato così, fin da Porto Santo Stefano. Voglio dire che non si tratta di un superpotere arrivato a me per qualche disegno del destino, come succede nei fumetti, ma di un'abilità innata. Forse una prima forma di consapevolezza è arrivata con Paperelle, il gioco di mira che impari da bambino. Una fila di ragazzi si dispone in cima a una scalinata – noi ci divertivamo davanti alla Manzoni – e al via si muove prima in orizzontale e poi, scendendo i gradini, in diagonale fino alla base. Distante una decina di metri, il tiratore tiene davanti a sé alcuni palloni, con i quali deve colpire appunto le "paperelle" prima che abbiano completato il loro percorso. È un esercizio semplice solo in apparenza, perché devi centrare una serie di bersagli in movimento mantenendo la calma man mano che si avvicinano a fine tragitto e il tempo comincia a scarseggiare. I palloni a disposizione di un gruppo di ragazzini, poi, sono diversi tra loro: c'è quello di cuoio pieno d'aria, quello sgonfio, quello di plastica, quello da pallavolo... Devi colpire ciascuno con la giusta forza, che non è mai uguale. Be', la prima volta che ci provo – avrò avuto cinque o sei anni – centro tutti i bersagli.

A ripensarci adesso, ricordo l'incredulità sui volti di Angelo e degli altri. «Rifallo» dice qualcuno, e io ripeto l'esercizio sbagliando però un tiro. Sento la rabbia crescermi dentro, perché sono molto competitivo e, se perdo, pure un po' rosicone; avverto che quell'errore, l'unico a fronte di una dozzina di colpi andati a segno fra prima e seconda serie, rischia in qualche modo di sporcare la prestazione. È l'espressione sulla faccia di Angelo, come sempre, a dirmi che lo stupore non s'è annacquato nemmeno un po'. Allora provo un'emozione tra l'allegria e l'incredulità: mi sembra troppo bello per essere vero, ma ho la sensazione di saper fare bene il gioco che più mi appassiona.

Nel corso della carriera mi è stato ripetuto più volte che la fortuna mi ha baciato in fronte. Quando entra in confidenza con qualcuno, mia madre si spinge però a raccontare di un altro bacio, e devo dire che persino io stenterei a crederle, se il suo racconto non fosse avvalorato da una fotografia. La storia risale alla prima elementare, quando l'intera scuola viene ammessa a un'udienza papale in Vaticano, nella celebre sala Nervi. Spingendo e sgomitando, mamma riesce a guadagnare la transenna, lì dove è certa di trovarsi a un passo da Giovanni Paolo II; e quando il papa compare all'inizio del percorso che lo condurrà davanti a lei, mi prende in braccio. Sono vestito con una tuta così gialla che sembra la divisa sportiva del Vaticano, e sono biondissimo: un autentico angioletto, insomma. Quando mi passa accanto il papa, che sta accarezzando i bambini protesi dalle braccia delle madri, mi dedica un leggero tocco della mano sui capelli, e mi pare già tanto. Procede altri due metri e poi, improvvisamente, si ferma. Si blocca anche mamma, che stava per posarmi a terra. Giovanni Paolo II si volta, torna indietro di due passi, si china su di me e mi bacia in fronte. Non so come ci riesca, ma mia madre per fortuna non perde i sensi, e così non rovino a terra. L'amica che la accompagna comincia a gridare: «Fiorella! Il papa ha scelto Francesco! È tornato indietro per baciarlo!», e mentre scoppia il caos nel giro delle madri della mia classe, qualcuno le sfila il portafogli dalla borsa. L'attenzione collettiva si sposta rapidamente sul furto, che viene scoperto quasi in diretta, ed è un bene perché il dietrofront del papa ha prodotto in mamma un vero choc. Ancora oggi, quando torniamo sull'argomento, lei sostiene la tesi che quel giorno io sia diventato in qualche modo il Prescelto, come in America chiamano LeBron James. La mia carriera starebbe lì a dimostrarlo. La storia è suggestiva, e avvalorata dalla foto che venne scattata in quell'istante; ma il Signore ha cose più importanti di cui occuparsi della diffusione del talento calcistico. Giovanni Paolo II mi baciò in fronte perché ero biondo e indossavo una bella tuta gialla. Fine della storia.

A Paperelle divento rapidamente imbattibile. Non sbaglio mai un colpo, per divertirci dobbiamo giocare a squadre con i più scarsi sempre al mio fianco, in modo che io debba preoccuparmi non soltanto di centrare i miei bersagli, ma anche di correggere i loro errori. Eppure vinco lo stesso, eliminando i miei prima che arrivino a metà strada e dedicandomi poi agli altri. La perizia è data da due fattori. Il primo è il colpo secco: la palla rimane attaccata al collo del piede per una frazione di secondo soltanto, e subito parte una traiettoria molto tesa e veloce, se anche volesse il bersaglio non farebbe in tempo a scansarsi. Ho segnato un gol così all'Inter, qualche anno fa a San Siro, su passaggio di Gervinho: palla molto secca nell'angolino dal limite dell'area, uno degli ultimi gol proprio belli, il primo di un 3-0. Il secondo fattore è la capacità di controllare in un istante i palloni che arrivano da chi deve raccoglierli, e li lancia alla rinfusa nella zona di tiro. Quasi tutti sprecano tempo a rincorrerli, perché hanno sbagliato lo stop e la palla è schizzata via lontana. A me non succede, grazie alla tecnica, e nelle gare a squadre i secondi guadagnati in questo modo sono decisivi.

Vincere è bellissimo, ma quello che mi piace veramente è sentire addosso la fiducia dei compagni, sicuri del risultato quando sono in squadra con me. La responsabilità non è mai stata uno stress, fin dai giorni di Paperelle, e ci sono stati alcuni calci di rigore in partite importanti nei quali il pensiero, prima della battuta, è tornato al cortile della scuola. Ma questo ve lo racconterò più avanti. E giuro che anche ai tempi di via Vetulonia l'emozione si faceva sentire. L'emozione, e la prospettiva del guadagno economico: papà mi allungava ogni giorno mille lire per la merenda, e io le risparmiavo perché quando ci giocavamo il gelato vincevo sempre. Ero una tale sentenza che, quando una volta mi successe di perdere, spesi una fortuna perché tutti se ne approfittarono: nessun Arcobaleno, il ghiacciolo che costava meno, tanti Twister, panna e cioccolato, roba da ricchi. E quando gli ricapitava l'occasione...

Credo che il primo ad aver percepito la dimensione del mio talento sia stato proprio papà Enzo. Diminutivo di Lorenzo, ma lo chiamano Sceriffo perché ama tenere tutto sotto controllo, e di qualsiasi cosa uno abbia bisogno, tempo mezz'ora e lui la procura: insisteva sempre per portarmi a piazza Epiro, dove c'è il mercato, perché lì giocavano i ragazzi più grandicelli, e quindi il test era più duro. Mi accompagnava in piazza e, sapendomi timido, chiedeva direttamente lui se potevo aggregarmi. All'inizio c'era qualche reticenza, mi vedevano piccolo e temevano di farmi male, ma a un adulto è difficile dire di no. Così venivo aggiunto a una formazione e in breve, davanti allo sguardo sornione e soddisfatto di papà, succedeva che la partita venisse interrotta perché il mio ingresso l'aveva squilibrata. «Rifamo le squadre», e immancabilmente il primo chiamato ero io. Anzi, chiamavano Gnomo, il mio soprannome di quegli anni perché di crescere non ne volevo sapere e mamma, dopo avermi portato dal medico e avergli chiesto con una certa grinta – manco fosse colpa sua – perché diavolo fossi ancora così piccino, cominciò a propinarmi la pappa reale. All'epoca andava di gran moda, una specie di pozione magica del druido di Asterix, ma al palato era un'autentica schifezza. Meglio la carnitina, altro prodotto per la crescita che aveva almeno il pregio del gusto all'amarena. Quando ho letto dei problemi che Messi ha superato da bambino in Argentina, mi sono sentito molto solidale. Io sono "partito" a dodici anni, e Gnomo è finito in fretta nel baule dei soprannomi dimenticati.

Quando passi tante ore per la strada diventi inevitabilmente un figlio del quartiere, nel senso che tutti ti conoscono, perdonano le tue sciocchezze – i gavettoni ai conducenti dell'Atac, che non avevano l'aria condizionata e d'estate viaggiavano con i finestrini abbassati –, controllano che non ti metta nei guai e ti trattano con affetto. Per esempio il tappezziere che aveva il negozio accanto al mio portone, il signor Corazza, quando fummo tutti un po' cresciuti cominciò a interrompere le partite per proporci dei lavoretti discretamente retribuiti: cinquecento lire per portare una poltrona al pianoterra, mille per un divano al secondo piano, e faceva in modo che ce ne fosse per tutti perché noi quei lavoretti ce li saremmo strappati l'uno con l'altro, i soldi cominciavano a fare comodo. Io li spendevo soprattutto al flipper, perché nel bar del signor Lustri ero il primatista su tutte le macchine: una sfilza di FRA riempiva la schermata dei record, e quando qualcuno osava inserirsi – ricordo un PAO frequentemente in classifica – dovevo cancellarlo a costo di giocare fino a sera. Spendevo così i miei primi guadagni, mentre altri ci portavano fuori la ragazzina, qualcuno si prendeva le sigarette, insomma erano una manna per tutti. E siccome ero stato uno dei primi a ricevere il motorino, spesso raccoglievo il gruzzolo collettivo per andare a comprare le liquirizie alle bancarelle davanti al cinema Maestoso. Oppure a prendere l'acqua alla fonte Egeria, perché quella del supermercato sapeva di plastica.

La strada manca molto, ai giovani calciatori di oggi, e non occorre andare più lontano per capire come mai le generazioni passate scoppiavano di talenti mentre ora pare così difficile trovarne uno. Noi trascorrevamo cinque ore al giorno, e d'estate dieci, a fare passaggi e tiri oppure partita, che detta così sembra il massimo del pressappochismo – e magari lo è – ma resta un modo incomparabile per sviluppare tecnica, istinto e capacità di sopravvivenza in campo. Adesso giocare a pallone è proibito dappertutto, tranne che nei centri sportivi, dove sei subito inquadrato in una società, e il divertimento diventa allenamento: certe volte mi verrebbe da saltare addosso a quei tecnici che ordinano le ripetute a squadre di bambini, ma capisco che ormai funziona ovunque così, la cura del fisico è preponderante, suonerebbe strano fare qualcosa di diverso. Mio figlio Cristian è un privilegiato perché ha il campo di calcetto in giardino, e quando non deve studiare lo incoraggio a invitare i suoi amici per fare quello che facevamo noi: mezz'ora di passaggi e tiri per scaldarsi, e poi partita. Il calcio del quale ti innamori è questo, il resto è un lavoro necessario quando ti avvicini all'età di un eventuale professionismo, non quando hai dieci anni. Quando ne hai dieci devi ingegnarti a prevalere con la tecnica, per esempio col dribbling, su un avversario più grosso e cattivo di te. È semplice: gente come me, come Del Piero, come Baggio, come Mancini, da bambino passava le ore a esercitarsi nel calcio libero, a tormentare di pallonate le serrande dei garage, a svignarsela se aveva rotto un vetro della sagrestia, inseguito da un prete che se anche ti placcava poi non ti faceva niente. Via Vetulonia è stata questo, per me: il mio meraviglioso parco giochi. Prezioso e protettivo. Perché la verità è che siamo rimasti lì fino ai miei ventiquattro anni, la stagione prima dello scudetto, quando uscire senza camuffamenti era diventato impossibile perché le vie del quartiere, soprattutto dopo una bella vittoria, si riempivano di tifosi che mi volevano vedere, toccare, abbracciare. Ecco, nel primo periodo della mia popolarità Porta Metronia si chiudeva a riccio per garantirmi percorsi segreti grazie ai quali sparire, se ne avevo necessità. Ero già il capitano della Roma, eppure passavo il tempo libero in garage a giocare a briscola coi vecchi amici. Quando poi dovevo uscire, ma una quantità di ragazzine aspettava la mia Mercedes, il carrozziere Catalani mi prestava un'auto scassata per non dare nell'occhio. E infatti nessuna ha mai degnato di uno sguardo quella 500 sverniciata, o la Golf con un bozzo sulla fiancata, mentre salivano lentamente la rampa del garage.

Il presepe di via Vetulonia, però, finisce qui. Non esiste un giorno nel quale ci siamo resi conto di dovercene andare; o forse sì. Ricordo le braccia allargate di mia madre, a significare "Cosa ci posso fare?", quando una vicina le fece notare che per la terza volta in una settimana era stato rubato il tappetino davanti al portone. Il feticismo del tifo può arrivare anche molto più lontano, però questo all'epoca non lo sapevo: tre zerbini in una settimana – in quanto "tappetini di Totti" – valevano una tacita sentenza di sfratto, sia pure a malincuore perché tutti ci volevano bene. Ma nelle assemblee condominiali il tema delle scritte con lo spray sulle pareti del palazzo (la maggior parte tenere e tifose, ma non mancavano i primi insulti laziali) era diventato un classico. Prima che la complicità del quartiere si trasformasse in ostilità decidemmo di cambiare casa, cercando una villa tranquilla a Casal Palocco, non distante da Trigoria, sulla via del mare. Pur nascendo dall'amore, la pressione della gente era diventata insostenibile.

2

Fuori scala

Da ragazzino segno una valanga di gol perché metto la palla più o meno dove voglio, e perché lo faccio in modo furbo: i portieri sono bassi, spesso non riescono a toccare la traversa nemmeno saltando, basta piazzare il tiro subito sotto ed è fatta.

Alla Fortitudo resto due anni e imparo le basi, o meglio comincio a raffinare qualcosa che evidentemente ho dentro. L'uso del corpo, per esempio: a seconda di quello che stai facendo con la palla – correre, passare, tirare – il corpo deve accompagnarla, proteggerla, spingerla. Mi basta ascoltare la spiegazione una volta per svolgere poi bene gli esercizi, e fin dal primo giorno gli insegnanti rimangono colpiti dalla facilità del mio controllo. Dicono che mi garantisce più calma per scegliere la soluzione giusta, nel linguaggio moderno del calcio si direbbe per "guadagnare un tempo di gioco". Il segreto è quello antico, che non mi stanco di consigliare anche se temo sia sparito dalle scuole calcio di oggi: il muro. Il muro è il compagno più corretto che tu possa trovare, se gliela dai bene te la restituisce bene, ma se gliela dai male te la restituisce male. Talento e tanto muro – sin da bambino, quello del cortile della Manzoni – insegnano il controllo. E il controllo è la porta d'accesso al calcio vero.

Il direttore tecnico della Fortitudo si chiama Armando Trillò, e un giorno mi chiede di firmare il cartellino che attesta il mio tesseramento per il club. Tornato a casa lo racconto a mamma, che s'inquieta non poco. «Ma che hai firmato? Ma hai sei anni!», e lo straccia. In realtà non c'è nulla da temere, la firma ovviamente non ha alcun valore legale, è soltanto una prassi per vincolare emotivamente i giovani alla società in cui crescono. Ma il signor Trillò non vuole trattenermi, e quando mia madre va da lui a protestare glielo dice a voce bassa, con tono da cospiratore: «Signora Totti, suo figlio possiede qualcosa di speciale. Quando gioca a calcio non è un bambino come gli altri, e non è soltanto più bravo. È proprio un'altra cosa». Il suo consiglio è di spostarmi in una società più orientata alla competizione, la Fortitudo opera soltanto nel quartiere.

L'occasione arriva quando la Smit (acronimo di Santa Maria In Trastevere) organizza un provino per i ragazzi della mia età. È l'ottobre del 1985, ho appena compiuto nove anni e dunque sono passato Esordiente, vengo invitato al test assieme ad Angelo (anche lui gioca ancora nella Fortitudo). Nel primo tempo restiamo in panchina, e mi chiedo perché siamo venuti. Nel secondo entriamo e io comincio subito a fare i numeri, consapevole che il tempo è limitato. Se la cava bene anche Angelo, che gioca centravanti. A fine gara il responsabile del provino corre da noi. Ha la faccia di un ragazzo che a Natale, sotto l'albero, ha trovato il regalo in cui sperava: «Vi prendiamo. Tutti e due». Il mio entusiasmo schizza al cielo, quello di Angelo meno. Andiamo in doccia, gli faccio notare che armadietti e appendini sono in ferro, e non in legno come alla Fortitudo, cerco un appiglio per fargli dire sì, ma alla fine lui rinuncia. La Smit si allena al campo 65 San Tarcisio, sotto il ponte Marconi, effettivamente è distante da casa nostra, ma a me è bastato quel provino per capire che il passo avanti va compiuto. Se Angelo non vuole venire, dovrò separarmi da lui. Soltanto per quanto riguarda la squadra, certo, per il resto continueremo a stare sempre assieme: ma è importante annotare come il richiamo che il calcio esercita su di me superi per la prima volta anche il freno della timidezza. Avere accanto la faccia tosta di Angelo mi rassicura, ma dare una prospettiva alla mia passione conta di più. A nove anni sono ancora un bambino, ma per la prima volta capisco che l'idea di fare il calciatore da grande potrebbe realizzarsi. O almeno che molto dipende da me.

Resto alla Smit meno di un anno, ma è un'esperienza preziosa perché mi introduce all'agonismo. Ricordo tutto. La prima partita contro la Spes Omi, 0-0; la prima vittoria, contro il Tre Fontane; il primo gol contro l'Ina Casa, sotto la pioggia battente, un tiro del mio compagno Scano ribattuto dal portiere e io che sono il più svelto ad arrivare sulla respinta; i primi complimenti degli avversari per un gol all'Agip Petroli, tre difensori saltati e portiere infilato in uscita. Semplicemente, la crescita è veloce e impetuosa. E il nome comincia a girare.

Quell'anno entro anche per la prima volta a Trigoria, e per un bambino romanista il quartier generale giallorosso è una grande emozione: la Smit viene invitata al torneo Primi Calci, vinciamo due partite e perdiamo la finale, ma soprattutto ne approfitto per ispezionare ogni angolo aperto agli ospiti del centro sportivo. Un altro torneo che vale la pena citare è quello di Maccarese, perché lo vinciamo e io vengo eletto miglior giocatore. È l'ultima soddisfazione con la Smit, la Lodigiani si sta già facendo avanti, ma ricordo la festa col nostro allenatore, Carlo Barigelli, che è pure un amico di papà. Era stato lui a organizzare il test per la Smit.

La Lodigiani è la terza società di Roma dopo le due grandi, la lista di giocatori usciti dalle sue giovanili e arrivati in serie A è lunga così, mi dicono tutti che sia la strada maestra per emergere. Al provino non gioco nemmeno un minuto. Non ce n'è bisogno. Mi dicono di palleggiare per scaldarmi, osservano per un po', mi fermano: «Va benissimo, Francesco, sei quello che ci hanno detto, ti prendiamo».

Il dirigente chiave è Rinaldo Sagramola, da adulto lo ritroverò direttore di numerosi club di serie A. Mi affida alle cure di due tecnici, Emidio Neroni e Fernando Mastropietro: gioco prima con gli Esordienti e poi con i Giovanissimi, in attesa di uno sviluppo fisico decente – sono ancora lo Gnomo – Neroni mi piazza davanti alla difesa, centrocampista di regia, in pratica un piccolo Pirlo. È un ruolo che mi diverte molto, perché ho il piede per lanciare lungo e preciso e in questo modo sforno dieci palle-gol a partita. Ma quando finalmente comincio a crescere, Mastropietro mi riporta davanti con l'aria di chi ti dice che la ricreazione è finita. Prima punta, addirittura: segno quaranta gol in stagione (e i portieri ormai la traversa la toccano...) e intuisco che presto dovrò lasciare anche la Lodigiani, sono fuori scala pure lì. Non a caso, né Neroni né Mastropietro mi danno mai la maglia numero 10, pur sapendo che ci terrei. Sempre e solo la 8. Il loro ragionamento, svelato a posteriori, è che la pressione su di me stesse crescendo a un ritmo talmente vertiginoso da rendere concreto il pericolo che mi montassi la testa: il numero 10 rischiava di completare l'opera. Neroni, poi, insiste molto sulla necessità di imparare a sopportare i falli, perché secondo lui sono destinato a subirne tanti, e mai profezia fu più azzeccata. A volte discutiamo, perché le pedate cominciano ad arrivare in un modo che a me pare scientifico, ma ha ragione: così mi ripulisco dal punto di vista del comportamento in campo. Divento meno insofferente. In parole semplici, comincio a convivere col mio talento.

A quell'età la pressione è essenzialmente una questione di aspettative, ma io avevo imparato a maneggiarla fin dai tornei scolastici, quando il motto dei professori-selezionatori era «palla a Totti e tutti avanti». Certo, dopo un po' di partite ti accorgi sia della marcatura diversa allestita su di te – ho sempre avuto due uomini addosso, e a quei tempi c'era ancora il libero pronto, nel caso fossi scappato a entrambi – sia soprattutto degli sguardi accigliati dei genitori avversari: un mix fra la soddisfazione di vedere giocate di alto livello nella partita del figlio e la rabbia perché quelle giocate non sono sue e nemmeno di un compagno, ma di un avversario. Poi c'erano i genitori nostri, che facevano un bel baccano. Non tanto i miei, silenziosi e riservati, quanto gli altri: il padre di David Giubilato – compagno dell'epoca poi diventato professionista – impazziva per i miei numeri. Si sentiva solo lui, e metteva allegria.

Inciso: nel gennaio del 1988 la Lodigiani vince al campo Ruggeri di Montesacro il trofeo Lenzini contro la Lazio: finisce 2-0, io gioco bene, il capitano dei biancocelesti si chiama Alessandro Nesta e il suo nome tornerà altre volte in questo racconto.

Quello è anche il periodo in cui comincio a frequentare l'Olimpico. La prima volta in cui vengo aggregato al gruppo familiare che va in tribuna Tevere ho nove anni: tra zii, cugini e mio padre saremo una decina, facciamo due macchine e anche se ci stiamo stretti io sono un bimbo felice. Gli zaini si possono portare dentro senza problemi. Così, alle dieci del mattino, perché bisogna essere ben piazzati in tribuna già tre ore prima del fischio d'inizio – mai capito perché –, mamma me lo riempie di provviste: panino con la frittata, Coca-Cola irrimediabilmente calda, banana, carte da scopa e tressette, radiolina per sentire le altre partite. Quando entrano in campo i giocatori per il riscaldamento, tocco il cielo con un dito. Quando Nela e Conti vengono a corricchiare sotto la Tevere, così vicini che li potresti quasi toccare, mi sento orgoglioso di essere lì, a tifare per la Roma. Bruno è un campione del mondo: mi sembra incredibile poter osservare dal vivo una persona così importante.

Un'altra cosa che mi piace un sacco dello stadio è il contatto con persone che non conosci – quelle che ti siedono vicino – e che dicono cose che non t'aspetti, sulla squadra e sulla vita. A volte chiedo a papà che cosa intendano, altre non le ascolto, soprattutto quando parlano male dei giocatori.

Un paio di anni dopo, con la tessera della Lodigiani in tasca a darmi libero accesso, vado per la prima volta in Curva Sud con mio fratello Riccardo e due cugini. È un'esperienza diversa perché il tifo è molto più aggressivo, non ci sono famiglie qui, soltanto ragazzi belli tosti. Guardo i capi con un misto di ammirazione e paura: è gente che da allora si è presa il Daspo, è finita in galera, addirittura è morta, perché non stiamo parlando di un ambiente facile. Però ricordo una cosa, di quella generazione: non gliene fregava niente della politica – come invece succede oggi –, andava lì soltanto per tifare.

Chiudo con la curva qualche anno dopo, quando gioco già nella Roma, il giorno di una partita col Napoli. Vado all'Olimpico con Riccardo, abbiamo entrambi il motorino e parcheggiamo fuori dalla Curva Nord, nello spazio abituale. Quel pomeriggio, però, ci sono degli scontri, e all'uscita dello stadio ci troviamo improvvisamente presi in mezzo tra l'esercito degli ultrà napoletani e un battaglione di celerini. Brutto affare. Molotov da una parte, lacrimogeni dall'altra, impossibile scappare: ho la sensazione che stavolta potrebbe davvero finire male. Poi la guerriglia si spezza in mille rivoli, ma quando arriviamo ai motorini li troviamo completamente distrutti, il mesto ritorno a casa si conclude con tre ore di ritardo. L'errore è raccontare ai miei il perché. Da allora, stadio vietato a meno di non venire convocato nella squadra dei raccattapalle.

Nella mia carriera ci sono stati tre momenti in cui la possibilità di andarmene da Roma è stata concreta. Ve li racconterò tutti, a cominciare dal primo, che si verifica un giorno dell'estate dell'88, quando Ariedo Braida bussa alla porta di via Vetulonia.

La visita, annunciata da una telefonata soltanto poche ore prima, mette tutta la famiglia sottosopra. Braida è il direttore generale del Milan campione d'Italia: braccio destro di Galliani, è l'esperto di calcio della formidabile macchina organizzativa allestita due anni prima da Silvio Berlusconi per rilanciare il club rossonero. Il fatto che voglia vederci testimonia ovviamente il suo interesse per me. Viene fatto accomodare in salotto, di fronte a lui si siedono mamma e papà, Riccardo è loro accanto, io sono in un angolo della stanza, come se la cosa non mi riguardasse. E in effetti, mi rendo conto di non avere diritto di voto. A dodici anni sarebbe un po' presto.

«Cari signori Totti» è il succo del discorso di Braida, che non smette di tormentarsi il nodo della cravatta, «il presidente Berlusconi sta facendo grandi investimenti per riportare il Milan fra le squadre migliori del mondo. Nei primi due anni abbiamo ingaggiato sia in Italia sia all'estero numerosi campioni, ma nella nostra tradizione c'è anche la cura del vivaio per creare in casa gli assi del domani: pensate a Paolo Maldini, il simbolo della nostra politica. Il Milan conta a Roma su numerosi osservatori, e tutti ci hanno segnalato le grandi qualità di vostro figlio Francesco. Saremmo felici se si unisse a noi, trasferendosi a Milano. È molto giovane, certo: ma dalle persone che lo seguiranno e avranno cura di lui alle scuole che sceglieremo insieme fino al centro sportivo di Milanello, che sarà la sua nuova casa, vi garantisco personalmente il miglior percorso possibile di crescita umana e calcistica. Non sarei qui a proporvelo, se avessi anche un solo dubbio. Francesco ha potenzialità enormi: nessun club può aiutarlo a svilupparle meglio del Milan.»

Concluso il discorso, è il momento della mossa a sensazione. Braida estrae dalla borsa portadocumenti che ha portato con sé una maglietta rossonera della mia taglia e mi invita a prenderla. Aspetto un cenno di assenso da parte di mamma, poi mi alzo e la raccolgo dalle sue mani. Braida lascia anche intendere che non dovrei trasferirmi subito per forza. Se la famiglia dovesse ritenermi ancora troppo piccolo – e certamente è così – il Milan non avrebbe problemi a lasciarmi ancora uno o due anni alla Lodigiani; la cosa importante è firmare un accordo che tagli fuori le altre grandi società che – sono parole sue – «inevitabilmente busseranno alla vostra porta. Noi del Milan siamo arrivati prima grazie alla nostra organizzazione, ma se Francesco continuerà a crescere così, presto avrete la fila qui fuori». Braida è un vero signore, non cerca di portarmi via dicendo che il suo sarà l'unico treno a passare, ma il migliore. Accenna appena al fatto che è pronto un assegno per sostenere le spese di viaggio della famiglia per venirmi a trovare, ma la cifra lascia a bocca aperta: centocinquanta milioni, a quanto poi ho saputo gli stessi offerti dal Milan alla Lodigiani. Quando gli stringo la mano per salutarlo, mi invita ad alzare lo sguardo perché ce l'ho fisso a terra: «Un giorno i tuoi occhi potrebbero dominare San Siro. Tienili belli alti, ragazzo».

Non lo dico perché il suo direttore generale ha avuto la sensibilità di venirmi a parlare, ma quel Milan è l'unica squadra italiana per la quale abbia avuto un trasporto oltre alla Roma. Mi spiego meglio. Io tifo per la Roma dal primo giorno che mi ricordi, non c'è mai stata un'alternativa e il fatto di esserne diventato la bandiera è l'orgoglio più grande che provo. Premesso questo, Braida viene a trovarci subito dopo lo scudetto di Sacchi, e a quell'età il mio gusto calcistico si è già evoluto a sufficienza per apprezzare la qualità del gioco: e quindi capitemi quando vi dico che il Milan di Sacchi è stata la squadra più esaltante che io abbia mai visto, l'unica nella quale fantasticavo di giocare. Stiamo parlando di un trasporto tecnico, non sentimentale come nel caso della Roma; però c'è, e la prospettiva di entrare in quella scuola tocca in me qualche corda nascosta. Salutato il signor Braida, guardo in faccia i miei per capire come l'hanno presa, e non saprei dire con certezza cosa vorrei vedere.

La risposta comunque è no, e viene recapitata un paio di giorni dopo: «Siamo una famiglia molto unita, dividerci non è nei nostri programmi. Non così presto, almeno». Sono troppo piccolo e lo sarò anche fra due anni, la deadline oltre la quale il Milan vorrebbe trasferirmi in ogni caso al Nord. «Fai un'altra stagione alla Lodigiani senza prendere impegni, e poi vediamo» dice papà. Il calcolo è evidente: se Braida ha ragione, di qui a un anno potrebbero arrivare altre offerte, fra le quali quella che tutti aspettiamo. Verrò a saperlo soltanto dopo, ma in quei giorni di travaglio i miei genitori chiedono una consulenza a Stefano Caira, dirigente che lavora in Federcalcio e soprattutto figlio di un'amica strettissima di mamma; lui ascolta le cifre, che comprensibilmente hanno turbato i miei, e risponde con grande sicurezza: «Enzo, Fiorella... sono molti soldi ma fidatevi, presto per Francesco questi saranno spiccioli. Non mandatelo via da casa, e fatemi percorrere una strada». La strada si chiama Raffaele Ranucci, vicepresidente della Roma e responsabile del settore giovanile giallorosso.

È un anno di cambiamenti, perché ho finito le

elementari e alla Pascoli, la scuola media, lo studio comincia a essere più impegnativo. Così ogni giorno mamma mi viene a prendere con la 126, mi passa il contenitore della pasta fredda, un panino al prosciutto e la spremuta, e ci mettiamo in viaggio per il campo Francesca Gianni a San Basilio, dove si allena la Lodigiani. A quell'ora fanno quarantacinque minuti di macchina, arrivo e schizzo nello spogliatoio, finisco alle 17.30. Il problema è che la "tariffa" del ritorno, essendo ora di punta, è di gran lunga peggiore: due ore di macchina, che passo a fare i compiti e a ripetere le lezioni di storia e geografia che mamma ha imparato mentre mi aspettava, e che mi snocciola per accelerare il mio apprendimento. Mangio un altro panino, non di rado a metà percorso mi addormento per la stanchezza. Torno a casa esausto e il massimo svago che mi concedo è una partita al flipper del bar, dove cominciano ad abbondare punteggi alti privi della sigla FRA.

Alla Pascoli l'insegnante col quale mi è più facile instaurare un rapporto è quello di educazione fisica. Il professor Scala è un neolaureato giovanissimo, ha ventiquattro anni e in realtà ci siamo già visti, perché cura la preparazione atletica della Romulea, uno dei più importanti club dilettantistici della città. Dei miei amici ci gioca Giancarlo Pantano, una volta che sono andato a salutarlo è stato lui a presentarmelo, e il suo è un nome che tornerà spesso in questa storia. Ah, dimenticavo: il professor Scala si chiama Vito.

Un giorno di primavera Sagramola convoca i miei

genitori e Riccardo in sede. Il momento è arrivato, ma stavolta io non partecipo. La Lodigiani ha ricevuto le offerte di Lazio e Roma, e ha sempre la ricca disponibilità del Milan nel caso in cui avessimo cambiato idea rispetto all'estate precedente. «Dovete scegliere voi» dice Sagramola, facendo capire che per quanto riguarda il club la proposta della Lazio sarebbe la preferita. Facile capire perché: quella è un'offerta cash, mentre la Roma per principio non paga i giovani, e quindi Ranucci ha inserito nella trattativa un paio di ragazzi della Primavera che alla Lodigiani possono essere molto utili.

Adesso vi dirò una cosa già nota, ma che fa sempre ridere, ogni volta che la racconto: da giovane, mia madre era della Lazio. Pur essendo scontata la mia preferenza per la Roma – ovviamente prima dell'incontro in sede ci eravamo parlati, anche se non ce n'era bisogno –, Riccardo viene colto dall'improvvisa paura che mamma faccia la scelta opposta, e guardandola negli occhi come a intimarle il silenzio le molla sotto il tavolo un calcione che la prende sì di striscio, ma lasciandole un bel segno. Deve essere stata una scena da grande film comico, peccato essermela persa. «Signor Sagramola, Francesco vuole andare alla Roma e noi siamo qui per assecondare il suo desiderio.» Riccardo sente queste parole di mamma e ricompone i piedi sotto la sedia.

A giugno tutto è definito: alla Lodigiani ritiro le mie cose e saluto gli amici perché a fine agosto, quando riprenderà l'attività, dovrò presentarmi allo stadio

Tre Fontane, l'impianto sulla Cristoforo Colombo in cui si allenano le squadre giovanili della Roma.

Fermiamoci un momento qui perché a quasi tredici anni, e in procinto di imboccare il bivio decisivo della mia vita, alcuni aspetti del mio carattere hanno iniziato a formarsi parallelamente alla crescita come giocatore. Di più: penso che i due aspetti siano collegati. Non sono più il bambino ingenuo che sogna di fare il benzinaio perché il fascio di banconote arrotolate nelle sue tasche gli sembra tutta la ricchezza del mondo. No, ho capito fin troppo bene che il mio futuro è in ballo qui, sui campi di calcio, e la certezza del talento – sempre più solida – giorno dopo giorno modella il mio carattere aggiungendo un abbozzo di leadership. Semplicemente, i compagni cominciano a guardarmi interrogativi nei momenti in cui non sanno cosa fare; e io, con grande naturalezza, dico a uno di restare indietro, a un altro di giocarmi vicino per fare le sponde, a un terzo di scattare velocissimo in avanti quando vede che il mio movimento porterà a un lancio. Sono le indicazioni date dagli allenatori nella preparazione della partita, certo, ma in campo la figura di riferimento diventa il giocatore più forte. E non sarai mai davvero il più forte se non ti assumerai le responsabilità collegate.

La mia trasformazione, come dicevo, avviene in campo ma anche fuori. Rimango timido nel contatto con gli adulti, quello è un aspetto sul quale devo ancora lavorare; ma con gli altri ragazzi il rapporto si evolve, la mia parola viene ascoltata, la personalità si sviluppa. Quella del 1989 è un'estate molto speciale, perché il fatto di aver firmato con la Roma mi dà evidentemente una nuova sicurezza. Non presunzione, non l'ho mai avuta; sicurezza nei miei mezzi, ecco. Succede poi un'altra cosa importante, quell'estate. Oltre alla consueta villeggiatura nella casa di Torvaianica, andiamo in vacanza a Tropea, in un camping familiare, col solito gruppo di parenti. È un bel posto, non ci sono pericoli, e la nostra banda di cugini è numerosa: i genitori ci lasciano fuori anche fino a tardi senza troppi problemi. Tra le amicizie che facciamo in compagnia c'è una ragazzina molto bella, si chiama Giulia e ha sedici anni, è in vacanza lì anche lei e con le nostre stesse libertà. Riccardo e gli altri le ronzano intorno, io la guardo di sottecchi perché è davvero bella, peccato sia così grande, tre anni più di me... Una sera però arrivo in piazza in anticipo sugli altri e la trovo da sola. Mi sorride come se non aspettasse altro che quell'occasione. «Ciao Francesco, andiamo a fare un giro in spiaggia?» Certo. Lei mi prende per mano, superiamo le prime file di ombrelloni, quelle illuminate dai fari, ci addentriamo nella zona immersa nell'oscurità. Accanto a qualche sdraio piegata come un séparé si avvertono dei mugolii. Non faccio in tempo a realizzarlo, e Giulia mi sta baciando. Ci sediamo e continuiamo a baciarci. Ci stendiamo sulla sabbia, e non ci fermiamo più. La sorpresa lascia il posto alla dolcezza, Giulia guida le mie mani e mi aiuta a gestire un imbarazzo che diventa desiderio. Asseconda i miei movimenti, mi accarezza i capelli quando è tutto finito, quando la prima volta è andata e la tempesta ormonale si placa ridiventando imbarazzo e sorpresa. Torniamo in piazza mano nella mano, senza dire una parola, sotto lo sguardo prima incuriosito e poi allibito degli altri. Quando rientriamo al campeggio, di notte, parla per tutti Riccardo: «È una settimana che le moriamo dietro in dieci, e quella sceglie te! Un bambino! Non so se ridere o piangere». Mi dispiace. No, non è vero: non mi dispiace.

Il mio primo allenatore alla Roma è Franco Superchi, da portiere ha vinto uno scudetto da titolare con la Fiorentina e uno da riserva con la Roma. Questo gli dà un grande carisma. È il tecnico dei Giovanissimi provinciali, ha idee chiare sul mio ruolo e sul numero di maglia: mi piazza trequartista dietro due punte, e mi consegna il 10. So che in società vorrebbero vedermi attaccante puro, ma Superchi difende la sua intuizione, secondo lui non ha senso farmi aspettare che il pallone arrivi davanti, devo essere sempre nel cuore del gioco. I dirigenti lo seguono, e anche quando passo di categoria, con i Giovanissimi regionali, ruolo e numero restano quelli. La crescita continua con Mario Carnevale in panchina, ed è più che serena perché veglia su di me Gildo Giannini, il papà del mio idolo Giuseppe, responsabile con Giuseppe Lupi del settore giovanile giallorosso. Sono anni che Giannini mi tiene d'occhio, il primo ad avergli segnalato le mie qualità era stato addirittura il signor Trillò, ai tempi della Fortitudo. «Finché la palla non entra, non hai fatto niente» è il suo motto, che ne descrive la concretezza. Stravede per me perché gli ricordo com'era suo figlio Giuseppe. Il Principe. Il capitano della Roma.

La domenica faccio il raccattapalle alle partite di serie A. È la stagione che culminerà nel Mondiale, l'Olimpico è chiuso per lavori sempre più febbrili e la Roma in casa gioca al Flaminio, dove la gente è vicinissima al campo perché non c'è pista d'atletica. Sono giornate di grande soddisfazione sotto diversi punti di vista. Intanto il campionato italiano all'epoca non ha eguali al mondo, e quindi da bordo campo posso ammirare una lunga serie di campioni, rubando loro il mestiere. Inoltre, siccome la squadra quell'anno non va granché bene, i tifosi s'arrabbiano e la seppelliscono di monetine, che i bravi raccattapalle raccolgono. E intascano. Una partita negativa può valere parecchio. Tifiamo tutti per la Roma, ma se gioca male e perde c'è questa piccola (mica tanto) consolazione. L'esperienza da raccattapalle, poi, mi spalanca le porte dei Mondiali. Veniamo selezionati in trenta, quindici ragazzi della Roma e quindici della Lazio, e la sera della finale tra Germania e Argentina la coppa viene portata in giro su una golf car come una reliquia. Quando si ferma accanto alla mia postazione, non resisto: mi faccio coraggio e allungo una mano fino a toccarla. Il contatto è quasi elettrico, sono emozionato alla sola idea di averla sfiorata, e come me gli altri ragazzini, fra i quali c'è Davide Lippi. Se solo sapessi che sedici anni dopo suo padre e io l'alzeremo assieme nel cielo di Berlino...

Mamma mi porta ogni giorno al Tre Fontane, mantenendo l'abitudine di studiare in macchina le mie lezioni del giorno per farmene poi un riassunto sulla strada del ritorno. Il suo impegno è commovente, ed è per questo che mi arrabbio moltissimo quando, in terza media, arriva una bocciatura totalmente immeritata. La storia è questa: a maggio la mia squadra deve andare alcuni giorni in Sardegna per un torneo. Il problema è che non sono l'unico calciatore della classe: ce ne sono altri quattro, tra Romulea, Almas e altre società, e quello è il periodo dei tornei. Ci assentiamo tutti e cinque, il numero minimo di alunni per la gita scolastica programmata a Napoli viene a mancare, il viaggio viene annullato. Putiferio generale, l'insegnante capoclasse chiama i genitori dei giocatori per dire loro a brutto muso che la scuola deve venire prima del calcio, le professoresse di musica, inglese e matematica disegnano la loro vendetta: avevamo concordato assieme gli argomenti da trattare agli esami, ma arrivati all'orale scopriamo che le domande riguardano tutt'altro. Zero. Scena muta. Insorgono i professori di italiano e di educazione fisica (non c'è più Vito), che hanno capito la perfidia, ma il risultato non cambia: bocciato per eccesso di pallone.

Il presidente della Roma è il senatore Dino Viola, l'uomo dello scudetto dell'83, un autentico mito, e mi tremano un po' le ginocchia quando, alla festa di

Natale 1990, passa in rassegna le squadre e, una volta individuatomi, non mi lascia più. Il senatore è un uomo magrissimo e malato, ha sempre accanto due persone pronte a sorreggerlo, stringendogli la mano uso tutta la delicatezza di cui sono capace perché ho paura di fargli male. Parla a bassa voce, ma sa farsi intendere benissimo.

«Tu sei Francesco, tutti mi dicono di te. Bravo, bravo. Quanti anni hai, ragazzo?»

«Quattordici, presidente.»

«Ecco, quattordici. Se continui così, dirò all'allenatore di farti debuttare in serie A a sedici, appena il regolamento lo consente.» Vorrei staccare la mia mano dalla sua, ma non me lo permette ancora. «Francesco... Totti, vero? Bravo, bravo. La Roma avrà bisogno di te.»

Mi lascia la mano, ma con lo sguardo indugia ancora su di me, anche dopo che gli è arrivato davanti un mio compagno. Resto molto impressionato, meno di un mese dopo, quando Gildo Giannini riunisce tutti noi ragazzi per dirci che il presidente Viola è morto. Ripenso alle sue parole, e allo sforzo che aveva fatto per dirmele tutte, come se si fosse raccomandato a me per il futuro della Roma. Mi offro volontario per reggere il feretro al funerale, è il minimo che possa fare.

Salto da una squadra all'altra, giocando sempre sotto età. Vito Scala, che è arrivato nel frattempo alla Roma e col quale sta crescendo la confidenza, dice che gli allenatori mi tirano di qua e di là perché vorrebbero utilizzarmi tutti, sono innamorati del mio gioco a testa alta, mi considerano un fenomeno. Praticamente passo in via diretta dai Giovanissimi alla Primavera, saltando gli Allievi a parte una gara: la finale nazionale con il Milan, che vinciamo 2-0 a Città di Castello, allenatore Ezio Sella. Il primo gol, su mio assist, lo segna Daniele Rossi, uno dei ragazzi di quella generazione che avrebbe meritato di più: nel suo caso, fu un ginocchio a rovinare tutto.

La marcia di avvicinamento alla prima squadra procede spedita anche perché ho assimilato rapidamente certi obblighi. Se vuoi diventare un professionista, vivi da professionista fin da subito: il comandamento esclude un sacco di cose che i ragazzi della mia età cominciano ad apprezzare, dagli alcolici alle serate in discoteca, dalle sigarette alle moto, ma non vivo nessuna di queste privazioni come una rinuncia. Sgarro solo una volta, e va raccontata perché descrive la consapevolezza cresciuta in me a forza di esperienze. Ehm, qui c'entra molto la bella serata di Tropea...

La ragazza più carina della Pascoli si chiama Sara, è in un'altra terza ma una mia compagna, Hangie – nazionalità danese – è la sua migliore amica. Un mattino di primavera tutte le terze vengono portate in gita allo stabilimento della Coca-Cola e io, approfittando del fatto che Sara ha lasciato i suoi compagni per avvicinarsi a Hangie, mi inserisco tra loro e le prendo la mano con noncuranza. Lei mi guarda perplessa, io le sorrido, lei non toglie la mano. Giriamo così per l'intera catena di montaggio dello stabilimento, guardandoci poco ma senza mai perdere il contatto fisico. Siccome sapevamo che la gita si sarebbe conclusa alle dodici, in due o tre eravamo d'accordo con Hangie per aspettare i rispettivi genitori a casa sua, visto che è vicina alla scuola. Sara mi segue anche lì, e in un baleno ci troviamo a pomiciare in camera della mia compagna, mentre gli altri aspettano in salotto e – immagino – rosicano. Mamma deve venirmi a prendere all'una per portarmi all'allenamento, ma la situazione in camera è talmente piacevole da farmi scordare del tutto l'orologio. Quando l'occhio mi ci casca, sono le 14.20. Panico. Mi rassetto rapidamente sotto il suo sguardo attonito («Ma dove vai?»), le dico che mi farò sentire, volo giù quattro gradini alla volta. Mia madre è in piedi fuori dalla macchina, dice che ha suonato varie volte senza ottenere risposta, intuisco che i miei amici non sapessero cosa dirle. «Scusa, scusa, scusa, adesso corriamo.» Mi rimprovera lei, mi dice di tutto l'allenatore, pomiciata a parte il bilancio di quel giorno è un vero disastro. E giuro a me stesso che d'ora in poi sarò un professionista integerrimo.

Anche perché Sara, malgrado i miei tentativi di riallacciare tramite Hangie, di me non ne vuole più sapere.

3

Sliding Doors

È un bel sabato di inizio primavera a Trigoria, la temperatura è già perfetta e alcuni dei giocatori della prima squadra digeriscono pigramente il pranzo prendendo il sole ai margini del campo principale. È qui che noi della Primavera stiamo affrontando l'Ascoli, una gara semplice che in pochi minuti indirizzo lì dove deve andare con una doppietta. Sento anche qualche applauso al rientro negli spogliatoi per l'intervallo, ma non sbircio chi sia l'ammiratore. Vito, che ha più contatti con la prima squadra, mi ha riferito che il mio talento è stato notato, e che nel gruppo allenato da Boškov più di qualcuno ha proposto di aggregarmi a una trasferta di serie A, per farmi respirare l'aria del debutto. Sono pensieri piacevoli, ma ancora distanti: ho soltanto sedici anni e mezzo e gioco già in Primavera, di categoria sarei appena un allievo.

Francesco Trancanelli, uno dei dirigenti, mi blocca all'uscita dal campo.

«Francesco, fatti la doccia perché nel secondo tempo non rientri. Nell'allenamento di questa mattina si è fatto male un attaccante, devi partire con la prima squadra per Brescia.»

Fra tutte le emozioni che si possono provare davanti a una simile notizia – di fatto l'ingresso nel calcio vero – quella che subito mi assale è la vergogna. Non mi sono mai nemmeno allenato con la prima squadra, non conosco nessuno e mi manca il respiro al pensiero di dovermi unire a *loro*. Non provo alcun entusiasmo, e di gioia non è proprio il caso di parlare. Mi vergogno dell'inadeguatezza che inevitabilmente mostrerò ai giocatori di serie A. Mi faccio una lunga doccia, quasi dovessi lavarmi via delle incrostazioni, poi mi infilo la tuta pulita – per fortuna viaggiamo così – ed esco in tempo per vedere la preoccupazione sul volto dei miei genitori, che sono scesi dalla tribunetta fino alla porta degli spogliatoi.

«Perché non sei rientrato? Ti sei fatto male?»

«Devo andare a Brescia con la prima squadra» dico, e di fronte al loro sbalordimento allargo le braccia.

«Ma per giocare?»

«E che ne so... Non credo, boh.»

Depongo la borsa nel ventre del pullman, mi rannicchio in un sedile in fondo, osservo tutto cercando di rendermi invisibile. Qualche "grande" mi sorride, un paio di loro fa battute, tempo mezz'ora di viaggio e siamo a Ciampino per imbarcarci su un aereo della flotta di Ciarrapico, il presidente che ha rilevato il club dalla vedova Viola. Sono affamato, ma anche dopo il decollo non oso avvicinarmi al carrello pieno di tavolette di cioccolata e noccioline a disposizione dei giocatori; che hanno mangiato a Trigoria, fra l'altro, mentre io sono digiuno. A rompere l'impasse arrivano Giannini e Tempestilli, i due "anziani". Devono aver compreso la situazione perché si presentano carichi di cioccolata: «Mangia, dai, mica puoi resistere fino a cena». Prendo una tavoletta, forse in modo troppo guardingo se i due all'unisono esclamano una cosa tipo: «Fidati, mica ti mordiamo». Poi mi dicono che sto provando un'emozione per la quale sono passati anche loro, e che andrà tutto bene. «Sei forte, Francesco» aggiunge Giannini, «papà mi dice sempre che la Roma con te ha un bel futuro. Ora devi solo stare tranquillo, e non farti spaventare da questi vecchiacci.» Così dicendo, abbraccia con un gesto l'intera rosa: i più dormono – ma come si fa a dormire su un aereo in volo? –, alcuni giocano a carte, un paio sfoglia i giornali. «In albergo te li presento» chiude il capitano. Io farfuglio un grazie, e per la prima volta azzardo una smorfia che somiglia a un sorriso.

La Roma di mister Vujadin Boškov, che sonnecchia in prima fila, è una squadra da tempo incapace di un colpo d'ala: in classifica è decima, lontanissima dalla formazione dominante di quell'epoca, il Milan di Capello. In generale, dopo l'accoppiata scudetto-finale di Coppa Campioni di inizio anni Ottanta, la Roma è progressivamente scesa di livello, attestandosi su una metà classifica che la gente a stento sopporta. La trasferta di Brescia arriva dopo l'eliminazione ai quarti di Coppa Uefa col Borussia Dortmund, mentre in Coppa Italia è ancora dentro: perderà la finale col Torino.

L'albergo di Brescia è lussuoso, o almeno a me così sembra. Arriviamo nel tardo pomeriggio, a me per fortuna hanno riservato una camera singola: rispetto ai convocati annunciati manca Hässler, dev'essere lui quello che si è fatto male. Fernando Fabbri, il dirigente accompagnatore, espone nella hall una lavagna sulla quale segna gli orari di ritrovo, la cena è fissata per le otto ma alle sette io sono già giù, emozionato e a questo punto anche curioso. Continuo però a vergognarmi di tutto, ogni minuto trovo un nuovo pretesto. Il telefonino, per esempio: ne ho uno all'ultimo grido, non vorrei che mi facesse sembrare un fanatico. Chiamo rapidamente i miei per dire che siamo arrivati e va tutto bene ma non so ancora niente di cosa succederà domani, chiudo appena in tempo per non farmi beccare – cosa ci sarebbe stato di male, a ripensarci adesso, proprio non lo so – da Boškov, che anticipa il grosso della truppa. Incrociandomi, stavolta mi parla: «Vengo spesso a vedere le partite della Primavera, Totti. Tu sei già troppo forte per loro, segni due gol a partita. Ascolta me: quando segni due gol a partita, è il momento di salire di livello». Una grande lezione in poche parole, un classico del tecnico slavo: dopo ogni vittoria non devi dormire sugli allori, ma alzare la posta della sfida.

Giannini mi presenta i compagni come promesso,

io fatico a reggere i loro sguardi ma almeno non dirigo gli occhi a terra. Sto crescendo? A giudicare dalla paura che mi impedisce di dire un semplice "buonanotte", direi di no. A un certo punto, mentre gli altri giocano a biliardo, è ancora Giannini a farmi segno, toccandosi l'orologio, e non mi pare vero di andare a dormire dopo un fugace «Ciao a tutti». Vado a letto eccitato da un particolare: ho contato e ricontato i giocatori, con me arriviamo a sedici. E quindi, anche se non me l'ha ufficializzato nessuno, domani andrò in panchina.

Il mattino dopo si fa colazione alle nove, si pranza alle 11.15, ci si riunisce all'una per un piano-gara iniziale che ovviamente non mi riguarda. Snocciolando i nomi, Boškov conferma che vado in panchina col numero 16. Lo stadio è pieno perché il Brescia sta scivolando in zona retrocessione, deve salvarsi. Il clima è ostile, anche dalla tribuna ci gridano di tutto, ma nel giro di mezz'ora la partita è già finita. Merito di Mihajlović: prima crossa a centroarea per il colpo di testa vincente di Caniggia, poi fissa il 2-0 con una delle sue portentose punizioni. Nel Brescia gioca un fuoriclasse, il romeno Hagi, ma è troppo solo per rimettere in carreggiata la sua squadra. Il secondo tempo è pura gestione dei minuti e degli spazi difensivi per non correre inutili rischi. All'83' Boškov chiama fuori Giannini per immettere Salsano, poi si volta improvvisamente e mi dice di prepararmi. Sul momento non realizzo che ce l'ha con me, penso che si sia rivolto a Muzzi, seduto accanto, e lo richiamo. Roberto mi guarda divertito: «Dice a te, muoviti». A me? Il cuore mi balza in gola. Scatto in piedi, comincio a sfilarmi i pantaloni della tuta ma, per fare più in fretta, non tolgo le scarpe, cosa che porta a un impaccio vergognoso, devo sedere a terra per farli passare faticosamente dai piedi, insomma un casino.

«Dai, dai»: Fabbri fa cenno di sbrigarmi. Boškov a un certo punto è spazientito da tanta goffaggine, e mi fulmina: «Cosa c'è Totti, non ti va di debuttare?». Un attimo prima che decreti scaduto il mio tempo, sono finalmente pronto. Entro al posto di Rizzitelli, è l'87'. Faccio in tempo a toccare un pallone, lo porto alla bandierina per guadagnare secondi preziosi. Poi l'arbitro Boggi fischia la fine, e confusamente mi rendo conto di aver giocato in serie A. Per la prima volta dall'inizio del weekend, mi sento felice.

«Complimenti ragazzo, adesso portaci le pastarelle a Trigoria, mi raccomando»: al rientro negli spogliatoi più d'uno mi spazzola i capelli, la vittoria ha creato un'allegria generale e il mio debutto suscita solo congratulazioni. La consapevolezza di aver fatto un passo importante mi infonde coraggio, sul volo di rientro mangio un paio di tavolette di cioccolata e un pacchetto di noccioline. Sento di essermele meritate. A casa mi aspetta una festicciola, si è riunita mezza tribù di parenti, troppo poco preavviso per averla tutta, ma va benissimo così. Il giorno dopo porto le paste a Trigoria, ci mancherebbe che non obbedisca alla richiesta, e Fabbri mi fissa i nuovi impegni: «Francesco, d'ora in poi farai due allenamenti alla settimana con la prima squadra, oltre al solito lavoro con la Primavera. Ti avviso io volta per volta dei giorni». Esco dal centro sportivo col cuore nello zucchero.

La domenica successiva vengo convocato per Roma-Fiorentina, ma non gioco. Quella dopo ancora viaggio ad Ancona e mi ritaglio altri tre minuti, stavolta sull'1-1 e quindi col risultato aperto, al posto di Muzzi. Di lì alla fine del campionato c'è solo un'altra panchina, in casa col Toro, ma soprattutto ci sono gli allenamenti con la prima squadra, nei quali imparo molte più cose che in una stagione intera con le giovanili. Il mio approccio è sempre estremamente rispettoso, e quel po' di vergogna che è rimasta mi spinge a cambiarmi comunque nello spogliatoio della Primavera, da solo, anche perché in quello della prima squadra non ci sono armadietti liberi e non voglio dare fastidio. Infine – non ridete – provo molto pudore all'idea di fare la doccia con *loro*. Anzi, non mi va proprio.

Questo mio atteggiamento evidentemente piace ai senatori, a partire da Giannini e Tempestilli che una parola me la dicono sempre, ma anche a tutti gli altri, compresi i "sindacalisti" Cervone, Carboni e Bonacina. Ne ho la prova quando, alla fine della stagione, mi aspetta una sorpresa da svenimento: prima di partire per le vacanze Umberto Spada, il cassiere del club, mi consegna un assegno di duecentodiciotto milioni.

«È quanto ti spetta per i tre turni passati in Coppa Uefa.»

«Ma io in Coppa Uefa non sono mai stato nemmeno convocato.»

«Be', non lo dire a me. Sono stati i sindacalisti a decretare che nella divisione dovevi entrare anche tu. Prenditela con loro.»

Prendermela? Li bacerei, se potessi. Allungandomi quella fetta di torta, oggettivamente sproporzionata, mi hanno voluto mandare il messaggio "sei dei nostri". Quel giorno non torno a casa, perché ci siamo già spostati tutti nell'appartamento delle vacanze di Torvaianica: giro con l'assegno in fondo alla tasca, tastandolo di continuo perché ho il terrore che me lo rubino. Arrivato a destinazione salgo un piano di scale volando, e davanti allo sguardo incuriosito dei miei estraggo il pezzetto di carta più prezioso che abbia mai visto. «Guardate!»

Fase uno, stupore assoluto: trenta secondi a bocca aperta. Fase due, gioia incontenibile: cinque minuti a cantare e ballare. Fase tre, terrore cieco: «Mio Dio, è venerdì, non lo possiamo versare in banca prima di lunedì, e nel palazzo ci sono stati alcuni furti. Come possiamo tenerlo al sicuro?». Vegliandolo giorno e notte, come in effetti faranno per l'intero weekend. Lunedì mattina siamo tutti in macchina per andare a versarlo nella filiale dove lavora papà. Una volta messo al sicuro l'assegno, mamma telefona a Spada per dargli il numero del conto: gli dice che sono troppo distratto per girare con certe cifre in tasca, d'ora in poi la Roma mi pagherà via bonifico.

Dalla stagione seguente, infatti, 1993/1994, faccio parte della prima squadra a pieno titolo e quindi firmo un contratto da centosessanta milioni. Una bella cifra per un ragazzo di diciassette anni, ma che necessita di una puntualizzazione: non rappresenta alcun riscatto sociale, né una rivincita per chissà quale infanzia disagiata. A casa nostra non solo papà non ha mai fatto mancare niente, ma ogni anno si va in vacanza, cosa che non tutti si possono permettere. E quindi benedetti i soldi del calcio, subito tanti e regolari nel flusso, ma il mio "motore" resta più che mai la passione. Infatti parlo liberamente dello stipendio con parenti e amici, al punto che mamma deve intervenire più volte per ricordarmi che su certi argomenti è buona norma minimizzare per non sembrare presuntuosi o, peggio, arroganti. Naturalmente lei pensa anche a tenermi al riparo dalla folla di conoscenti che, venuta a conoscenza dell'improvvisa fortuna economica, non si capacita del perché non ci si veda da così tanto tempo…

La nuova stagione si apre con l'arrivo di Carlo Mazzone, ed è una delle grandi fortune della mia vita. Romano e romanista come me, coglie al volo la crescita delle aspettative sul mio conto e, siccome conosce bene i rischi ambientali che corro, mi fa da scudo per consentirmi ciò di cui ho bisogno: un campionato nel quale irrobustirmi lontano dai riflettori. Quando un giornalista gli chiede cosa aspetti a schierarmi titolare, lui replica stizzito: «Più insistete per vedere Totti, più io ve lo tengo nascosto». Pretende che la temperatura attorno a me si abbassi. A volte leggo queste risposte e ci rimango male, non è colpa mia se la gente preme per avermi in squadra, io vorrei giocare almeno un po' e invece in serie A fino a febbraio non vedo il campo. Però Mazzone mi tratta davvero come un secondo padre, e si capisce benissimo che per lui non sono solo lavoro, ma molto di più. Per quanto burbero, l'affetto è trasparente.

A questo proposito, è rimasto famoso l'episodio della conferenza stampa prima della partita di Coppa Italia con la Sampdoria, a dicembre. Negli ultimi minuti dell'allenamento Rizzitelli e Caniggia si scontrano, una testata terribile, ed è un macello di sangue e paura. I due restano a terra, Mazzone non li lascia, i medici intervengono in attesa dell'ambulanza, il programma della giornata salta in aria per l'emergenza, io ho già finito e sono da solo nello spogliatoio quando passa un dirigente: «Totti, meno male che ci sei. Domani giochi, vero? Vieni con me». Lo seguo docile, accorgendomi troppo tardi che mi ha portato in sala stampa: cinquanta giornalisti schierati, telecamere e microfoni sparsi. Aspettavano l'allenatore, si trovano davanti il giocatore che da inizio stagione viene loro negato. Temo di essere finito in una situazione più grande di me. Mi salva lui, naturalmente. Nel momento in cui l'addetto stampa, per quanto riluttante, sta per dare il via alle domande si sente un grande sbattere di porte in avvicinamento, e infine compare Mazzone trafelato: «A regazzi', vatte a fa' la doccia che co' loro ce parlo io», frase passata alla storia, che accetto di buon grado pur essendoci appena uscito, dalla doccia. Più avanti, quando siamo soli, Mazzone mi dice che non sono ancora abbastanza scafato per discutere con i giornalisti, e che se quelli volessero usarmi per un titolo forte mi porterebbero a dire ciò che vogliono in tre secondi.

La prima conquista della stagione è la capacità di stare nel gruppo dei "grandi" senza provare più vergogna. Sono ancora molto silenzioso, e nei giorni di ritiro passo le ore a guardarli giocare a biliardo, oppure mi siedo accanto a loro a vedere le partite in tv e ascolto i commenti che fanno. In campo, però, la personalità comincia a emergere, e non c'è allenamento che non mi veda progredire sul piano tattico e divertire su quello tecnico. Provo le giocate, e spesso riescono. Mi capita anche di fare un tunnel a qualche veterano – Piacentini, Bonacina, Carboni – e di venire guardato male, ma "perdonato" per la naturalezza del gesto. Capiscono che non li sto prendendo in giro, altrimenti volerebbero i calcioni; semplicemente, se il tunnel è il modo più diretto per saltarli, io lo tento.

Capitan Giannini è sempre più il mio punto di riferimento. Mi prende sotto la sua ala protettiva come il padre, che mi consiglia Franco Zavaglia come procuratore in grado di aiutarmi a muovere i primi passi. In trasferta il Principe e io dividiamo la camera, e non di rado – lui è uno che posa la testa sul cuscino e s'addormenta in un secondo – lo guardo ammirato prima di spegnere la luce oppure tengo la pipì per paura, andando in bagno, di fare rumore e svegliarlo. Un altro che mi piace un sacco è Cervone, il portiere, perché è l'uomo più buono del mondo ma al posto delle mani ha due badili, e quando s'arrabbia bisogna chiamare la protezione civile per fermarlo: una volta c'è un malinteso tra lui e Cappioli su un calcio d'angolo, i due si mandano al diavolo e, contrariamente a quanto accade di solito, a fine partita le cose non si appianano. Il giorno successivo, a Trigoria, dopo aver rimuginato una notte sopra quel "vaffa", Cervone pensa bene di appendere Cappio al muro e devono intervenire in cinque per toglierglielo dalle mani. Molto meglio essere amici di certi personaggi, e in quella Roma ce ne sono tanti. Me ne accorgo proprio nella gara di Coppa Italia contro la Sampdoria, nella quale parto titolare. Tempo otto secondi e Vierchowod mi fa un'entrataccia da dietro. L'arbitro fischia, io mi rialzo come se niente fosse e dopo un po' arriva la seconda entrataccia. Paziento ancora, riparto, al 10' ecco il terzo tackle che la palla non la vede nemmeno in cartolina. Stavolta resto a terra, la caviglia mi fa davvero male. Quando mi rimetto in piedi incrocio lo sguardo interrogativo di Vierchowod, e allora gli dico di piantarla. Lui porta l'indice sulle labbra, nel gesto del silenzio, ed è lì che scoppia il parapiglia perché tre o quattro compagni intervengono in mia difesa, e per un paio di minuti c'è una bella mischia. Poi tutto si placa e i suoi interventi, per quanto decisi, diventano accettabili. Maturo la sensazione di aver superato una prova.

Dopo essere rimasto a guardare per tutta la prima fase della stagione, nella seconda gioco un paio di volte dal primo minuto e diversi altri spezzoni. La Roma migliora il decimo posto dell'anno prima ma arriva settima e, ancora fuori dalle coppe, non può certo dirsi soddisfatta; anche perché la crescita in punti – due soltanto – è davvero misera. Per me invece si chiude un'annata di grandi progressi, perché la cura di Mazzone ha prodotto i suoi effetti: sono molto cresciuto nella lettura del gioco, e più capisco gli sviluppi della manovra meglio utilizzo le mie qualità tecniche. Perché sì, quelle sono superiori anche rispetto alla media della prima squadra.

Una prova? Il modo in cui entro in partita nel mio primo derby, in una situazione difficilissima: all'intervallo siamo sotto 1-0 per una girata di Signori, e mentre mi avvio verso lo spogliatoio Leonardo Menichini, il secondo di Mazzone, mi trattiene lì in campo: «Francesco, vai a fare un buon riscaldamento perché ti buttiamo dentro subito». In quei quindici minuti corro fortissimo, voglio entrare come una palla di cannone. Lo stadio è pieno zeppo, i laziali cantano, i nostri mugugnano: ho un po' di paura, ma sento di poter incidere. Sostituisco Piacentini, il modulo chiaramente cambia, vado a fare la seconda punta perché dobbiamo recuperare e la partenza è sprint tanto che Negro mi assesta subito una pedata, inaugurando quello che nel tempo sarà sempre un duello velenoso. Negli ultimi minuti, dopo alcune buone iniziative che non si concretizzano, punto proprio lui sulla fascia destra, lo salto, entro in area e, andando al cross dalla linea di fondo, vengo toccato da dietro. Potrei restare in piedi, lo ammetto, ma intanto ho perso il passo e rischio di veder la palla finire fuori; allora mi lascio cadere, perché il contatto c'è stato e l'arbitro non può non averlo visto. Infatti fischia il rigore, e vengo subito sommerso dagli abbracci dei compagni. Vorrei anche tirarlo, ma quando mi accorgo che è Giannini a prendere il pallone e a dirigersi verso il dischetto chiudo la bocca e faccio silenziosamente il tifo. Non c'è lieto fine, al mio primo derby: Giuseppe mira angolato ma non abbastanza, Marchegiani è molto bravo a deviare in tuffo. Finisce così, e non mi rincuora aver giocato bene. La rabbia è tanta, e nel dopopartita scende nello spogliatoio anche il presidente Sensi, è arrivato da poco ma sa farsi sentire.

Se questo è il momento emotivamente più intenso della stagione 1993/1994, quello dell'annata successiva non si fa aspettare tanto. Vigilia della prima giornata, Mazzone mette in campo a Trigoria la formazione per il debutto col Foggia e accanto al nuovo acquisto Fonseca non c'è Balbo, ci sono io. La regola dice che possono giocare soltanto tre stranieri, la Roma ne ha quattro e questo – senza impegni europei – diventerà un problema di gestione. Ma se Balbo al primo giro resta fuori (giocano Aldair, Thern e Fonseca), il "merito" è anche mio, perché ormai Mazzone si fida di me in campo e pure fuori. Non teme più che mi possa montare la testa se le cose vanno bene.

E vanno bene, almeno per me. Alla mezz'ora Thern manda in area uno spiovente, Fonseca guadagna la posizione ma si ritrova spalle alla porta, mi vede arrivare a tutta velocità e allora mi appoggia il pallone all'indietro di testa. Il sinistro di controbalzo esce perfetto, palla imprendibile nell'angolino, il boato che segue mi scuote l'anima. Il mio primo gol in serie A, praticamente impazzisco. Come esulto? Diavolo, avevo affrontato mille volte questo discorso con Riccardo, e lui aveva sempre replicato: «Tu pensa a segnare», come se poi il modo adeguato per festeggiare mi sarebbe venuto per forza. Il problema è che quel primo gol l'avevo sì immaginato un milione di volte, ma sotto alla Curva Sud, dove ho tutti i punti di riferimento, dove saprei subito in quale zona dirigermi. Sotto alla Nord non so bene cosa fare, vado verso la bandierina, poi agito il pugno, insomma faccio casino ma il vero rumore è dentro di me, ed è bellissimo.

La Roma, però, non vince la partita. Nel secondo tempo la squadra di Catuzzi impone il suo gioco e arriva al pareggio con Kolyvanov. Negli spogliatoi Mazzone non è per niente contento e dice a chiare lettere che non dobbiamo esserlo nemmeno noi, e mentre lo dice mi guarda per verificare il mio stato d'animo. Immagino ne resti soddisfatto, perché la gioia per il primo gol in serie A è svanita alla rete del Foggia, sono solo amareggiato per la vittoria mancata. È una pulsione che mi viene naturale, non devo impormela: col tempo imparerò che nessun campione è contento della sua prestazione se la squadra non vince.

Ciò non toglie che passi all'incasso con lo zio Alberto – che mi aveva promesso una mountain bike al primo gol in serie A (bel regalo ma non commuovetevi: le vende) – e che viva la mia prima stagione da protagonista: il gol al debutto non basta per difendere il posto, dalla seconda giornata in poi la coppia titolare diventa Balbo-Fonseca, e siccome funziona bene Mazzone restringe in pratica la scelta dei tre stranieri a un ballottaggio perenne fra Thern e Aldair. Però il tecnico mi manda segnali di attenzione molto concreti, tipo schierarmi titolare nel ritorno degli ottavi di Coppa Italia contro il Genoa. A Marassi abbiamo perso male, 2-0, la gara di ritorno è una corrida che finisce 3-0 e viene aperta dal mio primo gol in pallonetto tra i "grandi": diventerà un marchio di fabbrica. Sempre in Coppa Italia segno il primo gol della mia carriera alla Juve, un diagonale che batte Peruzzi: nessun effetto concreto, loro hanno vinto 3-0 a Torino e quindi il 3-1 dell'Olimpico non ci basta per superare il turno. In assenza di Balbo e Fonseca, però, gioco davanti in tandem con Giannini, e si esce tra gli applausi per l'interpretazione coraggiosa di una gara impossibile. Penso che Lippi cominci a notarmi quella sera, da allenatore della Juve: oltre al gol del 2-1 servo l'assist del 3-1 a Cappioli, mi viene negato un rigore e in generale creo grossi grattacapi alla difesa bianconera.

È anche l'anno del derby vinto 3-0, e della corsa di Mazzone sotto alla Sud al 90'. Io resto in panchina tutta la gara, ma alla fine è come se lo giocassi, perché viverlo accanto a un allenatore così moltiplica tutto: entusiasmo, angoscia, gioia, paura, eccitazione. In realtà la partita fila a senso unico, Balbo segna dopo due minuti, all'intervallo siamo avanti 2-0 e Fonseca salda definitivamente il conto a inizio ripresa. Però Mazzone resta ugualmente una pila atomica, avrei voluto filmarlo per far capire cosa sia il derby per un romano. Al fischio finale è bellissimo vederlo correre verso la curva, presto affaticato e un po' caracollante, ma col pugno serrato verso gente che l'ha vissuto esattamente come lui. Prevengo il vostro pensiero e vi dico che anni dopo, il giorno seguente la famosa corsa di Brescia sotto alla curva dei tifosi atalantini, lo chiamai per esprimergli tutta la mia solidarietà e simpatia. In quella corsa c'era l'orgogliosa affermazione di una romanità vilipesa oltre ogni limite, e la difesa della memoria dei suoi genitori, cosa ancora più importante. Nel vederlo impazzire di rabbia provai una fortissima corrente d'affetto, lo stesso che lui mi aveva dedicato ogni giorno del suo mandato a Trigoria. E penso che gli stessi ultrà abbiano in qualche modo apprezzato la sua reazione. Mazzone ha dimostrato di avere del sangue nelle vene, e di essere un uomo vero.

La sua seconda stagione va decisamente meglio: la Roma avanza dal settimo al quinto posto, riguadagna il passaporto Uefa e, contando i punti alla vecchia maniera – è il primo anno con la vittoria che ne vale tre – ne fa otto in più del campionato precedente. Io segno altre tre reti, oltre a quella del debutto, e porto a casa la fiducia che Balbo e Fonseca, due punte fortissime, dimostrano nei miei confronti. So che più di una volta Abel suggerisce a Mazzone di farmi giocare trequartista alle loro spalle «Perché quando c'è Francesco le occasioni fioccano, mister». Nella stagione successiva entro da subito nelle rotazioni offensive ma segno pochissimo, in campionato due reti soltanto. Centro il mio primo gol europeo, questo sì, ai belgi dell'Aalst in una serata strana, perché vinciamo 4-0 eppure la gente fischia. Mazzone ripete il quinto posto e in Coppa Uefa arriviamo fino ai quarti, ma tira una brutta aria. Sensi vuole cambiare, e vuole andare lontano a pescare il nuovo tecnico perché si è convinto che a Trigoria si lavori troppo poco. Quando annuncia Carlos Bianchi, nell'estate del '96, non tutti sanno chi sia; o forse fingono, per rendere meno dolorosa la separazione a Mazzone.

Bianchi è un argentino che, dopo una lunga carriera da giocatore in patria e in Francia, ha vinto tutto sulla panchina del Vélez Sarsfield. Arriva a sostituire un allenatore romano considerato troppo indulgente con lo spogliatoio, e fin da subito fa capire di avere molti pregiudizi nei confronti dei romani della rosa. Penso che avesse chiesto a Sensi e a Giorgio Perinetti, nuovo direttore sportivo dopo l'addio di Emiliano Mascetti, una serie di giocatori "suoi", e che la società glieli avesse promessi a media scadenza: prima voleva accertarsi che le qualità di Bianchi facessero la differenza anche in Europa. Si sa che è stato soprattutto il presidente a volerlo, e che i buoni risultati iniziali – la squadra non ha lavorato molto in estate, quindi è brillante – l'hanno esaltato, convincendolo di aver fatto una scelta geniale. Perinetti è meno entusiasta, e finge di non sentire gli ordini presidenziali di prolungare immediatamente il contratto all'argentino. Non piacciono a lui come non piacciono a noi giocatori certe abitudini portate da Bianchi a Trigoria, per esempio le partitelle romani contro resto del mondo nelle quali si percepisce la sua antipatia nei nostri confronti. Tifa spudoratamente per gli altri e si diverte a vederci sconfitti, è perfino imbarazzante da raccontare perché non mi crede nessuno. Non ci metto molto a capire che ha puntato me in particolare perché mi considera uno scansafatiche, e non c'è verso di fargli cambiare idea, nemmeno lavorando il triplo, che è poi la razione abituale che mi riserva.

All'inizio non è semplice capire il puzzle che Bianchi sta componendo, perché comunque gioco diverse partite e faccio anche buone cose, come il gol in pallonetto da fuori area nella porta vuota del Milan – Sebastiano Rossi ha sbagliato l'uscita – o la rete quasi allo scadere che fissa sul 3-3 un Roma-Fiorentina da venti gol potenziali, la maggior parte loro. Ogni volta che un giornalista gli chiede un parere su di me, però, Bianchi replica seccato: dice che la piazza esagera nel sostenere "questo Totti", che non è facile gestirmi fregandosene della pressione popolare, che in fondo sono ancora un giocatore molto giovane e tutto da scoprire. Fa capire in sostanza che per lui sono un calciatore "normale", e che le aspettative sul mio conto sono sproporzionate. Al mio posto vorrebbe Jari Litmanen, il trequartista finlandese dell'Ajax, certamente un ottimo giocatore ma anche un mio doppione: fa le cose che faccio io nelle mie stesse zone di campo, forse un po' meglio grazie alla maggiore esperienza. Di certo se arrivasse lui – e già se ne parla come il primo rinforzo della stagione seguente – dovrei partire io. Difatti Bianchi, che con Sensi continua ad avere un'intesa stretta mentre gli altri dirigenti sono molto perplessi, vorrebbe mandarmi in prestito alla Sampdoria per farmi giocare. È un'idea che a Genova piace: Montella comincia a telefonarmi magnificando la vita ligure, Mancini mi fa sapere che sarebbe contentissimo di avermi con lui. Considerati i nostri caratteri non ce le manderemmo a dire, ma un dialogo tecnico così raffinato avrebbe pochi precedenti.

Nessuno me ne parla apertamente, ma capisco che una trattativa è stata abbozzata. La cosa mi offende, e dentro di me prendo una decisione irrevocabile. Nessun prestito, nessun riscatto. Se verrò costretto a lasciare la Roma, non ci tornerò più. È una questione di principio, perché non accetto di passare in pochi mesi da perno di ogni progetto futuro a fallimento da sgomberare per fare spazio a una nuova star. Prometto a me stesso che se la Roma si sbarazzerà di me, diventerò un campione "normale": un paio di anni alla Sampdoria per maturare definitivamente, poi una grande del Nord, il Milan, l'Inter o la Juventus. *Se* la Roma si sbarazzerà di me. Lo confesso soltanto a Vito, con cui il rapporto si è intensificato, e ingoio il rospo che il solo pensiero mi provoca. Mazzone, che su certe cose ha le antenne lunghe, telefona per implorarmi di non fare sciocchezze: «France', tu sei nato pe' trionfa' a Roma» mi dice. Vorrei pensarlo anch'io, ma pare che non sia così.

La mano del destino, invece, si muove nel senso auspicato da Mazzone. Il 9 febbraio c'è una pausa nazionali, io dovrei essere con l'Under 21 – ho appena vinto il titolo europeo con Cesare Maldini, ma ho l'età per un altro ciclo – e invece il nuovo tecnico, Rossano Giampaglia, chissà perché non mi convoca. Resto così a Roma, dove la società ha organizzato un triangolare all'Olimpico con gare da quarantacinque minuti per mantenere allenati i superstiti di Trigoria. È stato chiamato il Borussia Mönchengladbach, al quale andrà parte dell'incasso nel quadro dell'accordo per la "restituzione" di Martin Dahlin (che da noi non ha proprio sfondato), e su esplicita richiesta di Carlos Bianchi la terza squadra invitata è l'Ajax, nel quale sarà presente Litmanen. Mi presento al torneo, la cui denominazione è Città di Roma, determinato a vendicarmi. Sì, la testa si è abituata all'idea di lasciare la squadra per la quale soffro fin da quando ero bambino; ma prima di partire voglio lasciare un segno, un rimpianto per quello che poteva e doveva essere e invece non sarà per scelta di un argentino che – unico al mondo – mi vede come un giocatore normale. L'ambiente è molto nervoso perché la città è spaccata: c'è chi mi vede sciocco e immaturo

– il famoso Pupone – e chi mi considera vittima di un tecnico che con Roma non c'entra nulla. È una spaccatura che attraversa tifosi e media, e che innesca discussioni, litigate, risse verbali nelle radio e in tv. Io non ho mai chiamato un giornalista per chiedergli di sostenere una tesi a me favorevole. Mai. E quindi mi fa doppiamente piacere in quei giorni difficili veder crescere in modo genuino il partito di chi vorrebbe trattenermi a tutti i costi. Più di qualcuno intuisce che se andrò via sarà per sempre, e si chiede se la Roma non stia gettando nella spazzatura il biglietto vincente della lotteria. Sono lusingato. E determinato a farmi ricordare, grazie al torneo.

La prima partita, quella tra Ajax e Borussia, viene decisa proprio da Litmanen. Bianchi gongola, si capisce che per la sua strategia di mercato quel triangolare è fondamentale. Tocca a noi, contro i tedeschi: giochiamo con un inedito 4-3-3 con Delvecchio punta centrale e io e Moriero sui lati. Dopo il vantaggio di Tommasi, sventaglio di esterno destro un'apertura millimetrica su Moriero, il cui cross porta Delvecchio al 2-0. Poi, salgo in cattedra: salto in dribbling tre avversari e, sull'uscita del portiere, disegno un pallonetto che fa scattare in piedi tutto lo stadio. Vabbe', in realtà sono venuti in dodicimila, è una serata fredda e stanno tutti imbacuccati. Però la prodezza è indubbia, e come tale viene festeggiata. Immagino che in tribuna d'onore ci sia del movimento.

Roma-Ajax diventa così la finale e, per quanto mi

riguarda, un duello personale con Litmanen, probabilmente ignaro di tutto ciò che c'è dietro. Segno un altro gran gol, per cominciare: un collo pieno dal limite che s'infila all'incrocio dei pali lasciando di stucco Van der Sar (non sarà l'unica volta in carriera, per il bravo portiere olandese...). Dalle tribune partono i cori «Totti non si tocca», Bianchi sembra una statua di sale, o forse è una mia malevola impressione. Confesso, ero carico di emozioni contrastanti che in qualche modo dovevano uscire: quella sera riesco a canalizzarle nel migliore dei modi. Candela segna il suo primo gol nella Roma, inaugurando quella che sarà una carriera giallorossa da incorniciare. Finisce 2-0, sono di gran lunga il protagonista della serata, e a notte fonda vedo in tv il presidente, assediato dai giornalisti all'uscita dello stadio, esclamare che «Totti è molto più bravo di Litmanen, e non lo dico per risparmiare i soldi per il finlandese. Escludo che Francesco lasci la Roma: lui è il nostro futuro».

Sliding Doors è un film geniale con Gwyneth Paltrow, nel quale un evento casuale come prendere o perdere la metropolitana cambia profondamente la vita della protagonista. Esce l'anno dopo il "Città di Roma", nel '98, e il suo titolo diventa rapidamente sinonimo di destino. Se il povero Giampaglia – è mancato pochi anni dopo – mi avesse convocato nell'Under 21 come sembrava naturale, non avrei partecipato al triangolare, non avrei segnato quei gol e probabilmente Bianchi avrebbe finito di convincere Sensi a cedermi alla Samp. Dalla quale, lo ribadisco, non sarei tornato indietro. La mia vita si sarebbe svolta in maniera totalmente diversa. Mi vengono i brividi, a ripensarci.

Quella sera stessa, invece, i dirigenti più legati alla squadra, da Pruzzo e Conti a Perinetti, aumentano il pressing su Sensi perché mi ponga al centro del progetto futuro. Nel frattempo i risultati cominciano a mancare, anche perché la squadra ha il fiato corto, e parallelamente scema l'innamoramento del presidente per Bianchi. Non credo però che a un certo punto il tecnico fissi l'ultimatum "o me o Totti", come si raccontò in giro, perché davvero una contrapposizione del genere non avrebbe avuto senso. Bianchi viene comunque esonerato due mesi dopo, gli è fatale una sconfitta a Cagliari: prima di partire ci saluta brevemente, a me dice «In bocca al lupo» e guardandolo negli occhi vedo un uomo triste. Vincerà altri trofei in Sudamerica, con il Boca Juniors, e in un'intervista di molti anni dopo affermerà che sono stato uno dei giocatori di maggiore qualità che abbia allenato, alla pari del grande Riquelme. Ma sono pensieri che devono essergli venuti a posteriori, seguendo la traiettoria della mia carriera: quando abbiamo lavorato assieme, la sua stima era assai limitata.

Bianchi lascia la Roma al settimo posto. Sensi vuole prendersi il suo tempo per scegliere il successore, e quindi chiede all'ormai anziano Nils Liedholm di sovrintendere al lavoro di Sella – promosso dalla Primavera – per arrivare a fine stagione. A livello di risultati è un periodo complicato, perché mezza squadra molla e chiudiamo quasi a ridosso della zona retrocessione. A livello umano sono lieto di avere incrociato, sia pure per due mesi soltanto, un personaggio della portata di Liedholm, mister del secondo scudetto, giustamente un mito a Roma. Ha settantacinque anni, quello è il suo ultimo incarico e non va nemmeno granché bene, eppure conservo il ricordo di un uomo dolcissimo, innamorato della mia tecnica. «Fammi vedere, fammi vedere» mi incitava, lanciandomi palloni sempre morbidi, e io stoppavo, tiravo al volo, controllavo a seguire strappandogli spesso un sorriso. Gli piacevo perché ero un giocatore elegante, diceva. Lui, invece, piaceva a me perché era l'eleganza fatta persona.

4

Stella

Il sogno del presidente Sensi si chiama Giovanni Trapattoni, che ha appena vinto la Bundesliga con il Bayern ed è legato ancora per un anno al grande club bavarese. Di contatti ce ne sono parecchi lungo la primavera, mi raccontano in società: lui verrebbe volentieri ma i tedeschi sono tedeschi, non gli sfili l'allenatore se è sotto contratto. Così, all'ennesimo tentativo che va a vuoto, Giorgio Perinetti gioca la sua carta e propone Zdeněk Zeman. La prima reazione del presidente è un urlo di orrore: il boemo è stato licenziato a gennaio dalla Lazio, come si può pensare di portarlo adesso alla Roma? Perinetti batte in ritirata, ma è una mossa tattica: appena può torna alla carica, forte di un'alleata insospettabile. Nel suo racconto, il dado viene tratto una notte di pioggia, rientrando dai Castelli dove c'era stata una premiazione. Il direttore sportivo è in macchina con Franco e Maria Sensi e cercando di non perdere la strada, perché fuori c'è un inferno d'acqua, riapre il discorso: «Presidente, licenziando Bianchi abbiamo fatto una scelta precisa: la nostra prima necessità è un tecnico che valorizzi al massimo Totti. Il futuro della Roma passa da lì, e Zeman con gli attaccanti ci sa fare, l'ha visto anche lei al Foggia e alla Lazio...». Sensi ripete per l'ennesima volta che non vuole prendere un allenatore cacciato dalla Lazio perché i tifosi non capirebbero, ma intanto un seme è stato lanciato. Poco prima di arrivare a Villa Pacelli – la dimora sull'Aurelia in cui vivono – Maria Sensi, che per tutto il tragitto ha ascoltato in silenzio la discussione, pronuncia la frase che cambia improvvisamente lo scenario: «Franco, ma sai che secondo me Giorgio ha ragione...».

Maria è la coscienza del presidente, il consigliere più ascoltato e la donna delle intuizioni. Il marito le tiene in grandissimo conto, e con il suo patrocinio la strada per Zeman diventa tutta in discesa. Anche perché la reazione dei tifosi si percepisce tutt'altro che negativa: l'idea che il boemo porti anche a Trigoria il gioco ultraoffensivo e spettacolare che aveva sviluppato altrove – Lazio compresa, certo – stuzzica la fantasia della nostra gente. Quello era un calcio diverso, la qualità della manovra veniva tenuta molto più in conto, e dopo tanti anni passati senza fortuna all'inseguimento dei risultati, piace l'idea di provare a raggiungerli attraverso il bel gioco. E poi Zeman è un professionista serio guidato da una morale molto rigorosa e quindi rispettato da tutti: valutato questo, del fatto che abbia allenato la Lazio frega niente a nessuno.

Secondo Vito, che fa subito parte del suo staff,

Zeman è l'allenatore che mi ha dato la base atletica sulla quale ho vissuto per tutta la carriera. Un lavoro di alta qualità, evidentemente, vista l'età alla quale mi sono ritirato. Preceduto dalla fama di essere un preparatore più adatto a un plotone di marine che a una squadra di calcio, il boemo osserva col suo sguardo ironico i nostri volti preoccupati il giorno del raduno. Io, per esempio, scherzando avevo detto che mi sarei dato malato perché altrimenti non sarei tornato vivo dal ritiro di Kapfenberg. Be', avrei dovuto farlo sul serio: il primo giorno mi fa correre tremila metri, pausa di qualche minuto e poi tremilacinquecento, seconda pausa e chiudo con altri tremila. Striscio fino alla camera. Il giorno dopo seleziona un gruppetto con me, Delvecchio, Cafu, Di Francesco e Tommasi, e passa alle ripetute: mille metri per dieci volte, inframmezzate da brevi stop. La società aveva fatto filtrare nello spogliatoio che Zeman era stato scelto anche in quanto bulldozer capace di rompere un sistema di privilegi e ripristinare una cultura del lavoro. Detto che le gestioni precedenti non erano state così tragiche – altrimenti si manca di rispetto a Mazzone –, l'accostamento fra Zeman e un bulldozer ha la sua ragione d'essere.

Fin dal primo giorno il mister mi affibbia un soprannome che durerà per sempre, anche quando tornerà a Trigoria quindici anni dopo. Mi chiama Stella, intendendo immagino il più forte della squadra: un filo della sua ironia non manca, ma il tono con cui lo dice sgombra il dubbio che ci sia anche del sarcasmo. Zeman mi reputa il miglior giocatore italiano, o almeno ritiene che quello sia il mio potenziale, e si comporta di conseguenza: mi tratta con la stessa durezza degli altri per dimostrare che nella nuova Roma non ci sono favoritismi, ma almeno lo fa con un sorrisetto divertito sulle labbra. Prendiamo le operazioni di peso, che effettua ogni giorno e che portano – soprattutto nel primo periodo – a una raffica di multe. Intanto non utilizza la bilancia dell'infermeria, convinto che qualcuno di noi nella notte possa manometterla, e si porta ogni giorno da casa la sua. Appena vede un etto in più del dovuto, vuole sapere tutto ciò che hai mangiato la sera prima («E quanti cucchiaini d'olio? Zucchero nel caffè?»). Infine, conosce ogni trucchetto per far sparire quel chilo di troppo alla pesatura: «Non ti appoggiare con la mano, Stella. Anzi, alzale direttamente, tutte e due». Nel suo staff non c'è il dietologo: basta e avanza lui. Sono sempre stato molto coscienzioso a tavola, ma con Zeman fatico anch'io.

Se questo è il rovescio della medaglia, però, il lato al sole è luminoso. Dopo anni passati a cambiare zona e compiti anche all'interno della stessa partita, il boemo mi assegna finalmente un ruolo preciso, esterno sinistro del suo classico 4-3-3, con l'ovvia licenza di tagliare verso il centro per sfruttare precisione di passaggio e potenza di tiro del mio piede destro. Parliamoci chiaro: nelle stagioni di apprendistato in serie A sono cresciuto dal punto di vista tattico e ho avuto modo di allargare il mio repertorio di giocate, ma ho segnato poco. Zeman mi spinge a considerare il tiro in porta la prima opzione perché è convinto che nel mio futuro ci siano i venti gol a stagione, e questo pur non essendo una punta pura. Le sue squadre hanno sempre segnato tanto, e dopo i primi mesi di lavoro non è difficile capire perché: le due ore quotidiane di tattica offensiva durante le settimane di ritiro sono un tempo enorme, che non si riduce granché una volta rientrati a Trigoria. Inciso per i cultori della preparazione atletica: nelle settimane prive di impegni Zeman usa gli allenamenti doppi il mercoledì e il venerdì, il vecchio sistema in voga nei Paesi dell'Est (ovviamente è Vito a raccontarmelo, rapito).

Con le mie caratteristiche, replico in pratica i movimenti che faceva Signori a Foggia o – per fare un esempio moderno – quelli di Insigne al Napoli con Sarri. E le cose funzionano almeno fino alla sberla del derby, prima svolta della stagione: perdiamo 3-1 pur giocando quasi tutta la gara con l'uomo in più per la rapida espulsione di Favalli. Le partite non sono tutte uguali, anche se in quel periodo Zeman si affanna a ripeterlo per togliere pressione a un match che sentiamo troppo: perdere in quel modo con la Lazio riporta le lancette sullo zero, e quanto di buono fatto fin lì passa in cavalleria. Per fortuna ripartiamo subito forte, vincendo a Bari con due mie bellissime reti: una punizione radente nell'angolino e un tiro al volo ad alto coefficiente di difficoltà. La Roma è quarta, e promette bene.

In realtà, se da una parte si sta componendo la rosa che di lì a quattro anni arriverà allo scudetto – l'ultimo mercato di Mazzone ha portato Delvecchio, nella stagione di Bianchi abbiamo accolto Tommasi e Candela, in estate hanno posato le valigie Cafu e Di Francesco –, dall'altra numerosi rincalzi (inutile fare nomi) sono di livello troppo basso per assorbire decentemente le assenze dei titolari. Risaliamo fino al terzo posto, ma un'altra sberla è in agguato: perdiamo 3-0 con l'Inter, e nel finale vengo pure espulso.

Accusiamo la sconfitta di San Siro. Sono anni in cui a Milano perdiamo sempre, roba da farsi il segno della croce al momento di prendere l'aereo a Fiumicino. Perdiamo perché in quello stadio meraviglioso ci sentiamo in qualche modo fuori posto: la fase iniziale della mia carriera coincide con un periodo storico nel quale sia il Milan sia l'Inter sono molto forti, – spesso contano sui migliori giocatori del mondo – mentre la Roma non riesce nemmeno ad aspirare a un piazzamento da podio. Premesso questo, scendere in campo a San Siro è un'emozione seconda soltanto all'Olimpico – casa mia, non scherziamo – perché quella della Scala del calcio non è soltanto una bella immagine, ma la realtà: io lo capisco quando comincio a scrollarmi di dosso il timore reverenziale e a giocare senza la paura di sbagliare che inevitabilmente ti coglie davanti a quelle quattro pareti di folla. E al di là delle sconfitte, che a un certo punto inizieranno pure a trasformarsi in vittorie, comprendo dove mi trovo, e soprattutto chi mi guarda, dal mormorio che segue un gesto tecnico eseguito bene. San Siro è assetato di qualità, e quando gliela mostri te la riconosce come nessun altro stadio. Può fischiarti e insultarti, specie quando gli fai paura, ma desidera la bellezza a prescindere dalla maglia che indossi. Può darsi che fosse successo prima altrove, ma non me lo ricordo: di San Siro rammento invece benissimo gli applausi per una giocata difficile, e quelli al momento della sostituzione dopo una prestazione di classe. Per tutti questi motivi perderci fa male, e dopo quella bastonata dall'Inter ci vogliono due mesi per riprendersi: due mesi nei quali scivoliamo dal terzo all'ottavo posto in classifica e peggioriamo sensibilmente il dato dei gol subiti, la statistica cui tutti guardano visti i precedenti di Zeman. Succede che qualcuno di noi, sommessamente e rispettosamente, gli chieda se non sia il caso di rimpiazzare una delle molte ore di tattica offensiva con l'allenamento della linea difensiva; lui, che è un uomo molto intelligente, capisce il nostro dubbio ma non lo asseconda: «Pensate a segnare un gol in più. È quella la cosa che vi viene facile». Lo dice con lentezza, aspirando una boccata della sua sigaretta, consapevole di metterci soggezione. «Vuoi parlarmi anche tu di questo, Stella?» aggiunge, e francamente è difficile insistere sul tema.

A rovinare la stagione, però, più dei gol subiti sono le quattro sconfitte nei derby – due di campionato e due di Coppa Italia –, un crac che ci costa una comprensibile tensione con i tifosi. Ogni k.o. ha la sua motivazione, ma il quadro generale parla di un'inferiorità psicologica evidente. Una boccata d'ossigeno a livello ambientale arriva a tre giornate dalla fine, quando battiamo 5-0 all'Olimpico un Milan in fase di liquidazione: in panchina, arrabbiato prima e desolato poi, c'è Fabio Capello. Ci salutiamo senza immaginare, almeno io, cosa ci riserverà il futuro, e a non lunga scadenza. La prima Roma di Zeman chiude quarta, col miglior attacco del campionato assieme a quello della Juve campione, e la settima difesa. Il fatto che la Lazio si piazzi dietro di noi non addolcisce la pillola. Tutt'altro. Vince la Coppa Italia, e per lei è l'inizio di un ciclo vincente.

Ragionando con un po' di freddezza, comunque, l'annata si è chiusa con quello che fin qui è il mio miglior piazzamento (con Mazzone eravamo arrivati quinti) e il record di gol: tredici, e senza tirare i rigori. Non è andata male, tanto che in estate il mio nome balla a lungo sui giornali non tanto nelle pagine di mercato – le mie scelte sono abbastanza chiare, almeno in questa fase della carriera – ma in quelle relative alla Nazionale. Al Mondiale l'Italia è uscita ai rigori con la Francia, Zoff ha sostituito Cesare Maldini e la mia è la faccia più invocata e reclamizzata della nuova generazione in arrivo in azzurro. La popolarità non è improvvisa – a Roma da tempo mi sono dovuto scordare la libertà di una passeggiata in centro – ma avverto il salto di qualità a livello nazionale. Prova ne sia il fatto che venga messo in mezzo a *Scherzi a parte* con la complicità dei miei compagni Di Biagio e Petruzzi, che insistono per portarmi in un ristorante di Torvaianica del quale quel giorno siamo gli unici clienti. Ci troviamo una cameriera che, col passare dei minuti, mi si spoglia davanti con un atteggiamento più che esplicito. In realtà la situazione è sospetta, perché quando chiedo al gestore dove sia il bagno mi dice che è inagibile: scoprirò poi che le telecamere nascoste sono state montate davanti alla toilette... Quando Gigi e Fabio se ne vanno con un pretesto, dicendomi di tornare a casa con un taxi, il sospetto diviene quasi certezza: ciò non toglie che con la ragazza cominci a darmi da fare, e che quando lo scherzo viene rivelato – senza troppa sorpresa, a quel punto – non abbia problemi a dare il mio consenso per la messa in onda. Insomma, sono anni leggeri di risate e bella vita.

Nel gennaio del '98 era arrivato a Roma un altro dei futuri protagonisti dello scudetto, Antônio Carlos Zago. È un brasiliano atipico, perché firma per la Roma a ventinove anni dopo essere già passato per il Giappone: non è un ragazzino, e infatti trascorre la gran parte del suo tempo con il clan dei connazionali guidato da Aldair, riservato e sornione. Decide lui quando darti confidenza, ma in campo è un difensore di alto livello: sarà prezioso.

Anche nella seconda estate Zeman ordina carichi di lavoro impressionanti, e il brutto per me è che quel disgraziato di Vito "sposa" la scuola boema allungando i miei percorsi perché sa che tendo a tagliarli. Non c'è più religione.

Il mese di ottobre del 1998 è uno dei più importanti della mia vita. Ho appena compiuto ventidue anni, e Zoff mi fa debuttare in Nazionale contro la Svizzera: ne parlerò diffusamente più avanti, nei capitoli dedicati alla maglia azzurra. La settimana dopo, un turno di squalifica ferma Aldair e per la prima volta in carriera indosso la fascia da capitano della Roma: l'emozione è ruggente, però la partita casalinga contro la Fiorentina si mette malissimo perché Batistuta – e chi sennò? – porta in vantaggio i viola e dopo un'ora di gioco restiamo in nove contro dieci per le espulsioni di Di Biagio, Candela e Falcone. Ma il destino decide che la mia prima fascia non può venire disonorata da una sconfitta, e siccome i mezzi che utilizza sono spesso sorprendenti, ecco che il protagonista della partita diventa Gustavo Bartelt, un ragazzo argentino arrivato quell'anno e destinato a rimanere poco. Poverino: sorridemmo anche di lui, al suo arrivo in ritiro, perché per come si agghindava, si muoveva e si esprimeva sembrava di trovarsi davanti al fratello minore di Caniggia. Fatto sta che quel giorno, lanciato nella mischia da Zeman per disperazione a un quarto d'ora dalla fine, Bartelt tira fuori la sua migliore prestazione nella Roma e, a giudicare dal curriculum successivo, forse dell'intera carriera. Sulla fascia destra fa il diavolo a quattro facendo collassare la difesa della Fiorentina, e fra 89' e 94' manda al centro due palloni – in realtà il secondo è un tiro respinto dal portiere – che prima Alenichev e poi io trasformiamo nei gol di un incredibile sorpasso. E il brindisi per la prima fascia da capitano è il massimo dell'allegria.

Dopo un altro viaggio infruttuoso a San Siro – perdiamo 3-2 con il Milan – giochiamo il mercoledì a Bergamo l'andata degli ottavi di Coppa Italia contro l'Atalanta. Finisce 1-1, e negli spogliatoi Aldair chiede un attimo di silenzio. Io sono seduto in un angolo, appena uscito dalla doccia, non immagino neanche lontanamente quello che sta per dire.

«Stasera ho portato sul braccio per l'ultima volta la fascia da capitano della Roma. Dalla prossima partita passerò questo compito, quest'onore e questa responsabilità a Francesco. È un ragazzo romano, come tutti noi sappiamo bene diventerà un grande campione, e il suo amore per il club e la città sono la garanzia che ci rappresenterà per anni e anni. Voglio che gli facciate gli auguri, e che siate tutti al suo fianco. Grazie.»

Per quanto possa avere avvisato prima Zeman, quella di Aldair è un'iniziativa personale che mi lascia a bocca aperta, e mentre i compagni vengono ad abbracciarmi e a stringermi la mano, io, frastornato, lo cerco con lo sguardo senza trovarlo, perché è uscito dallo spogliatoio. Anni dopo dirà in un'intervista di aver preso quella decisione anche perché si trovava in un momento di freddezza con la società a proposito di un prolungamento contrattuale, e temeva che la cosa potesse incidere sui suoi nervi. In ogni caso, quella di Aldair è una mossa che mi spiazza, perché sono ancora nella fase in cui i compagni vengono a difendermi dopo un calcione. A difendermi da me stesso, intendo: non sono mai stato un coatto ma un istintivo sì, la voglia di tirare un pugno a un terzino particolarmente violento c'era eccome. E un capitano certe sciocchezze se le deve proprio togliere dalla testa.

La mia seconda "prima volta", quella definitiva, è quindi datata 31 ottobre 1998. Sono un po' emozionato nello stringere la mano a Calori, che è il capitano dell'Udinese, e all'arbitro Messina: annoto mentalmente che d'ora in poi devo addolcire il mio atteggiamento nei confronti del direttore di gara, ed è inutile che adesso mi ricordiate che non sempre ce la farò. Lo so benissimo. Quel giorno, comunque, viene tutto facile: la Roma vince 4-0 e il suo nuovo capitano segna due gol, il primo dei quali bellissimo. C'è un lungo rinvio di Chimenti, Delvecchio lo prolunga di testa e io, al volo di sinistro, lo scarico in perfetto stile alle spalle di Turci. Una rete speciale per un'occasione speciale.

Due settimane dopo – metà novembre – tocchiamo il vertice della nostra stagione. Col secco 2-0 alla Juve, che ha appena perso Del Piero per tutto il campionato, saliamo a un punto dalla capolista, la Fiorentina. Il gol del vantaggio è di quell'allegrone di Paulo Sérgio, ma l'innesco è una mia giocata da strada, una cosa che in serie A sembra geniale ma che chiunque ha cominciato a fare passaggi e tiri in un cortile conosce bene. È una furbata, ma perfettamente regolare. Subisco un fallo sulla trequarti, mi rialzo e nessun avversario ha l'intuito di schermare il pallone: mentre si stanno sistemando per creare la barriera, io lancio uno sguardo a Paulo Sérgio, che capisce subito. Colpisco di destro a spiovere, la palla sorvola il paesaggio sospeso di chi aspetta la punizione diretta in porta e atterra sul piede del brasiliano, che al volo scavalca Peruzzi. Un gol d'astuzia.

Passano altre due settimane, e in una partita drammatica perché a un certo punto siamo sotto 1-3 e con un uomo in meno, iniziamo a rovesciare la deriva laziale dei derby. Finisce 3-3, il pari definitivo è mio, primo gol nella stracittadina e appuntamento alla gara di ritorno, che finalmente vinceremo. Due tabù sfatati in pochi giorni quindi, la Juve e il derby. Perché ci fermiamo, allora? Un po' è la solita solfa a San Siro, 4-1 per l'Inter e mesto ritorno a casa. Un po' sono i gol subiti, inutile girarci attorno: a Cagliari, per esempio, perdiamo 4-3, e dunque tre reti in trasferta le segniamo, il problema è che ne pigliamo quattro. Dopo essere stati a un solo punto dalla testa della classifica, al giro di boa ne abbiamo otto di distacco e – ci credereste? – il miglior attacco e la decima difesa. Il girone di ritorno si apre con due sconfitte esterne – Salerno e Venezia – e un pari in casa con l'Empoli. All'inizio di febbraio la Roma è settima a quattordici punti dalla vetta, praticamente gioca un altro campionato; è già fuori dalla Coppa Italia; è appesa a un quarto di Coppa Uefa con l'Atlético Madrid in programma a marzo (e che comunque perderemo).

Il presidente Sensi non me l'ha mai svelato, ma credo che il primo contatto con Fabio Capello risalga più o meno a questi giorni. Lui è fermo: dopo il campionato vinto col Real Madrid e l'infelice ritorno al Milan si è preso un anno di pausa, consapevole che le offerte sarebbero arrivate. Tra i motivi per cui allaccia il discorso con la Roma c'è sicuramente l'amore per la città, perché è un uomo che ama il bello, e il ricordo delle tre stagioni vissute nella capitale da giocatore compare spesso nelle sue interviste: prima di affermarsi nella Juve, Capello era stato un elemento importante della Roma alla fine degli anni Sessanta. Nel frattempo Zeman un po' si riprende, all'Olimpico battiamo sia il Milan sia la Lazio, le pretendenti al titolo dopo il crollo della Fiorentina (la Juve senza Ale è distantissima): ma ogni volta che la nave sembra aver riguadagnato la linea di galleggiamento, arriva l'incidente che rovina tutto. L'Inter è in caduta libera, eppure viene in casa nostra a vincere 5-4, il festival delle difese perforate. Desolante. Chiudiamo quinti con cinque punti in meno rispetto all'anno precedente, e le posizioni cristallizzate nelle classifiche dei gol: restiamo l'attacco migliore, ma appena decimi in difesa.

Mi dispiace che Zeman vada via, perché dei tanti allenatori che mi hanno voluto bene lui è quello proprio innamorato, e questo è ovviamente lusinghiero. Se poi mi volto a guardare cos'ero due anni prima e cosa sono adesso, il salto di qualità è evidente. Quando il boemo arriva mi chiama Stella ma non lo merito ancora; adesso sono semplicemente il Capitano, ed è l'appellativo che mi accompagnerà fino al ritiro e anche oltre.

Non ho mai capito bene dove vada segnato il confine fra la tristezza per chi se ne va e l'entusiasmo per chi arriva, ma, per quanto possa sembrare ipocrita, vi giuro che sono due sentimenti compatibili. Se ne va Zeman e la gratitudine nei suoi confronti è tale da addolorarmi. Ma quando esce la notizia dell'ingaggio di Capello – l'apprendo dalla tv come tutti, Sensi all'epoca non mi chiedeva certo pareri – sono in vacanza a Torvaianica e ci manca poco che scenda in strada a fare i caroselli, come del resto tutta Roma. Capello è l'emblema della vittoria, la sua personificazione. La società che lo ingaggia dichiara apertamente qual è il suo obiettivo, e se lui accetta vuol dire che ritiene la missione possibile, altrimenti andrebbe altrove. Per quanto affezionata a Zeman, Roma è una città letteralmente impazzita di gioia. A quelli che mi chiedono un'opinione, rispondo con una frase molto semplice: «Nessuno ingaggia Capello per arrivare secondo». Quella di Sensi è una dichiarazione di guerra.

Il raduno è fissato per il 5 luglio a Trigoria, dopo cena. Alle dieci di sera lo spazio davanti al centro è completamente intasato, la polizia dice che ci sono cinquemila persone, un autentico delirio di eccitazione perché in qualche modo si avverte che il momento potrebbe essere storico. Capello ci sta aspettando al bar, lo immagino compiaciuto dell'attesa che ha suscitato ma se è così non lo dà a vedere. La prima cosa che penso è che ti carica di pressione soltanto guardandoti: mette soggezione da quanto appare determinato. Quella sera ci presentiamo soltanto, ma fa in tempo a dirmi che il mattino dopo sarò il primo col quale avrà un colloquio individuale. Sono il capitano, e come tale Capello mi tratta. Dormo poco e male, sento molto quel faccia a faccia iniziale.

«Francesco, tu sei l'uomo più importante della rosa. Non mi sto riferendo alle tue qualità tecniche, che naturalmente conosco molto bene, ma alla fascia da capitano: devi portarla con responsabilità ed essere un esempio per i compagni. Io ti coinvolgerò in tutto, perché per me il capitano rappresenta la squadra non soltanto nei novanta minuti della partita, ma sempre: se ci sarà qualche problema collettivo ne parlerò con te, e tu poi riferirai alla squadra.» Il tono del discorso è militaresco, e in effetti l'organizzazione ferrea che Capello vuole portare mi pare il primo segnale di discontinuità col modo in cui la Roma è sempre stata (poco) governata. Le misure che prende vanno in questo senso. Ordina per esempio di alzare le reti mobili dietro le porte per non perdere tempo a inseguire i palloni scagliati lontano, e di raddoppiare la trama della recinzione per impedire che da fuori possano spiarci. Sono cose semplici, ma a cui nessuno aveva pensato prima di lui.

Il primo mercato di Capello porta a Roma altri futuri campioni d'Italia, da Antonioli a Lupatelli, da Zanetti a Vincenzo Montella, ma non è ancora sufficiente per vincere, anche perché in uscita ci separiamo da giocatori di qualità come Di Biagio, che va all'Inter, e Paulo Sérgio, destinato al Bayern. La stagione va più o meno come le precedenti: un'ottima partenza che a un certo punto ci issa fino al primo posto in classifica, una sostanziale tenuta sino alla fine del girone d'andata (siamo terzi a quattro punti dalla Juve, ancora il miglior attacco e quinta difesa), poi il calo e infine il crollo. Arriviamo sesti, peggio che con Zeman. Come se non bastasse, la Lazio vince lo scudetto. Insomma, è la tempesta perfetta.

Io non faccio una buona stagione. Pochi gol, soltanto sette di cui quattro su rigore, figuratevi che la prima rete su azione arriva appena alla dodicesima giornata. Visto che personalmente butta male mi dedico a servire Montella, che segna diciotto gol eppure convince Capello fino a un certo punto. L'allenatore è deluso dalla qualità complessiva della squadra, sostiene che la Roma per vincere abbia bisogno di alcuni innesti costosi, e malgrado l'esito del campionato la gente è con lui, aumentando così la pressione sul presidente. Nella prima stagione in cui "devo" vincere non mi piace nemmeno il mio comportamento disciplinare. A pochi minuti dalla fine della gara di Firenze, ampiamente vinta, mi allaccio con Heinrich ed è doppio cartellino rosso, così la settimana dopo salto per squalifica la gara con la Juve. A Perugia, dimenticandomi di quanto sia permaloso l'arbitro Borriello, nel mezzo di una discussione gli metto una mano sul petto: altro rosso, e la squadra deve sudare le proverbiali sette camicie per portare a casa un punto. Non sono comportamenti da capitano, devo mettermelo bene in testa.

Fra le molte leggende che in venticinque anni sono girate sul mio conto, la più ridicola è che avrei remato contro l'acquisto di altri campioni per mantenere il mio status di numero uno della Roma. Che sciocchezza. È vero l'esatto contrario, ho sempre pressato i miei presidenti affinché portassero a Roma i grandi giocatori, quelli necessari per vincere. Non solo: a differenza di quanto accade oggi, dove tutti drizzano le antenne per capire quanto guadagnano gli altri, io non ho mai voluto sapere gli ingaggi dei compagni, e se per caso Batistuta ha guadagnato alla Roma più di me sono soltanto contento per lui. Quello di Gabriel non è un nome scelto a caso: la lista della spesa di Capello lo vede al primo posto, e quando Sensi annuncia che l'abbiamo preso esulto come un bambino. È uno degli ultimi tasselli del mosaico, gli altri sono Samuel, Zebina ed Emerson, una spina dorsale. E se qualcuno continuasse a dubitare del mio impegno per rafforzare la squadra, chiamo a testimoniare Buffon e Cannavaro: per quanto ho rotto loro le scatole – andandoci vicino, Roma e Parma discussero a lungo – è tanto se ancora mi parlano.

5

La lunga marcia

La stagione dello scudetto si apre a pesci in faccia. Letteralmente. Ce li tirano i tifosi, furiosi per l'eliminazione in Coppa Italia da parte dell'Atalanta, in un caldo pomeriggio di fine settembre.

La necessità di aspettare i nazionali dell'Olimpica reduci da Sydney ha fatto slittare di un mese l'avvio delle operazioni – il campionato parte il 1° ottobre – e un'estate infinita ha creato qualche vuoto d'aria. Succede così che dopo aver resistito 1-1 all'Olimpico, la settimana dopo l'Atalanta ci batta 4-2 a Bergamo, e il primo obiettivo stagionale sfumi. Esasperata dal sesto posto dell'anno prima, e soprattutto dal fatto che abbia coinciso con lo scudetto della Lazio, la nostra gente la prende malissimo. Il pomeriggio seguente tre o quattromila persone circondano Trigoria, e quando sentono che noi giocatori siamo nel parcheggio, separati soltanto dal muro di cinta, parte un fitto bombardamento a base di pesce – suppongo non molto fresco – e uova. Tocca ritirarsi in fretta e furia all'interno del centro, e attendere che le munizioni scarseggino. Cafu, che aveva già varcato il cancello, rientra precipitosamente in retro con la macchina ammaccata dai calci. Fuori la polizia, allertata dal forte assembramento, ha già tirato un paio di lacrimogeni. È una situazione insostenibile, occorre affrontarla prima che qualcuno si faccia male.

Usciamo tutti, noi giocatori e Capello. E rispondiamo con decisione alla prima ondata di insulti: è un caos totale, urlano tutti, ma dopo qualche minuto di tensione i capi della curva guadagnano la posizione in testa al gruppo, e con loro si discute in modo almeno più ordinato. Non a caso, appena una forma di dialogo è ristabilita, si passa dall'attacco acritico perché abbiamo perso a Bergamo a chiedere le cause, che cosa ci manca per vincere. Io sono molto netto: «Non ci manca niente, abbiamo fatto grandi acquisti e l'atmosfera nello spogliatoio è eccellente. Non roviniamola con la contestazione al primo intoppo. Giochiamo per voi, quest'anno alla fine festeggeremo insieme».

È un discorso convincente, visto che la furia si placa in pochi minuti. Finisce con raccomandazioni quasi affettuose, e la promessa che il prossimo pesce sarà freschissimo, e consegnato nelle ceste. A patto ovviamente di meritarcelo. La verità è che molti tifosi hanno una discreta cultura calcistica, nel senso che ne capiscono sia dal punto di vista tecnico sia da quello psicologico; ma la massa ragiona esclusivamente in base al risultato. O meglio, se ne lascia orientare oltre il dovuto: si gioca sempre per vincere, ma gli incidenti di percorso capitano anche quando stai molto bene, come la Roma quell'anno. Per certi tifosi, invece, quando perdi è perché hai fatto tardi la sera in discoteca, e della squadra te ne freghi. Senza discussioni. Questo introduce alcune limitazioni nella vita di un calciatore, e a vedere la faccia degli stranieri mi viene da pensare che sia un fenomeno soprattutto italiano: storicamente, da capitano ho sempre faticato a spiegare ai nuovi compagni provenienti dall'estero che dopo una sconfitta non è opportuno farsi vedere troppo in giro. «Perché?» mi chiedevano stupefatti. «Se ho fatto del mio meglio per vincere, cos'ho da rimproverarmi? La sconfitta fa parte del gioco.» A un certo punto tagliavo corto, perché contro la loro logica non avevo più argomenti: «Senti, fai come ti ho detto. Fidati, è un consiglio da amico».

In una situazione ambientale già bollente, la prima partita di campionato diventa subito un esame delicatissimo. Affrontiamo il Bologna all'Olimpico, e nel primo tempo il condizionamento mentale è evidente: la Roma gioca male, senza diverse parate di alto livello da parte di Antonioli andremmo all'intervallo sotto nel punteggio. Invece ci arriviamo addirittura in vantaggio, dato che nei minuti di recupero riesco a divincolarmi dalla trattenuta di Olive per colpire in controtempo una punizione di Assunção. Un gol fondamentale, perché ci libera psicologicamente. Nella ripresa Batistuta, che non doveva giocare ma non poteva mancare all'esordio, spaventa a tal punto Castellini da indurlo all'autorete. Bella partita contro un'avversaria in forma, difatti il Bologna di lì in poi raccoglierà tre vittorie consecutive. La sorpresa della prima giornata è la sconfitta dell'Inter a Reggio Calabria, che porta all'esonero di Lippi.

La serie A procede a singhiozzo, la pausa nazionali di ottobre ci riporta in campo soltanto il 15. Fate conto che a metà ottobre i campionati di oggi sono già all'ottava giornata, quell'anno siamo appena alla seconda: per fortuna il calendario dei primi turni non è particolarmente duro, il che consente a Capello di progredire nella costruzione della squadra senza perdere punti per strada. A Lecce vinciamo facile, un rotondo 4-0 che contiene le prime due reti di Batistuta: la prima arriva a fine primo tempo ed è uno splendido colpo di testa dal dischetto, una torsione così violenta – su cross di Cafu – da imprimere al pallone la potenza di un tiro di piede. Tommasi raddoppia a inizio ripresa con un destro nell'angolo dal limite dell'area, Bati sigla il tris con un sinistro sotto la traversa da pochi passi, a me tocca un rigore al 91', concesso per un fallo su Delvecchio. È molto importante che Gabriel si sia sbloccato, troncando sul nascere i discorsi disfattisti che sempre si fanno quando un grande acquisto non sfonda subito. Dopo due partite, soltanto noi e la Juve siamo a punteggio pieno.

Terzo match, Roma-Vicenza. Più complicato del previsto, considerato che loro arrivano con la classifica ancora a zero. Ma si difendono bene, e anche stavolta per passare in vantaggio occorre attendere il finale del primo tempo: volata di Delvecchio a sinistra e cross a mezz'altezza sul quale entro da destra di piatto al volo. Esteticamente un bel gol, ma dobbiamo aspettare gli ultimi dieci minuti per il 2-0 della sicurezza, e non è una rete banale perché la segna Montella, inserito da Capello dopo un'ora per aumentare la nostra presenza in area. Vincenzo segna di testa precedendo di un nulla Batistuta, che si stava avventando sullo stesso pallone, e la dinamica dell'azione introduce il racconto della "questione 9", ovvero il numero di maglia che Gabriel chiede arrivando alla Roma, e che Vincenzo difende con i denti.

Partiamo da un dato di fatto: Montella è un grandissimo attaccante. La stagione precedente, la prima con noi, aveva segnato diciotto gol, e dunque la richiesta di Capello – che voleva Bati perché nel suo calcio il centravanti dev'essere fisicamente dominante – l'aveva sorpreso e seccato. Dal suo punto di vista, però, Gabriel ha tutte le credenziali per pretendere il numero di maglia dei bomber: dopo tanti anni di Fiorentina, nei quali ha addirittura battuto il record di gol di Hamrin, accetta l'offerta della Roma perché sente che il tempo comincia a stringere. È ora di vincere. Il discorso che mi fa uno dei primi giorni è assolutamente logico: «Francesco, nessuno può capirti meglio di me. Ho fatto di tutto per vincere con la Fiorentina, come hai fatto tu con la Roma, e non è bastato. Dobbiamo unire le forze». È il motivo per cui è venuto. Un'urgenza di titoli che gli toglie il respiro.

Capello è un uomo chiaro, sincero ai limiti del brutale. Considerato che accanto a Bati ci sono io, che con il gol ho un'ottima confidenza, come terzo giocatore offensivo non gli serve un altro realizzatore purosangue, ma un cavallo da tiro come Marco Delvecchio, che segni qualche gol ma che soprattutto aiuti il centrocampo nella fase di non possesso. Così, Montella diventa la riserva di Batistuta fin dall'estate. È una formula che si rivelerà vincente anche perché Gabriel, che fisicamente sta molto peggio rispetto alle attese e spesso gioca sul dolore di puro orgoglio, non regge tutte le partite: poterlo sostituire con un centravanti di diverse caratteristiche ma uguale pericolosità è un privilegio da grande squadra. Oggi è abbastanza normale che i club di vertice abbiano in rosa venti campioni che si alternano in campo: ma all'epoca i campioni giocavano sempre e chi restava fuori non "partiva dalla panchina", come con una certa ipocrisia si racconta oggi, era una riserva. E per uno come Vincenzo mandare giù quel rospo è ai limiti del sopportabile. Quando viene a sapere in ritiro che Batistuta pretende pure il suo numero di maglia, a lui non dice niente ma ai dirigenti fa presente che su quel punto non transige: «Se me lo togliete, trovatemi anche una squadra perché me ne vado».

Io mi trovo in una situazione delicata, perché di Vincenzo sono amico, pure le nostre fidanzate si frequentano, ma da capitano devo aiutare a mettere assieme i pezzi del puzzle. Parlo sia con lui sia con Gabriel, e alla fine è l'argentino a fare il passo indietro, comprendendo le ragioni di Montella. La scelta saggia di chi non vuole umiliare il collega/rivale, consapevole di aver già vinto la battaglia per la titolarità: Bati prende la maglia numero 18, che ai tempi di Ronaldo all'Inter Zamorano aveva astutamente reinterpretato come 1+8, ma che può voler dire anche 9+9, ovvero valgo per due. Capisco che da fuori possano sembrare sciocchezze, ma nella vita di uno spogliatoio questi sono rapporti di forza a tutti gli effetti, e nessuno lascia il passo senza combattere. Anche perché sia Montella sia Batistuta sono dei bei rosiconi, cosa che inevitabilmente attira scherzi e battute, e da parte loro risposte spesso piccate. Una volta assegnate le maglie, la questione si chiude. Bati mostra rispetto non insistendo, Montella si arrende all'evidenza di un fenomeno che, pur allenandosi pochissimo a causa dei suoi acciacchi, segna venti gol solo in campionato.

Alla quarta giornata perdiamo, 2-0 in casa dell'Inter che sta provando a risollevarsi dopo l'esonero di Lippi e l'arrivo in panchina di Marco Tardelli. È una sconfitta abbastanza indolore (per quanto possano esserlo le sconfitte), perché la squadra gioca comunque bene e perché la Juve – che secondo tutti è la nostra vera rivale per lo scudetto – perde in casa con l'Udinese. In testa alla classifica va proprio la squadra friulana, in tandem con l'Atalanta, mentre noi inseguiamo a un punto con il Bologna, due punti davanti a Juve e Lazio. Il primo k.o. poteva costare molto più caro. La vera sorpresa, però, è la sua gestione psicologica. Perdere a Roma è sempre un po' più difficile rispetto ad altre città, perché la pressione dell'attesa – nel 2000 siamo distanti ormai diciassette anni dall'ultimo scudetto – trasforma le sconfitte in drammi, soprattutto quando ci sono buone premesse e, quindi, un passaggio a vuoto viene vissuto come l'inizio della fine, o lo svanire delle illusioni. È molto puerile, lo so, ma a Roma va così. Malgrado l'ambiente esterno ricominci subito a mugugnare, la squadra resta invece compatta nel suo atteggiamento positivo. Capello è stato il primo segnale, Batistuta il secondo, l'impressione è che il presidente Sensi abbia fatto tutto ciò che era in suo potere – e anche qualcosa di più – per vincere finalmente lo scudetto: di conseguenza la squadra si sente in missione, siamo convinti della nostra forza, pensiamo davvero di poter segnare tre gol a chiunque. E questa positività rimbalza e si accresce nelle cene settimanali che organizziamo ora a casa dell'uno, ora dell'altro. Con me vengono sempre Di Francesco, Candela, Cafu, Zebina, Cristiano Zanetti... siamo affiatati, stiamo bene assieme anche fuori dallo spogliatoio, e soprattutto c'è un traguardo comune all'orizzonte di tutti. Può sembrare una banalità, ma non è stato sempre così.

Dopo la sconfitta di San Siro, la trasferta di Brescia diventa molto delicata: va bene tutto, ma perderne un'altra avrebbe un effetto depressivo duro da smaltire. Io non parto nemmeno, mi sono fatto male nel finale della gara con l'Inter, e dal divano di casa tifo e osservo i particolari che si vedono meglio da fuori, quando non giochi. È molto cresciuta la personalità dei singoli, noto che quando viene riavviata un'azione il portatore di palla ha sempre almeno tre opzioni di passaggio, ma tre opzioni di quelle che ti gridano "dammela", e se non gliela passi s'arrabbiano. La palla non scotta più, anzi, la vogliono tutti. Dopo il vantaggio iniziale di Candela, un astuto piatto nell'angolino dal limite dell'area, il Brescia rigira la frittata e sale 2-1. È un momento di crisi che Batistuta risolve da fenomeno nella ripresa con tre gol, uno ogni quarto d'ora. Particolare che apprezzo in tv, due delle tre reti arrivano da conclusioni di altri respinte da un palo: la voracità con la quale Gabriel si lancia su quei rimbalzi, arrivandoci per primo, è l'emblema della stagione nascente. Ci resta davanti soltanto l'Udinese.

Sesta giornata, all'Olimpico arriva la Reggina e per la prima volta Bati alza bandiera bianca al sabato. Non ce la fa proprio, le caviglie lo tormentano: a furia di giocare sul dolore – come ha fatto per anni e anni – cartilagini e tendini sono perennemente infiammati. Ogni tanto deve fermarsi. Gioca Montella e la risolve lui. Con la mia fattiva collaborazione, perché guadagno e trasformo il rigore dell'1-0, e dopo il pareggio di Bogdani è una mia sponda aerea – fra l'altro da un passaggio piuttosto violento di Zanetti, se non avessi la testa ben piantata sulle spalle, come assicuro sempre a mamma, me la porterebbe via – a servire su un piatto d'argento a Vincenzo la palla del 2-1. Quella domenica ovviamente non possiamo saperlo, ma è una vittoria destinata a restare come pietra miliare della stagione, e in fondo della nostra storia: l'Udinese perde a Parma e la Roma torna in vetta da sola. Non ci prenderanno più, fino allo scudetto.

Rileggendo oggi la formazione schierata dal Verona alla settima giornata, scopri la bellezza di tre futuri campioni del mondo: Gilardino, che dopo quattro minuti si procura il rigore dell'1-0, Oddo che lo trasforma, e l'oriundo argentino Camoranesi, appena arrivato in Italia e sconosciuto a tutti. Il Verona tiene il risultato per più di mezz'ora, nella quale costringiamo Ferron, il suo portiere, a farci da bersaglio. Poi, però, uno dei nostri tre campioni del mondo già laureati, Vincent Candela (gli altri sono Cafu – nessuno in Europa vanta i nostri terzini – e ovviamente Aldair), decide di averne abbastanza; il suo destro da fuori area viene intercettato ma non bloccato dal portiere, e scivola lentamente in rete. Pochi minuti e tocca a me: il pallone da sinistra di Delvecchio è leggermente arretrato ma Batistuta si è portato via due uomini e così, da solo al centro, ho il tempo per fermarmi e chiudere in porta di sinistro. Della gara del Bentegodi, che finisce 4-1 con doppietta finale di Gabriel, va ricordato il terzo gol: una punizione che è letteralmente una fucilata, dritta per dritta nell'incrocio opposto. Sono sempre stato bulimico sulle punizioni, anche perché mi sono sempre venute bene. Quell'anno però ho due compagni di spettacolare efficacia: uno è Bati, l'altro Marcos Assunção, un brasiliano che calcia allargando il piattone – come anni dopo avrebbe fatto il più famoso David Luiz – e nelle gare che facciamo in allenamento è ingiocabile, meglio di come ero io a Paperelle. O gli imponi un handicap, oppure vince tutte le sfide perché la sua precisione è impressionante. Ha segnato diverse punizioni anche in serie A, e sì che in tre anni non ha mai trovato tanto spazio per giocare, altrimenti oggi sarebbe ricordato come lo specialista numero uno.

La partita successiva è la più difficile per Batistuta, perché all'Olimpico arriva la Fiorentina, e lui deve affrontarla dopo essere stato per nove anni il suo campione. Sinceramente, non riesco nemmeno a immaginare cosa vorrebbe dire per me giocare contro la Roma. Di certo uno strazio, e ci vado leggero. Ho quindi grande rispetto per i suoi sentimenti, anche perché per tutta la settimana non solo non si preoccupa di nascondere il malumore, ma lo espone per farci capire quanto gli sta costando. La Fiorentina di quell'anno è una squadra interessante, guidata da uno strano allenatore turco, Fatih Terim, pomposamente detto l'Imperatore. Un personaggio. Naviga a metà classifica, ma giocando bene: e negli occhi dei vecchi compagni di Gabriel, quella sera, si legge amicizia ma anche la voglia di fargliela vedere. Ogni partenza di un campione da un club di livello medio contiene implicita una condanna ai compagni: finché resto con voi, non vincerò mai niente. E non sempre è una cosa semplice da accettare.

La partita è difficile, sofferta, sconclusionata perché noi ci siamo ormai abituati a poggiare il nostro gioco su Bati, ma lui quella sera ha addosso Řepka – uno bravo – in prima battuta, e le rare volte in cui se ne libera gli si chiude addosso una tenaglia di altri due uomini. Si va avanti sbuffando fino all'83'. Quando lo 0-0 ormai incombe, ecco la prodezza: Guigou, da poco entrato, gli allunga di testa un pallone a una ventina di metri dalla porta, in posizione centrale. Il rimbalzo è perfetto, l'impatto del destro di Gabriel devastante perché la traiettoria di collo pieno è arcuata quanto basta per scavalcare il mio amico Spilungone – sì, all'Europeo avevo ribattezzato così Francesco Toldo. La grammatica del portiere insegna che in quella situazione la posizione migliore sia un paio di metri davanti alla porta, lui forse ha ecceduto, i metri saranno tre: comunque sia, lo spiovente lo supera facendo ruggire l'Olimpico, finalmente 1-0. Corriamo tutti da Gabriel, che come aveva annunciato alla vigilia non esulta per rispetto dei suoi vecchi tifosi. Sono situazioni un po' strane queste in cui tutti festeggiano – non c'è momento più travolgente nelle nostre vite dei dieci secondi successivi a una rete – mentre il protagonista non ci riesce. Bati ci abbraccia forte ma non dice mezza parola. È un gol importantissimo, in classifica porta a tre i punti di vantaggio sulla seconda, che diventa l'Atalanta. Ed è un gol che celebriamo a lungo, ma quando torniamo al centro del campo perché la Fiorentina sta per riprendere il gioco, vedo Bati asciugarsi le lacrime con la manica della maglia. Non è sudore, sono lacrime vere. Non festeggerà nemmeno nello spogliatoio.

Ho citato Gianni Guigou, un elemento del cast di supporto che non accumula molti minuti, ma prezioso sia perché fa il suo dovere quando viene chiamato in causa, sia perché si integra perfettamente nello spogliatoio, non mette il muso se gioca poco e contribuisce a tenere allegro l'ambiente. Gianni è un uruguaiano simpatico, un difensore esterno che si trova a suo agio anche nella metà campo offensiva, come nell'occasione dell'assist a Bati contro la Fiorentina. Ed è anche un ragazzo che sorride davanti ai cori affettuosi ma un po' strampalati dei tifosi («Vendeva le castagne / sotto casa di Cafu / Gianni Guigou / Gianni Guigou»), e ai nostri nello spogliatoio, cantati sulla musica della *Famiglia Addams*. Un compagnone.

A Perugia per tradizione si soffre. Due anni prima abbiamo perso 3-2, l'anno scorso la partita è stata pazza perché l'arbitro Borriello mi ha espulso. Quando leggo a metà settimana che è stato designato un'altra volta lui, capisco il segnale del destino: occhio Francesco, per vincere lo scudetto non devi migliorare solo il rendimento, ma pure il comportamento. Me lo ricorda anche Capello, e difatti in partita tutto fila liscio tranne il punteggio, che non si schioda dallo 0-0 per colpa – diciamo così – di Mazzantini, il loro portiere. Almeno tre parate mostruose, e arriva il primo pareggio stagionale. La classifica non ne risente, anzi, guadagniamo un punto sull'Atalanta seconda. La Juventus pareggia a San Siro con l'Inter e resta a meno sei. Insomma, tutto procede.

Se n'è accorta anche la gente. Trigoria è meta di un pellegrinaggio ogni giorno più nutrito, e ovviamente qualche bel carico di pesce freschissimo è il simpatico risarcimento che ci viene riconosciuto dopo la guerriglia di fine settembre. E sono passati soltanto due mesi, poi non venitemi a dire che non sono i risultati a indirizzare il sentimento collettivo. Ci sono certi pomeriggi nei quali due o tremila persone aspettano fuori dai cancelli, a volte dobbiamo uscire nascosti nei furgoncini dei magazzinieri – e lasciare la macchina lì – per guadagnare la strada di casa. È il famoso entusiasmo romano per il quale ci prendono in giro nel resto d'Italia, soprattutto al Nord, ma che io considero innocuo. Anzi, è confortante sapere che i tuoi tifosi ti vogliono bene anche se non vinci tutti gli anni come capita altrove.

Altro giro, altra corsa: decima giornata, all'Olimpico arriva la terribile Udinese. Partita benissimo, ha stentato un po' nelle ultime gare ma resta abbondantemente al di sopra delle aspettative di inizio stagione. Cliente complicato, che Batistuta spinge di lato al 20' girando in porta un cross di Tommasi. Un quarto d'ora dopo tocca a me, ed è uno dei gol considerati fra i più belli della mia carriera. E io concordo. La Roma risale velocemente il campo. È un classico break, palla intercettata da Tommasi sulla nostra trequarti e ripartenza rapida per mantenere fuori equilibrio l'Udinese. La corsa di Damiano pende verso destra, dove Cafu – andando a tutta – lo sta sorpassando. Batistuta attende al limite per evitare il fuorigioco, Nakata gli arriva al fianco attirando su di sé un altro uomo, io scelgo allora la corsia opposta, quella sinistra per nulla presidiata, accelerando il passo perché sono ancora dietro la linea della palla. Cafu riceve a venticinque metri dalla porta, e il suo controllo orientato guadagna un tempo di gioco perché il cross successivo è praticamente un calcio piazzato: la traiettoria ad arcobaleno si conclude sul mio piede sinistro, ed è come se ci trovasse la pentola magica delle fiabe. Impatto perfetto di collo pieno, palla tesa diretta all'incrocio opposto, Turci non può opporsi. Un supergol. Serve per vincere, perché di lì a poco Roberto Muzzi – il vecchio amico che il giorno dell'esordio mi diede la sveglia – fissa il 2-1, e fino al 90' non ci sarà respiro. Bella partita, bella vittoria.

E bellissimo gol, dicevo. Per tecnica e coordinazione nel tiro in sé, ma anche per la costruzione dell'azione, che non a caso entusiasma Capello come poche altre volte. È una manovra molto verticale, la nostra, che chiama alla ribalta due uomini su tutti: Tommasi e Cafu. Ecco, Damiano vive quell'anno la stagione migliore della sua carriera. È al massimo dell'efficienza fisica, e dal punto di vista tecnico gli riesce praticamente tutto. Ne sono a tal punto stupito da ribattezzarlo Ronaldo, perché mi esalta proprio (e il Ronaldo interista è l'attaccante col quale più avrei voluto giocare) e perché non credo ai miei occhi: Damiano gioca per due. Quell'anno prende addirittura un voto (che vale due punti) per il Pallone d'Oro: siamo i due romanisti in classifica, io quinto a quota cinquantasette, lui più indietro ma presente. E poi è un ragazzo magnifico, un'anima candida con la forza mentale superiore che gli viene dalla fede. In quella stagione riceve solo applausi, ma non era stato sempre così: il pubblico dell'Olimpico l'aveva un po' preso di mira, eppure lui usciva dallo spogliatoio sempre col sorriso sulle labbra: «Vado a prendermi un po' di fischi, voi nel frattempo vedete di vincere la partita...».

L'altra figura che emerge dal racconto del gol all'Udinese è quella di Cafu, che ai tempi è il miglior terzino destro del mondo, senza discussioni. Che voce, però. Ce l'ho ancora nelle orecchie, fastidiosa tanto è stridula: «Passala, passala, eccomi», anche se magari è in fuorigioco di tre metri. Alla fine gliela do sempre per farlo stare zitto, non c'è modo di giocare altrimenti. Ma produce, altroché se produce. Il cross che mi serve contro l'Udinese è perfetto. L'ho rivisto di recente, Cafu, a una partita benefica in Georgia organizzata da Kaladze. Corre ancora (quasi) come il vecchio Pendolino, mi ha fatto tenerezza e pure un po' di invidia.

Mancano due partite a Natale e alla pausa, come sappiamo fin dal giorno del calendario sono quelle che indirizzeranno la stagione. La prima parte è stata facile, e l'abbiamo percorsa senza gravi errori: venticinque punti su trenta sono più o meno quanto ci eravamo prefissati, semmai sono le avversarie dirette a essersela presa comoda visto che la Juve insegue a sei punti con l'Atalanta e la coppia Lazio-Milan è addiritttura a meno sette. Sono distacchi profondi, per aver giocato soltanto dieci partite. Le due gare che mancano alla sosta sono il derby e la Juve in casa, e le affrontiamo con la serenità di chi viaggia davanti. Capello insiste molto su questo aspetto: sono loro a dover rischiare per riavvicinarsi, non noi.

Il derby è equilibrato a un livello molto alto, non a caso si affrontano i campioni d'Italia in carica e quelli futuri. La gara è risolta da un episodio passato alla storia del calcio romano, l'autorete di Paolo Negro. In realtà le sue colpe sono minime. C'è il solito cross di Cafu – mamma quanto sta in forma! – e stavolta l'inserimento da sinistra è di Cristiano Zanetti, che di testa spedisce nell'angolo opposto. Peruzzi ribatte con un balzo esplosivo dei suoi, ma la palla resta lì e Nesta, nel tentativo di spazzare, colpisce Negro e la carambola finisce in rete. Mancano venti minuti, la Lazio si riversa in attacco e a pochi istanti dalla fine Nedvěd timbra una gran traversa. Ma non è gol. Va bene a noi, va male a loro, va malissimo a Negro e non posso dire che mi dispiaccia, perché si tratta di un avversario fastidioso, di quelli che oltre a menarti insultano e provocano, immagino per farsi bello agli occhi dei suoi tifosi. La maglietta della Roma col suo numero, il 2, e il suo nome – si comincia a vedere un paio di giorni dopo la partita, e per qualche tempo la sfoggiano tutti i nostri supporter – è una presa in giro a uno che se la merita.

Quella domenica la Juve vince facile a Lecce e, assieme all'Atalanta, resta al nostro inseguimento, ma da lontano: sei punti, mentre il Milan perde altri colpi pareggiando a Verona e l'Inter non ne vuole sapere di risollevarsi. Tutto è apparecchiato per lo scontro al vertice prenatalizio, e Capello lo affronta preoccupandosi di mantenere il controllo delle operazioni. Del resto ce lo ripete da due settimane, tocca a loro farsi avanti. Ma nemmeno la Juve ne ha una gran voglia, e così la partita risulta bloccata. Loro iscrivono a bilancio un palo, io ho a disposizione un bel contropiede ma, al dunque, Van der Sar si prende una piccola rivincita sul rigore a cucchiaio di qualche mese prima in Nazionale. Finisce 0-0.

Con sei punti di vantaggio le vacanze di Natale quell'anno sono molto dolci. L'aspetto più affascinante consiste nell'ascoltare il respiro della città, che è certamente eccitato ma, almeno in parte, ancora incredulo. Galleggia nell'aria una specie di paura di concedersi alla speranza, perché se perfino stavolta – squadra fortissima, allenatore vincente, leader in gran forma – non dovesse finire bene, assorbire la botta sarebbe difficilissimo. Roma non è il luogo della moderazione, se hai dieci euro in tasca te ne vai a spasso a testa alta come se ne avessi cento; e però nel calcio, almeno quel Natale, la parola d'ordine sembra essere "calma". Dopo aver annunciato mille vittorie, stavolta è il caso che si vinca davvero: la prospettiva di non riuscirci, di conseguenza, fa molta più paura del solito. Detta in parole povere, la città sente improvvisamente di avere qualcosa da perdere. Prima di Capodanno siamo già in campo, carichi come sveglie perché la prima gara del nuovo anno sarà a Bergamo, e la sorprendente Atalanta è terza in classifica. È una partita che Capello prepara molto bene dal punto di vista tattico, gli avversari non tirano mai in porta, mentre dopo soli quaranta secondi il vantaggio di Delvecchio ci spiana la strada, e prima dell'intervallo Tommasi la chiude.

Malgrado non ci sia vera competizione – il nostro dominio è netto – il terreno quasi impraticabile facilita le scivolate, che come sempre hanno l'effetto di scaldare il pubblico: quelle dei tuoi giocatori sono tutte regolari, quelle degli avversari sono falli vergognosi da sanzionare con i cartellini. Succede ovunque così, lo strabismo è una prerogativa del tifoso. Però a Bergamo i fischi nei miei confronti sono sempre un po' più sonori, immagino potenziati dal pregiudizio verso i romani. Succede anche in altre piazze, ormai dopo qualche anno di esperienza so quali sono: il Rigamonti di Brescia è un altro stadio che non mi ha mai digerito, una volta ad Ascoli non so cosa mi avrebbero fatto se fossero riusciti a mettermi le mani addosso, la stessa Napoli mi ha dedicato molto più malanimo rispetto – per dire – a San Siro.

Questo, finché ho giocato. L'anno scorso è cambiato tutto, a partire proprio da Bergamo, prima giornata e prima trasferta da dirigente. Confesso di essere salito in tribuna d'onore con una certa apprensione, perché in quello stadio sei molto esposto, molto a contatto con i tifosi, e ripensando al passato non sapevo cosa aspettarmi. Invece è stata un'esperienza meravigliosa. Prima mi si è avvicinata una signora, «Facciamo un selfie?», ma certamente. Dietro di lei il marito, «Allora anch'io», eccomi in posa. Due scatti per essere certo che la foto sia venuta bene, ed è il turno di un gruppo di ragazzini, mentre avverto che l'intera tribuna sta cominciando a mormorare parole dolci: «Quanto era bravo Totti», «Che peccato non vederlo più in campo». C'è qualcosa di irreale, in quella coda di tifosi dell'Atalanta che chiedono un selfie o un autografo mentre l'arbitro sta per fischiare l'inizio della gara. Mi verrebbe quasi da ricordargli che «Sono lo stesso che fischiavate perché vi faceva gol»... Il bello è che poi questa processione di stima e simpatia si ripete in tutti gli stadi, anche in quello della Juve per dire, dove pure di battaglie – anche molto polemiche – ne ho combattute parecchie. Ecco, questo consenso generalizzato è stato la sorpresa più lusinghiera del mio "dopo". La dimostrazione che ho lasciato qualcosa non dico nel cuore – non vorrei risultare melenso – ma certamente nella memoria degli appassionati di calcio.

Ma torniamo alla stagione in cui comincio a costruirmelo, questo capitale di stima: la stagione dello scudetto. La vittoria di Bergamo è una tombola perché la Juve si lascia raggiungere in casa dalla Fiorentina: dopo tredici giornate abbiamo otto punti di vantaggio su di lei e dieci sull'Atalanta. Sta diventando una passeggiata di salute. Troppo? Troppo. L'esperienza insegna che in una situazione psicologica così in discesa ti devi augurare un'avversaria forte, di quelle che ti costringono alla massima concentrazione fin dalla vigilia. Invece gli otto punti di vantaggio coincidono con l'arrivo all'Olimpico del Bari ultimo in classifica: una combinazione quasi letale perché lo sottovalutiamo platealmente, rischiando perfino di perdere. Loro giocano bene, ispirati da Cassano che è un talento davvero cristallino; a noi mancano Cafu e Batistuta, ma più dei singoli a latitare è quel senso di missione collettiva che ci ha spinto dall'inizio. Siamo nervosi, si rischia la reazione al minimo contatto, insomma è una Roma brutta che va pure sotto su una punizione da distanza intercontinentale di Mazzarelli che forse Lupatelli sottovaluta. Mancano venti minuti, ci riversiamo ulteriormente nell'area di Gillet, per fortuna guadagno un rigore un po' sciocco, perché quando Markic mi tocca non sto nemmeno puntando la porta. Lo trasformo, ed è un punto a suo modo pesante. La Juve intanto ha vinto ed è tornata a meno sei.

Ci attende adesso un nuovo crash test a San Siro, lo stadio dove non riusciamo mai a fare risultato: la stagione del Milan è particolare, perché si capisce che Zaccheroni si sta avviando verso l'uscita e la squadra ha delle falle, ma anche alcuni campioni inarrivabili. Contro di noi, per esempio, si esalta Shevchenko, autore di due gol, mentre la punizione con la quale Leonardo apre le marcature è un trattato di architettura. Perdiamo ancora, sì: 3-2 con doppietta mia, un destro secco da venticinque metri deviato in porta da Maldini e un rigore per fallo su Batistuta quando è ormai tardi per sognare il pareggio in extremis.

Perdiamo, ma giocando una bella partita, tanto che a fine gara, nello spogliatoio furente, Capello ordina un attimo di silenzio. Deve parlarci.

«Signori, fra cinque minuti io andrò in sala stampa e criticherò la vostra prestazione. Dirò che siete stati ingenui, che la testa della classifica è una responsabilità che vi pesa, che il campionato è più aperto che mai. Sosterrò queste tesi non perché ci creda, tutt'altro, ma perché voglio che i nostri avversari pensino che siamo in crisi, e che come ogni anno sia arrivato il momento in cui le ambizioni della Roma si sciolgono al sole. Ma voi non le dovete nemmeno ascoltare, le mie dichiarazioni ai media, perché ciò che io penso è l'esatto contrario: avete espresso una grande prestazione, qui a San Siro, e oggi sono più certo che mai che a fine stagione festeggeremo insieme lo scudetto. Da queste sconfitte si esce più forti mentalmente. Ancora più forti!»

Il punto esclamativo ci sta bene perché quello di Capello è un discorso da statista. Infatti l'amarezza per la sconfitta sparisce in fretta, resta solo la rabbia e il desiderio di tornare subito in campo per invertire la rotta. Qui, però, commettiamo un errore. Uno dei pochi di una stagione benedetta. È domenica sera, non c'è volo di ritorno per Roma prima del mattino dopo, tanto vale svagarsi un po'. Usciamo in gruppo e finiamo all'Hollywood, la discoteca più frequentata dal mondo del calcio e dello spettacolo. Ci divertiamo, certo. Beviamo qualcosa, balliamo un po', facciamo tardi. Nulla di male, se non fosse che abbiamo appena perso una partita. E a molti tifosi – come ho già spiegato – questo non va giù. Qualche giornale pubblica le foto della nostra nottata in discoteca, io sono tornato single e quindi non ho niente da spiegare a nessuno ma gli sposati fanno molta fatica a convincere le mogli dell'innocenza del tutto. La gente, poi, è avvelenata. Non dico a livello di tirarci altro pesce – siamo pur sempre primi in classifica, anche se in due domeniche il vantaggio sulla Juve è sceso da otto a tre punti – ma quasi.

L'avviso di burrasca è lanciato, la partita successiva diventa fondamentale come la prima di campionato. All'Olimpico arriva una delle edizioni del Napoli più modeste che abbia affrontato in carriera, infatti quell'anno retrocederà; vista la situazione, però, non c'è alcun rischio di sottovalutarlo. Capello approfitta del momento per apportare un paio di correzioni alla formazione, e sono quelle definitive. In porta rilancia Antonioli al posto di Lupatelli, in difesa toglie Aldair per inserire Zebina. E prima di raccontare la partita, che è un facile 3-0, vale la pena soffermarci sui compagni appena citati.

Della rosa dello scudetto non si può dire che il principale punto di forza siano i portieri, ma non siamo nemmeno messi così male come la leggenda ha poi tramandato. Antonioli è un ragazzo serio e taciturno, Lupatelli un matto simpatico e impulsivo, basti pensare che è l'unico portiere che io ricordi ad aver preteso – successe al Chievo – la maglia numero 10. I loro valori non sono distanti, probabilmente

Antonioli è un po' meglio e dopo un periodo di panchina Capello lo recupera, anche perché Lupatelli ha subito qualche gol di troppo su punizione. L'altro avvicendamento riguarda Aldair, che a trentacinque anni resta un irraggiungibile maestro di movimenti difensivi, ma ormai non ne ha abbastanza per reggere ogni domenica i massimi livelli. Pluto – come lo chiamano da anni i tifosi – lascia il suo posto a Zebina, uno dei personaggi più strani e anticonvenzionali che ho conosciuto a Trigoria. In campo è un difensore velocissimo e intelligente, perché ruba il mestiere ai campioni che ha davanti e in breve tempo, grazie alle qualità fisiche, li sopravanza: è il caso di Aldair. Ma è fuori dal campo che vale la pena di raccontare il fenomeno Jonathan: distante dal cliché del calciatore ignorante – basti pensare al fatto che a fine carriera ha aperto una galleria d'arte –, è un ragazzo che veste sempre con stile ed eleganza, gira con un cappello Borsalino e… be', lo dico: è un grande playboy. Contro il Napoli si infortuna e sparisce per qualche turno, ma dal rientro in poi il titolare sarà lui.

La gara è molto facile, in pratica non incontriamo resistenza, e si percepisce in fretta che il clima sta tornando sereno. La grande notizia è che nella ripresa rivede finalmente il campo Emerson, acquisto di grande spessore che in estate s'era rotto il crociato, ed era stato sostituito in formazione da Cristiano Zanetti. È vicino al ritorno anche l'altro lungodegente, il mio caro amico Eusebio Di Francesco, e quindi l'emergenza centrocampo con la quale Capello ha dovuto fare i conti per tutto il girone d'andata va esaurendosi.

L'ultima partita prima del giro di boa è complicata, potenzialmente una trappola, perché a dispetto di una classifica mediocre il Parma è pieno di giocatori forti. Il problema è la guida tecnica: dopo l'esonero di Malesani era tornato sulla sua antica panchina Arrigo Sacchi, ma proprio quella settimana – malgrado i risultati stessero cominciando ad arrivare – aveva rassegnato le dimissioni motivandole con l'eccesso di stress. Non avrebbe mai più allenato. Al suo posto è stato chiamato Renzo Ulivieri, che resterà sino a fine stagione portando il Parma dove gli compete, ovvero al quarto posto. Ci sono numerosi compagni di Nazionale, in quella squadra, e quindi non rischiamo di farci distrarre dalla classifica. Anzi, intorno alla mezz'ora l'arbitro Farina ci concede un rigore ineccepibile per fallo di Benarrivo su Tommasi, e siccome conosco bene il portiere ragazzino del Parma consiglio a me stesso di angolare il più possibile l'esecuzione, altrimenti quel pazzo me la prende. Quel ragazzino è Gigi Buffon. Scoprirete più avanti a quando risalga la mia amicizia con lui: vi anticipo solo che eravamo quasi due bambini. Ci sorridiamo mentre io prendo la rincorsa e lui, per spaventarmi, allarga le braccia a mostrarmi l'apertura alare immensa che lo contraddistingue. Devo angolare. Di più. Ancora di più. Due centimetri ancora. Troppi. Gigi battezza l'angolo giusto, la sua mano destra protesa si avvicina al palo, io invece lo colpisco proprio, con un rasoterra, e la palla schizza via. Lui scatta in piedi come una molla, i pugni serrati. Io resto con le mani sui fianchi, perplesso, ma dopo un lungo attimo mi scuoto, riacceso dalle urla di incoraggiamento dei compagni. Succede, guardiamo avanti.

Ho assistito a molte prestazioni eccezionali di Gigi, per fortuna non soltanto da avversario. Quel giorno tocca uno dei suoi picchi, perché ciò che para soprattutto a me e a Delvecchio in certi momenti gli fa assumere un'aura soprannaturale. Con un portiere in quelle condizioni di forma, e con Thuram e Cannavaro a proteggerlo, è quasi logico che nel cuore del nostro dominio un contropiede di Marco Di Vaio vada a segno, portando il Parma avanti e lasciandoci alle prese con un rebus in apparenza irrisolvibile. Come si fa a segnare a Buffon? Ecco, questo è uno dei giorni in cui Gabriel Batistuta marca la differenza, giustificando alla grande lo sforzo fatto dal presidente Sensi per portarlo alla Roma. Segna due gol concettualmente uguali: lancio lungo, lui che lo legge alla perfezione scattando in posizione regolare e arrivando all'appuntamento col pallone in quella terra di nessuno alle spalle dei difensori. Lì dove nemmeno Buffon può uscire, e dove un tiro al volo ben diretto nell'angolo risulta vincente. Bati segna due gol fantastici, rovesciando in vittoria nell'ultimo quarto d'ora la sconfitta che si stava profilando. Nella corsa verso lo scudetto, Parma è una tappa di importanza capitale: alla fine esultiamo tutti come bambini, Montella abbraccia stretto Bati dimenticando ogni rivalità, lo stesso Capello ha la faccia di chi si gode un premio dopo molta sofferenza. Anche perché il giorno prima la Juve ha perso a Bergamo, e quindi siamo campioni d'inverno con sei punti di margine sui bianconeri e sulla Lazio.

Non ero mai stato campione d'inverno. Di più: non ci ero mai andato nemmeno vicino, e quindi avevo sempre sognato questo traguardo intermedio, anche alla luce delle statistiche che tre volte su quattro vedono andare a braccetto lo scudetto invernale e quello vero e proprio. In realtà il primato mi serve anche a diluire la rabbia per uno stiramento che mi tiene fuori per due partite, i successi di Bologna – dal divano di casa apprezzo il gol di Emerson e il successivo abbraccio con Silio, il fisioterapista che l'ha accompagnato durante la rieducazione – e sul Lecce. Come sempre, l'avversaria apparentemente semplice produce un match alle soglie del drammatico. Lo risolve Samuel, con un colpo di testa da calcio piazzato, forse l'unico modo per scacciare i fantasmi. Quando il Lecce viene all'Olimpico, ce ne sono sempre in quantità.

Walter Samuel è uno dei principali segreti dello scudetto. Arriva dal Boca Juniors, e certo non tradisce la fama che accompagna chi è stato svezzato alla Bombonera. Walter è un difensore veloce e potente, col tempo è migliorato con i piedi ma la sua caratteristica principale è il colpo di testa. La sua caratteristica tecnica, intendo dire. La smetto di girarci attorno e aggiungo che Walter è bello cattivo, un ragazzo schivo, tranquillo e non molto loquace che in campo si trasforma e diventa (anche) la mia guardia del corpo: quando qualcuno mi atterra lui subito accorre, pronto a mettersi in mezzo se scoppia un alterco oppure a guardare l'autore del fallo con uno sguardo inequivocabile, "Non lo fare più". Succede che Walter mi vendichi, qualche volta: entrate "argentine" sulle gambe di chi mi ha fatto male. È la scuola del Boca: proteggi il tuo numero 10, che poi ci penserà lui a farti vincere le partite.

Rientro in una domenica freddissima. Udine a fine febbraio può essere una vera ghiacciaia, adoro l'idea del Vicenza – che ha il campo squalificato – di spostarsi al Friuli... Partita brutta e faticosa, Batistuta si fa male dopo mezz'ora e all'80' siamo ancora 0-0 quando finalmente Montella, con un gran tiro da fuori, ci permette di mettere la testa avanti. Pochi minuti dopo Emerson pone il risultato al sicuro, ma è una vittoria "costosa" perché si capisce subito che la distorsione al ginocchio ci priverà di Bati per un po'. Un mese, più o meno. E la Juve corre alla nostra stessa velocità, i punti di margine sono sempre sei.

Quella che viene dopo – giornata numero ventuno – è una partita meravigliosa che conferma la tesi per cui se vuoi vincere lo scudetto devi avere una panchina profonda. Arriva all'Olimpico l'Inter, che all'andata ci ha battuto, e oltre a Batistuta ci mancano Cafu, Emerson e Zanetti, addirittura due giocatori nello stesso ruolo. Al posto di Bati gioca ovviamente Montella, dietro si passa a quattro perché non esiste una vera alternativa a Cafu, e Assunção si assume i compiti del centrocampista d'ordine. Ricordate cosa dicevo a proposito delle sue punizioni? La prima che calcia è maligna: attraversa lenta tutta l'area in cerca di una deviazione che non arriva, e va a morire in fondo alla rete nell'angolo più lontano lasciando Frey prima di stucco e poi furibondo. È un gol sicuramente fortunato, e preziosissimo, perché due minuti prima Bobo Vieri – in forma strepitosa – aveva infilato Antonioli con un gran tiro al volo. E non è finita, con le punizioni di Assunção: poco prima della mezz'ora ne calcia un'altra che zigzaga nell'aria come un missile impazzito, Frey l'accompagna con lo sguardo nell'impatto con la traversa, ma sul rimbalzo il più lesto è Montella, che di testa mette in rete il 2-1. Peccato che una grande fuga in contropiede di Vieri – quel giorno è impossibile rubargli il pallone una volta che se l'è preso – fissi il 2-2 nel recupero del primo tempo, mandandoci al riposo di pessimo umore. Nella ripresa il copione non cambia, noi all'attacco ma con un minimo di prudenza – oggi si chiamano "coperture preventive" – perché appena ha un metro di spazio l'Inter diventa pericolosissima. A lungo la partita sembra indecisa sulla direzione da prendere: se alla fine viene da noi – minuto 86 – lo si deve al senso di Vincenzo per la rete, perché a rigor di fisico non dovrebbe essere lui a colpire di testa emergendo dal grappolo di giocatori più alti con i quali salta. Eppure ce la fa, guadagnando i centimetri che gli mancano con una scelta di tempo che pare decisa dal computer. L'Aeroplanino decolla e non atterra più, inseguito dalla felicità di tutti noi compagni.

Lo stupefacente Assunção trasforma una punizione anche la domenica successiva, contro il Brescia, e stavolta si tratta di balistica pura perché il piattone forte e preciso plana all'incrocio dei pali esattamente come doveva. Anche qui Montella, dopo il pari di Yllana, sentenzia la partita con una doppietta: la cosa bella è che nel Brescia ritrovo il mio vecchio amico Petruzzi, quella brutta è che evidentemente sente la partita, visto che due cartellini gialli lo costringono a lasciare il campo. Ancora una settimana prima dell'ultima pausa, e a Reggio Calabria si ferma a sette la serie di vittorie consecutive: non soltanto la Reggina ci obbliga allo 0-0, ma sento ancora il ghiaccio nelle vene per l'occasione finale capitata a Mozart, che calcia alle stelle un rigore in movimento. Siamo un po' stanchi, perché gli infortuni costringono i superstiti a giocare sempre: non a caso nessuno ha versato lacrime per l'uscita in Coppa Uefa agli ottavi con il Liverpool. Quella domenica, però, arriva in nostro soccorso la Lazio: battendo la Juventus nello scontro diretto fra le ultime due inseguitrici, ci permette di aumentare a sette punti il margine sui bianconeri (mentre loro salgono a meno nove). E per il morale non c'è niente di più galvanizzante di un guadagno, anche piccolo, in una situazione potenzialmente sfavorevole.

Alla ripresa del campionato dopo la pausa nazionali ci tocca il Verona all'Olimpico, e come spesso è già accaduto andiamo in svantaggio. Segna Camoranesi su un'uscita sbagliata di Antonioli. Per fortuna riusciamo a giocare con la stessa leggerezza anche se ci troviamo sotto, e questa è una dote preziosa. Contro il Verona siamo ancora sotto all'intervallo, ma dopo aver sbagliato una mezza dozzina di pallegol clamorose. L'apnea dei veneti diventa evidente intorno al 10' della ripresa: io crosso da sinistra la palla dell'1-1 che Montella e Apolloni spingono contemporaneamente in rete, poi tocca a Cafu replicare due volte da destra per la gioia di Batistuta – che è tornato dalla sua distorsione – e ancora Montella. L'Olimpico evidentemente si fidava, visto che il ruggito più sonoro del pomeriggio non arriva per uno dei nostri gol, ma per quello – passato alla storia per la sua bellezza – che Baggio segna a Torino nei minuti finali di Juve-Brescia, e che vale l'1-1. Siccome la Lazio perde col Milan, a dieci giornate dalla fine tocchiamo nuovamente il massimo vantaggio: nove punti sulla Juve (e dodici sui laziali).

La prima vittima di una classifica così favorevole è la scaramanzia. Quella settimana nello spogliatoio parliamo tutti apertamente di scudetto in arrivo, e – appena Capello si gira dall'altra parte – mettiamo su carta la tabella dei punti probabili di lì alla fine per noi, Juve e Lazio. Il responso, comune a tutti i "gruppi di lavoro", è che la certezza matematica del titolo potrebbe arrivare alla trentaduesima e terzultima giornata, in programma Roma-Milan: riuscissimo a chiudere quel match con sette punti di vantaggio, sarebbe festa. Per adesso ne abbiamo nove, ma dobbiamo ancora affrontare il derby di ritorno e poi salire a Torino. Ormai non vediamo l'ora: se si potessero giocare due turni alla settimana, chiederemmo di farlo.

Sarà un caso se dopo questi discorsi arrivi la terza sconfitta stagionale? Mi verrebbe da rispondere di sì, perché a Firenze non andiamo in campo né rilassati né altezzosi: la prestazione è buona, perdiamo per il semplice motivo che sulla nostra strada si para un Enrico Chiesa in forma straordinaria. Infila la solita punizione per l'1-0 – stavolta non c'è nulla da imputare ad Antonioli, l'esecuzione è perfetta e imparabile – e, dopo il pari di Emerson e l'autorete di Candela, finisce di giustiziarci con un bellissimo destro al volo. Sulla panchina della Fiorentina si è appena seduto un nostro vecchio rivale, Roberto Mancini, alla prima esperienza da allenatore. Dopo tre pareggi questa è la sua prima vittoria: ha scelto la rivale giusta per far parlare subito di sé. Naturalmente Juve e Lazio vincono, riducendo il loro distacco a sei e nove punti.

Nessuno si azzarda più a compilare tabelle, perché a Trigoria è tornata la tensione. Che esplode il sabato successivo, vigilia di Pasqua, in una partita altamente drammatica. Viene a Roma il Perugia, protagonista di un campionato brillante con Serse Cosmi e capace già all'andata di fermarci sullo 0-0 grazie a una buona prestazione complessiva e alle grandi parate di Mazzantini. Ma quelle che aveva fatto a casa sua non sono niente rispetto a quelle che tira fuori all'Olimpico. La storia della mia vita in giallorosso è piena di portieri "normali" che trovano contro di noi la giornata di grazia, e in qualche caso – penso a Storari in un allucinante Roma-Samp di parecchi anni dopo – ci fanno addirittura deragliare dalla strada del successo. Mazzantini quel giorno ci prova, e manca davvero poco che ci riesca: senza il pareggio del 90', fra l'altro irregolare perché Montella si aggiusta la palla con la mano, aggiungeremmo sconfitta a sconfitta. In un ambiente in ebollizione, ridiventato improvvisamente negativo, sarebbe la fine.

Succedono molte cose, quel pomeriggio. A fine primo tempo Baiocco infila il sette da trenta metri per il vantaggio del Perugia – sì, anche stavolta andiamo sotto –, a inizio ripresa colpisco io da fuori area, un destro nell'angolo che la leggera deviazione di Materazzi contribuisce a rendere imparabile. La nostra offensiva resta tambureggiante, Mazzantini deve volare da un capo all'altro della porta per tenerci a bada, il 2-1 sembra davvero questione di minuti, dai che alla prossima la chiudiamo. Invece, a meno di un quarto d'ora dalla fine, Antonioli s'impappina su un'uscita, perde il pallone e Saudati è rapidissimo a toccarlo in porta. Siamo di nuovo sotto, il nostro portiere è prostrato dall'errore e la Curva Sud comincia a fischiarlo e insultarlo. Un incubo.

Prima di riprendere il gioco per l'assalto finale al fortino del Perugia, devo assolvere a un dovere da capitano. Vado sotto alla Sud e, con quanto fiato mi ritrovo in gola, comincio a urlare che Francesco Antonioli è il portiere della Roma, che la Roma è ancora prima in classifica, e che la piantassero con quella contestazione e gli stessero piuttosto vicino per aiutarlo a superare l'incidente. Sono indignato, ed evidentemente si vede perché i toni si abbassano subito, e la gente ricomincia a tifare. Ne abbiamo bisogno, per scalare l'Everest Perugia.

Il gol del 2-2 arriva al 90'. Tecnicamente è un'autorete di Tedesco, perché è l'ultimo contro cui sbatte il pallone nella mischia furibonda che si scatena nei pressi della linea di porta, e nella quale lottano Batistuta e Montella. Vincenzo se l'aggiusta con la mano e lo fa d'istinto, sul campo hai una sensazione fugace ma più tardi, alla moviola, la scorrettezza è chiara. Siamo fortunati. E pure calcolatori: restando a lungo fuori dal campo per festeggiare, forzo il cartellino giallo che mi costa un turno di squalifica, visto che ero diffidato. Meglio mancare a Udine che in una delle due partite successive: derby e Juve. La quale, battendo 3-1 l'Inter, accorcia le distanze a quattro punti. Tutto riaperto, e poteva pure andare peggio.

Fortunatamente la squadra a Udine si riattiva. Pur non potendo giocare partecipo anch'io alla trasferta, è un momento in cui il capitano non può mancare, e in tribuna mi devo sorbire una quantità di fischi esagerata perché in settimana ho polemizzato a distanza con Roberto Sosa, ed evidentemente la gente non ha gradito. Poco male. Montella, Tommasi e il mio sostituto Nakata sbrigano la pratica, e nel posticipo la

Juve non riesce a sfondare il muro eretto da Buffon. Alla vigilia delle due gare decisive siamo di nuovo sei punti avanti.

Il derby di ritorno è una partita molto dura, per nulla alleggerita dal fatto che nel pomeriggio – all'Olimpico si gioca di sera – il Lecce abbia incredibilmente pareggiato sul campo della Juventus impedendole di morderci le caviglie in classifica. La Lazio si gioca le residue chance di rientrare nella lotta per lo scudetto, ma in seconda battuta anche quelle di "aiutare" la Juve per evitare che sia la Roma a vincere il titolo: per i suoi tifosi è questa la cosa fondamentale. La gara è scorretta, nessuno tira indietro la gamba, nemmeno io mi limito a subire e un'entrataccia su Nedvěd mi costa un cartellino giallo. Giusto, e non ho rimpianti: è il tipo di partita nella quale devi farti rispettare non soltanto per le giocate. Il primo tempo finisce 0-0, ed è un lungo scrutarsi negli occhi (e prendersi a calci) per vedere chi abbassa lo sguardo. La ripresa si apre con la svolta a nostro favore: nel giro di sei minuti prima Batistuta gira in porta con un delizioso tocco d'interno un cross di Delvecchio e poi lo stesso Marco, allungandosi allo stremo, manda in rete di sinistro un lancio di Zanetti. Gol bello e difficile cui soltanto un fisico perfettamente elastico può ambire; altrimenti, il rischio stiramento è dietro l'angolo.

Inizialmente in molti quell'anno chiedevano l'accantonamento di Marco per schierare – davanti a me come trequartista – Montella in tandem con Bati: Capello, invece, scelse e sostenne Marco perché interpretava al meglio il doppio ruolo, correva per chilometri avanti e indietro ma arrivato al dunque i suoi gol li segnava. È stato il primo a esultare col gesto delle orecchie, perché un po' sottostimato si sentiva, e non c'è dubbio che abbia tratto il massimo dalle sue capacità. Questa, secondo me, è una grande patente di intelligenza e solidità psicologica.

Una volta sul 2-0 dovresti soltanto governare il pallone per far scorrere il tempo, e magari provare a colpire una terza volta per uccidere definitivamente la partita: per dieci minuti buoni la Lazio pare un pugile alle corde, bisognerebbe insistere ma lo sprint di inizio ripresa è costato anche a noi molte energie. Così, quando Zoff rianima i suoi con un paio di cambi, cominciamo a chiuderci e il campo si fa improvvisamente in salita. Il minuto in cui capitoliamo la prima volta è il 78': una conclusione di Nedvěd dal limite, di quelle che gli riescono spesso, lui è bravo a calciare anche fuori equilibrio. La nostra difesa si stringe ancora di più, all'inizio del recupero – cinque minuti, all'epoca un'enormità – Capello immette sangue fresco con Guigou e Mangone, e infatti sull'ultimo angolo avvelenato di Mihajlović la prendiamo noi di testa, con Tommasi, respingendo il pallone fuori area. Nessuno però può aspettarsi che Castromán, un ragazzino argentino entrato in corsa, esploda da venti metri un destro al volo che viaggi rasoterra dritto nell'angolino. Gol fantastico, ma lo dico oggi: di quegli attimi ricordo solo una furia incontrollabile, un ritorno negli spogliatoi prendendo tutto a calci, una rabbia che, per quella sera, nessuna considerazione di classifica può annacquare. Abbiamo superato indenni il primo degli ultimi due scogli, ma il derby è il derby: per il modo in cui si è sviluppato, è come se l'avesse vinto la Lazio.

Nei giorni successivi l'umore migliora perché occorre concentrarsi sulla Juventus e perché la corte federale emette una sentenza che apre all'uso dei giocatori extracomunitari senza limitazioni. Il caso vuole che il provvedimento abbia subito un'influenza sullo scontro diretto, da cui le polemiche juventine mai sopite; ma in quei giorni a Trigoria ne siamo felici più che altro perché quel limite era una fabbrica di musi lunghi, quelli di compagni che pur stando bene non potevano giocare. E in certi momenti ogni argine ai malumori è il benvenuto.

Noi non corriamo più al massimo, ma non è che la Juve si senta molto meglio: nelle due giornate precedenti ha raccolto solo due pareggi, e il secondo soprattutto grida vendetta al cielo. Fosse a meno quattro, la prospettiva di arrivare addirittura a meno uno grazie allo scontro diretto le metterebbe le ali. In realtà la sua partenza è un decollo verticale: Del Piero segna di testa al 4' su assist di Zidane, e al 6' il francese – sontuoso in quell'avvio – va direttamente in gol anche grazie alla nostra difesa, che gli si scioglie davanti. E dire che nell'ultima riunione tecnica Capello s'era raccomandato di iniziare subito con le marce alte, per reggere la prevedibile prima mezz'ora di battaglia. Dopo sei minuti siamo sotto 2-0, missione compiuta...

Io gioco davvero male, fatico a trovare la posizione mentre gli juventini per una buona mezz'ora mi passano accanto come razzi: non è nemmeno il caso di metterla sullo scontro fisico, semplicemente vanno al triplo della nostra velocità. Bisogna resistere, sperando che paghino la sparata: Davids sfiora il 3-0, che avrebbe chiuso la serata anzitempo, e di lì in poi cominciamo a raccogliere i cocci della partita immaginata e mai nata, per vedere cosa farne. All'intervallo Capello ci ricorda il derby, e l'impresa della Lazio: «Avete persino più tempo a disposizione, domenica scorsa al riposo eravamo ancora 0-0». Non so in quanti ci credano. Io mi sento abbastanza vuoto, l'attesa della partitissima mi ha tirato un brutto scherzo. Rientro, provo un paio di giocate, non mi riescono. Al quarto d'ora vedo due compagni a bordo campo, in procinto di entrare, e contrariamente al solito mi soffermo a guardare la lavagna con i numeri dei sostituiti. Faccio bene, perché il primo è il 10.

Sono sorpreso. E subito dopo seccato. Sto giocando male, è vero, ma togliere il capitano in una partita del genere... Non mi sono mai curato dell'immagine o della gerarchia, non penso di dover restare in campo perché ho maggiori diritti. Però sono pur sempre quello in grado di estrarre un gol dalla spazzatura: tienimi dentro, non sai mai cosa potrà servire fra venti minuti. Vabbe'. Batto le mani a Nakata, che sta entrando al mio posto, mi infilo il giaccone della tuta perché a Torino fa ancora freddo – e siamo a maggio, non vorrei dire – e vado a sedere senza produrre mezzo gesto polemico. Anche se mi girano, non è certo il momento di gettare benzina sul fuoco.

Di tante sostituzioni miracolose, questa di Nakata è la più incredibile che ricordi. Al minuto 79, Hide centra il sette con un gran tiro da fuori: la Roma aveva già ripreso il controllo del match, ma occorreva il gol che riaprisse la partita, e adesso c'è. Mi alzo dalla panchina anch'io, incoraggio tutti e provo a dare qualche indicazione elementare, giusto per sentirmi partecipe. Lo stadio è gelato dalla tensione, si percepisce che non siamo distanti esattamente come non era distante la Lazio nel derby. Un altro segno del destino arriva con l'esposizione dei minuti concessi per il recupero: sono cinque, tanti come la domenica precedente, e almeno noi non aspettiamo l'ultimo per saldare il conto. Un altro gran tiro da fuori area di Nakata viene soltanto ribattuto da Van der Sar, e sulla respinta Montella si avventa in chiaro anticipo su Montero e sullo stesso Batistuta. Segna in sforbiciata, Vincenzo, e il boato della nostra gente è indimenticabile perché quella era una partita abbondantemente persa, mentre ora ha il significato opposto. Corro da Nakata per abbracciarlo e baciarlo, gli sono già addosso tutti, lui ha il consueto sorriso quieto, quasi si schermisce. Gli urlo nelle orecchie «Sei un mito Hide!», più volte, e alla fine lui si volta, esclama «Grazie!» e poi si allontana, secondo me un po' infastidito dal contatto fisico, dalla carnalità esibita di un gruppo di giocatori che hanno appena segnato il gol-scudetto, e ora si abbracciano in uno stato di estasi. È il primo a sparire negli spogliatoi, Nakata. Un alieno trasparente, cortese ma freddo, silenzioso, che sta sì con noi ma senza mai abbandonare il suo mondo inaccessibile. Fra le poche cose che ci siamo detti, una me la ricordo ancora perché è stato di parola: «Smetterò di giocare presto perché ho voglia di fare anche altre cose». È andata esattamente così.

Archiviati senza danni i due scontri diretti, comincia il conto alla rovescia con una novità: la Lazio ha scavalcato la Juve e ora è la nostra prima inseguitrice, a cinque punti contro i sei dei bianconeri. Mancano cinque partite, la prima delle quali con l'Atalanta in casa: gara da prendere con le molle, e infatti prima della deviazione vincente di Montella – Vincenzo in quel periodo è un'iradiddio – deve passare una buona ora di gioco, nella quale c'è una splendida parata di Antonioli su tiro di Nappi. Una piccola rivincita per il nostro criticatissimo portiere: figuratevi che dopo la gara col Perugia, quella nella quale l'avevo difeso sotto la curva, aveva ingaggiato una guardia del corpo perché sentiva attorno a sé un'atmosfera così cupa da avere paura. Anche stavolta Capello mi sostituisce – poco prima del vantaggio – per inserire Nakata. Prima considerazione: gioco male anche quel giorno, è vero. Però è tutto il girone di ritorno che privilegio l'aiuto alla squadra rispetto alla soddisfazione personale, avverto che lo scudetto è vicino e siccome gli avversari mi dedicano sempre almeno due uomini, io scarico il pallone ai compagni liberi senza pormi il problema di risaltare in altro modo. E quindi, seconda considerazione: che questa staffetta non diventi un'abitudine. Tra l'altro, stavolta mentre esco mezza parola a Capello la mormoro, e si sente: ma nulla che possa incendiare l'ambiente, non è il caso di arrivare al titolo polemizzando.

Giornata trentuno, facile finalmente: a Bari vinciamo largo, un 4-1 aperto da Candela. Segnano anche Cafu – e i due esterni in gol contemporaneamente sono un premio alla tattica di squadra, ormai inossidabile – e per due volte Batistuta. Capello inserisce Nakata anche stavolta, ma al posto di Montella. Io gioco sino al 90' e mi godo un esodo popolare senza precedenti. I tifosi della Roma arrivati con ogni mezzo in Puglia sono quasi trentamila. Alla fine mi piazzo al centro del campo e giro su me stesso osservando "in panoramica" quest'Olimpico in trasferta a Bari. Indimenticabile.

La trentaduesima tappa è quella che avevamo indicato nelle tabelle di due mesi prima come la potenziale chiusura del discorso scudetto. Non siamo stati così bravi, però, e quindi non dipendiamo soltanto da noi: nel senso che in caso di vittoria sul Milan all'Olimpico, avremmo comunque bisogno che Lazio e Juve non vadano oltre il pareggio nei rispettivi match. In ogni caso il ragionamento nemmeno decolla, visto che il Milan passa in vantaggio allo scadere del primo tempo grazie a un colpo di testa di Coco, e per raggiungerlo occorre una prodezza di Montella, che è molto arrabbiato per essere ripartito dalla panchina malgrado lo straordinario periodo di forma. A nessuno verrebbe in mente di scavalcare con un pallonetto un portiere altissimo come Sebastiano Rossi. A nessuno tranne Vincenzo, che lo nota leggermente fuori dai pali, valuta troppo affollata l'area di rigore e preferisce sorvolarla con una palombella beffarda. Un gol da urlo, e appena lo acchiappo per festeggiare devo chiudergli la bocca, perché potete immaginare a chi lo stia dedicando, quell'urlo. Il Milan è forte, un mistero come mai sia così indietro.

Il pari è un buon risultato, anche perché la Lazio si fa raggiungere dall'Inter all'ultimo minuto e praticamente esce di scena, a due giornate dalla fine ha cinque punti di svantaggio. Resta la Juve, a meno quattro, ma in quei momenti ci sentiamo quasi campioni. Esco dal campo abbracciato a Di Francesco, gli grido che domenica vinceremo a Napoli partita e scudetto, lui rafforza il mio entusiasmo con una serie di sì. Arrivano altri compagni, ci fermiamo sotto la tribuna a urlare che mancano sette giorni, e tutta la gente è con noi, «A Napoli», «A Napoli», e io comincio a contare le ore.

6

«Roma ha vinto!»

Napoli. Trenta gradi la sera della vigilia, 9 giugno: il rovescio della medaglia di un campionato che inizia il 1° ottobre è la sua chiusura alle porte dell'estate. Più che sotto il vulcano, mi sembra di esserci finito dentro. Delirio di gente sul lungomare, dove c'è il nostro albergo, centinaia di persone nella hall, non proprio l'ideale per la preparazione della partita che vale lo scudetto. Ugualmente, ce lo sentiamo. Come sempre succede in queste occasioni, nessuno sa chi se ne è occupato ma in qualche baule hanno viaggiato con noi le magliette celebrative e le ghiacciaie con lo champagne per la grande festa. Si gioca di pomeriggio, i gradi attesi sono trentacinque, chi non ama l'aria condizionata è costretto ad aprire le finestre sul mare, e via Caracciolo resta rumorosa fino all'alba. Non sono soltanto tifosi del Napoli. Col passare delle ore crescono i romanisti – in fondo sono solo due ore di autostrada – e tanti di loro si sentono in dovere di passare sotto al nostro albergo per far sapere che ci sono.

Nell'hotel in cui alloggiamo si celebra un matrimonio, e questa è una piccola falla organizzativa perché la regola seguita da Capello fin dalla prima trasferta è isolare la squadra in modo assoluto. Niente ipocrisie: nel calcio di una volta, quello dei miei primissimi anni in serie A, non era raro che qualche ragazza alla ricerca di un'avventura col calciatore più o meno famoso s'intrufolasse nel ritiro. Fin dai tempi di Mazzone, però, gli allenatori sono passati dalla sorveglianza passiva a una progressivamente più attiva, e basata anche sulla prevenzione. Se prenoti un albergo dove tenere separati squadra e clienti "normali" è facile, prendersi una licenza diventa impossibile.

La premessa serve a introdurre un clamoroso equivoco sul quale a Roma si è ricamato per anni, anche perché Capello è rimasto a lungo convinto di avere ragione e non l'ha mai nascosto. (La prossima volta che lo incontro, ora che abbiamo recuperato un bel rapporto, glielo devo proprio chiedere se ci crede ancora.) Ma torniamo al matrimonio. Il tecnico quella sera è molto innervosito dalla concomitanza, e lo capisco perché al bar dell'hotel il contatto fra noi giocatori e gli invitati alla cena di nozze, tra i quali alcune belle ragazze, è inevitabile: partono le richieste di autografi, di fotografie, qualcuno scambia due battute, ma in modo del tutto innocente. Credetemi. Il metodo di Capello prevedeva fin dalla stagione precedente due guardie private al piano in cui dormiva la squadra, e nessuno si è mai azzardato a tentare improbabili sotterfugi. Per quanto poi mi riguarda, all'epoca ero single: se fosse accaduto qualcosa, diciassette anni dopo non avrei problemi a dirlo, ormai è scattata la prescrizione. Ma la verità è che non successe niente.

Quella sera saliamo in camera più o meno tutti assieme – abbiamo occupato l'intero ottavo piano – e prima di dormire prendiamo il fresco sui terrazzini affacciati su Castel dell'Ovo. Un posto meraviglioso. Io sono in camera con Alessandro Rinaldi, un ragazzo adorabile, romano come me, di Cinecittà. A un certo punto sento bussare alla porta. Apro, e trovo la faccia imbarazzata di Tempestilli, diventato team manager, che con gli occhi cerca di farmi capire qualcosa. Non faccio in tempo a chiedergli cosa stia succedendo che Capello gli sbuca da dietro ed entra in camera furente.

«Dove sono? Dove sono le ragazze?»

«Mister, ma che dice? Non c'è nessuna ragazza...»

«Invece sì, ne sono certo.»

La perquisizione non può essere lunga, perché la stanza avrà sì e no venti metri quadrati, ma è molto accurata: Capello apre l'armadio, controlla il vano della doccia, guarda persino sotto al letto. Niente, naturalmente. Io provo a scherzare dicendogli «L'unica è che se so' buttate de sotto», ma lui si arrabbia ancora di più. Esce convinto di essere stato ingannato, e ha ragione: solo non da me, bensì dall'autore della soffiata (e a distanza di tanti anni, mi piacerebbe sapere chi fu).

Il giorno dopo il tragitto del pullman fino al San Paolo, che con le staffette della polizia dura in genere un quarto d'ora, supera i cinquanta minuti. È tutto particolare quella domenica, compresa la disperazione dei tifosi del Napoli: in pratica, se noi vinciamo loro retrocedono. Siamo consapevoli di non andare a una passerella ma anche di essere più forti: in classifica ci sono trentanove punti di differenza, da qualche parte li troveremo e li metteremo a frutto.

Certo, non subito. Non fa davvero parte delle nostre abitudini: per la dodicesima volta in trentatré partite – credo sia un record, per una squadra campione d'Italia – andiamo in svantaggio: la difesa è ballerina fin dall'inizio, al 37' Nicola Amoruso riesce ad anticipare Samuel e infila Antonioli dal limite dell'area. Bell'affare, anche per oggi fatica doppia. Per fortuna pareggiamo subito: batto un angolo che, scendendo, gira al momento giusto per sfuggire al portiere e atterrare sul piede proteso di Batistuta, deviazione facile e 1-1 all'intervallo. Meno male, perché nello spogliatoio c'è parecchia tensione. Nelle ultime giornate Montella non tiene più il suo nervosismo, anche stavolta dopo il fantastico gol al Milan era convinto di essersi guadagnato il posto. E il suo non è l'unico focolaio acceso. A quanto leggo e sento, negli altri grandi club la questione della formazione titolare viene vissuta dai giocatori in modo meno viscerale; a Roma invece chi sta fuori rosica, e non c'è niente che possa tranquillizzarlo. Del resto, poco fa mi sono autoaccusato: due sostituzioni consecutive con Nakata, e già mi giravano le scatole.

Malgrado il caldo opprimente gioco una delle mie partite migliori, si vede che dentro di me c'è un desiderio a lungo represso. Il gol del 2-1 nasce da un cross di Cafu, lo fermo con il petto e lo scarico in porta di destro più o meno dal dischetto del rigore. I napoletani protestano perché ho saltato con le braccia larghe, ed è vero che la palla ricadendo ne sfiora una: ma il controllo avviene esclusivamente di petto. Lasciatemelo dire, per una volta: è un numero riservato a pochi, se non possiedi la tecnica nel sangue non ti viene neanche in mente. Altro che fallo di mano.

Che sia il gol-scudetto? Per ventinove minuti sì, e in ogni caso lo celebro come se lo fosse, togliendomi la maglietta e correndo sotto a uno dei settori occupati dalla nostra gente. Per ventinove minuti restiamo avanti 2-1, senza rischiare nulla e sprecando piuttosto tre o quattro situazioni favorevoli per chiudere il match. Il San Paolo è silenzioso e depresso, sente che la condanna sta arrivando, fatico a immaginare cosa possa voler dire la retrocessione per una città e una tifoseria simili. Sul volto degli stessi giocatori del Napoli comincia a comparire l'ombra della rassegnazione, quando l'innesto di Moriero restituisce un po' di aria frizzante. È lui a guadagnarsi la punizione dal limite del minuto 81, che Pecchia va a tirare con un'idea precisa in testa: non scavalcare la barriera, ma provare a bucarla. Calcia dritto per dritto, e ha incredibilmente ragione lui: il muro si apre, Antonioli resta sorpreso dalla palla passata dove non doveva, ci mette le mani in extremis ma non riesce a bloccarla: 2-2. Juve e Lazio stanno vincendo largo già dal primo tempo, se finisce così il campionato resta vivo fino all'ultima giornata. E non mi piace per niente.

Succede allora che Capello chiami Montella, e lui entri sì, ma non prima di una breve e acida discussione col tecnico. Parte il famoso calcio alla bottiglietta d'acqua, Vincenzo è furibondo non solo perché non ha giocato titolare, ma anche perché dopo il mio gol l'allenatore ha tolto Delvecchio per immettere Zanetti. Un cambio logico, stai vincendo la partita-scudetto e quindi ti copri un po', ma ormai la storia si è incancrenita, Montella è uno dei due o tre migliori attaccanti italiani, non riesce più a sopportare un impiego a singhiozzo. Lo considera un'ingiustizia, anche perché nel girone di ritorno ha tenuto una media altissima di gol decisivi. Chissà cosa succederebbe se Vincenzo segnasse la rete dello scudetto: ne ha l'opportunità, ma il portiere del Napoli – il povero Franco Mancini – gliela nega con un'uscita coraggiosa. Fischio finale. Mastico amaro, molto amaro, e nello spogliatoio devo adoperarmi con molti compagni per tenere ben separati Capello e Montella, vicini ormai a mettersi le mani addosso. L'indomani Vincenzo si renderà conto di aver esagerato, e chiederà pubblicamente scusa all'allenatore.

Un pessimo ritorno a casa, quella sera in pullman: fegatoso e pieno di cattivi umori, di litigi accennati e sguardi ingrugniti. Il giorno dopo va già meglio. A volte succede che un semplice slogan riesca a rovesciare la prospettiva che hai sulle cose, a farti cambiare punto di vista. Leggo su un giornale romano "Sarà molto più bello vincerlo in casa" e d'un tratto penso che si tratti di una verità lapalissiana. Certo che all'Olimpico sarà mille volte più bello. In mezzo alla nostra gente, nel nostro stadio strapieno, nella nostra città impazzita, nei nostri luoghi magici. Lo dico subito a Candela, il mio amico "champagne", lui annuisce – «L'ho pensato anch'io, tanto il Parma lo battiamo facile» – e allora ne parlo nello spogliatoio, alla ripresa degli allenamenti, quando i cattivi pensieri stanno comunque defluendo. E l'idea rinvigorisce tutti, ripartono le battute tipo: «Dove li trovo i duecento biglietti che mi hanno chiesto?» – che poi non sono battute, ciascuno di noi dovrà far fronte a richieste imponenti – oppure «Come faremo a lasciare l'Olimpico, dopo?». Ovvia la risposta: ce ne preoccuperemo *dopo*.

Nell'ultima settimana Capello dosa con grande attenzione il lavoro sul campo, perlopiù nel tardo pomeriggio perché ormai siamo a metà giugno e il caldo non dà tregua. Ecco, in quella settimana si percepisce con chiarezza l'esperienza di chi ha già vinto, perché è perfetto l'equilibrio tra il mantenimento di una certa tensione positiva e la cura nello sdrammatizzare un'attesa che contiene inevitabilmente dell'ansia.

Ma io, a casa e con gli amici, in quei giorni mi dedico anche a un altro aspetto dell'impresa che stiamo per portare a termine: quello epico. Nel marzo di quell'anno *Il gladiatore* ha vinto il premio Oscar, si tratta di un film eccezionale che ha profondamente colpito la mia fantasia. Mi sono pure fatto il tatuaggio. Per un romano purosangue come me l'enormità del nostro peso nella storia è motivo di orgoglio e di studio: a scuola la mia attenzione poteva affievolirsi in altre materie, ma non certo quando la maestra prima e i professori poi ci raccontavano le vicende dell'Impero romano. Poterle ripassare guardando il film più bello dell'anno (e non solo) è un privilegio. Conosco quasi a memoria *Il gladiatore*. Quando Russell Crowe si toglie l'elmo nell'arena davanti a Commodo e dice con voce grave «Mi chiamo Massimo Decimo Meridio, comandante dell'esercito del Nord...» mi si inumidiscono gli occhi. Ogni volta. Non ci posso far niente. Così, ogni sera di quella settimana mi chiudo nella taverna di casa, dove abbiamo il maxischermo, e metto su il dvd del *Gladiatore*. È una specie di eccitazione collettiva che vivo con Riccardo, Angelo, Giancarlo, i soliti amici di tutte le trasferte: e all'annuncio che «Roma ha vinto!» scattiamo tutti in piedi e ci uniamo a lui entusiasti, pensando ovviamente alla vittoria dello scudetto. Le prime sere mia madre, preoccupata dalle urla che sente arrivare dalla taverna, viene a controllare e se ne va ridendo. Mio padre scuote la testa, ma sembra divertito anche lui. È un modo fantastico per caricarsi, dovrei brevettarlo. E poi, parliamoci chiaro: noi calciatori ci battiamo per la gloria, seguiti da eserciti di appassionati che vogliono vederci prevalere su tutti o, dall'altra parte, soffrire e soccombere. Che cosa siamo, se non moderni gladiatori?

Non guardo soltanto il mio film preferito, in quei giorni. Le televisioni trasmettono gli speciali sulla nostra lunga marcia verso lo scudetto, e io me li rivedo a nastro assaporando l'importanza di quanto siamo stati capaci di fare. Non conterebbe nulla se non riuscissimo a battere il Parma, certo; ma in tutta onestà non riesco a sentire più di un dubbio piccolo e distante. Siamo nettamente più forti, e il loro campionato è comunque risolto da tempo: dopo i problemi del girone d'andata, sono risaliti a un quarto posto che rispecchia il valore della rosa. Leggo da qualche parte che nel ritorno hanno fatto trentatré punti come noi, e questo è in effetti un dato che inquieta un po'. Ma la differenza di motivazioni non potrà non farsi sentire.

Se già abitualmente non posso passeggiare per Roma, mettere il naso fuori da casa in quella settimana è impensabile. Gli amici, però, mi raccontano di una città bollente sì, ma in un certo senso ancora silenziosa, che assapora l'attesa fra mille riti scaramantici – la tensione c'è, inutile negarlo – e un'impazienza molto... paziente. È come quando devi dare il primo bacio a una ragazza: sei abbastanza certo che lo desideri anche lei, ma non si sa mai, immagina che figura se ti respinge, non avevi capito niente. Ogni volta che stai per provarci ti viene il dubbio. E se il Parma avesse preparato un blitz per passare alla storia? Rimetto su *Il gladiatore* per non pensarci. E siccome in tanti della squadra abitiamo a Casal Palocco, in taverna è un continuo viavai.

Sabato mattina. Attilio, il nostro amico del ristorante Al Pescatore di Ostia, ha un pulmino da sette posti: con quello passa a prenderci a casa, così dopo la partita non avremo il problema della macchina da recuperare a Trigoria. Siamo io, Batistuta, Montella, Delvecchio e Candela. Non c'è un congedo particolare a casa, tanto ci risentiremo mille volte prima del calcio d'inizio: però mamma mi guarda comunque in modo strano, e quando mi abbraccia gli occhi le brillano. Per fortuna il pulmino ha i vetri oscurati, perché se la gente accampata attorno a Trigoria ci vedesse sarebbe complicato raggiungere il centro sportivo. Si alza la sbarra del cancello, ed è in quel momento che sento il peso dell'avventura arrivata all'epilogo. Le ultime ventiquattr'ore. Domani saremo i campioni d'Italia, oppure dei fuggitivi sul primo aereo in partenza.

Allenamento. Riunione tecnica. Biliardo. Cena. Chiacchiere. Sogni. Passo le ore a immaginare come sarà l'Olimpico, perché i filmati che ho visto del 1983 riguardano una celebrazione – Roma-Torino dell'ultima giornata –, non una vittoria: quella era arrivata il turno precedente, a Genova, con il pareggio che aveva dato alla Roma di Pruzzo, Falcão, Di Bartolomei e Bruno Conti la certezza matematica del titolo. E quindi questa, a regola, dovrebbe essere la sua prima volta (nel 1942, anno del primo scudetto, si giocava altrove). Sarà emozionato pure lui…

Generalmente le sere di vigilia ci si ritira nelle camere verso le undici, ma stavolta l'adrenalina scorre troppo forte, nessuno riesce a dormire. Capello passa, fa una smorfia e non dice nulla, né "Andate a letto" né "Si è fatto tardi". Sa che sarebbe inutile, sa come ci sentiamo: come i suoi giocatori del Milan, oppure quelli del Real Madrid, i club nei quali ha vinto. Quelli che hanno il bene del sonno in certe situazioni sono davvero pochi. Ricordo un'intervista nella quale il grande Enzo Bearzot raccontava dei suoi giocatori "coyote" – uno era Tardelli –, quelli che non riuscivano proprio ad addormentarsi, e allora vagavano nei corridoi del ritiro come i lupi della prateria americana. Siamo tutti coyote, quella notte a Trigoria. Io spengo la luce alle tre, dopo un ultimo giro di telefonate agli amici. Credo che a Roma non dorma praticamente nessuno.

Il sole filtra presto fra le serrande, ma fino alle nove resto a letto a sonnecchiare. A colazione leggo i giornali, mi piace e molto il «Corriere dello Sport» perché è interamente dedicato alla nostra cavalcata, una celebrazione prima del suggello matematico, scaramanzia zero ma va bene così. Due suoni ravvicinati, sul telefono è arrivato il primo sms da un amico dentro allo stadio, che per l'occasione ha aperto i cancelli di buon mattino. Resto a bocca aperta. «Qui è già tutto pieno!» dice il messaggio, mica può essere vero… Ma vedo che alcuni compagni sono in piedi, rapiti davanti al televisore. Hanno la fetta di pane e marmellata in mano a mezz'aria, come se il tempo fosse sospeso. Sulla tv scorrono le immagini... dell'Olimpico pieno, ed è una diretta. Allora è vero. Qualche corsetta per riattivare i muscoli, fa già un caldo esagerato. Alle undici rientro in camera e chiamo mia madre: «Mi sono appena seduta in tribuna, Francesco. Sì, siamo tutti a posto, grazie. È... è incredibile, non ci entra più uno spillo». A quel punto, non vedo l'ora di partire: pranzo, ultima riunione tecnica per i calci piazzati, salgo sul pullman e schiaccio il clacson tre volte per far capire a tutti che non c'è tempo da perdere. Ci aspettano.

Quel giorno segniamo il record di rapidità nel tragitto Trigoria-Olimpico: venti minuti, non di più, e le dieci auto staffetta della polizia sono soltanto una parte della spiegazione. L'altra, più rilevante, è che in giro non c'è un'anima perché sono già tutti dentro lo stadio. Generalmente io non partecipo al giro di perlustrazione, quella passeggiata di dieci minuti dei calciatori in divisa sociale per annusare l'aria e tastare la compattezza del campo, molto più utile in trasferta che in casa. Ma faccio un'eccezione e vado sul prato anch'io, perché voglio vedere la gente, e il boato quando entriamo si aggiunge alle tante cose indimenticabili connesse allo scudetto. In campo incrociamo i giocatori del Parma, e nei nostri sguardi c'è un certo pudore. Per due motivi. Il primo, largamente commentato in settimana a Trigoria, è che quella squadra sembra una succursale della Lazio: Fuser, Almeyda, Sensini, Di Vaio... tutta gente che ha giocato lì, e che si impegnerà al massimo per impedirci di vincere se non altro per mantenere buoni rapporti con i vecchi tifosi. A Roma si torna sempre, meglio non lasciare conti in sospeso. Il secondo imbarazzo è dato dalle amicizie. Gigi Buffon per me è un fratello dai tempi della Nazionale Under 15, lo sanno tutti, e Fabio Cannavaro è un altro degli azzurri con cui ho legato di più, tra Under 21 e Nazionale A. Mi sono fatto un punto d'onore di non chiamarli per tutta la settimana – una cosa strana, perché di solito ci sentiamo spesso – per evitare battute e malintesi, ma adesso non posso fingere di non vederli, sarebbe troppo. Anche perché i due mi scrutano indicandomi col dito e ridendo senza ritegno. Mi prendono proprio in giro.

«A scemi, che ve ridete?»

«Ssst! Non puoi parlarci, altrimenti chiamiamo l'Ufficio Inchieste.»

«Nu' scherzate, n'è giornata.»

«Stai zitto, non devi parlare con noi.»

E così via, si saranno legati al dito il fatto che in settimana non mi sono fatto sentire. Torno nello spogliatoio inseguito dai loro schiamazzi. L'estate precedente erano stati sul punto di venire alla Roma, ora temo che abbiano voglia di farsi rimpiangere. I fantasmi aleggiano sullo stadio. Avanti, andiamo, prima si gioca e prima li cacciamo.

Capello alla fine ha rotto gli indugi, con me e Batistuta gioca subito Montella, vuole mandare un segnale chiaro: stavolta sarà un assalto all'arma bianca. Al calcio d'inizio ho la percezione di trovarmi non al centro del campo, ma al centro del mondo. Sarebbe una cosa da mal di testa, ma il fischio di Braschi interrompe finalmente il turbine di pensieri che dura da una settimana. Correre, calciare, lottare, cadere, colpire: non ho mai avuto così bisogno della fisicità di una partita.

Partiamo un po' in folle, si sentono le accelerate del motore ma il cambio non è inserito bene, c'è qualche problema di trasmissione fra i reparti. Dobbiamo giocare più corti, avvicinarci per non sbagliare i passaggi. Capello grida come e più del solito, vuole correggere subito le posizioni deboli per evitarci troppi sforzi in fase di recupero. Fa un caldo assassino, quel caldo che spesso ti aspetta al varco della ripresa, o meglio degli ultimi venti minuti, quando rischi di pagare in un colpo solo le rincorse eccessive del primo tempo. Il Parma gioca la sua partita senza tentennamenti, è una squadra forte e ha voglia di dimostrarlo, soprattutto nei suoi ex laziali. Come previsto. L'aspetto positivo è che, non avendo obiettivi di classifica, gioca aperto. Non alza barricate, vuole togliersi la soddisfazione di vincere in casa degli aspiranti allo scudetto. Così, quando recuperiamo il pallone, troviamo spazi abbastanza larghi per ripartire; io stesso posso permettermi i miei strappi da trenta metri palla al piede senza trovare lungo la strada tre avversari disposti al fallo per fermarmi. La prima palla-gol arriva a Montella da un lancio di Candela, ma il suo diagonale lambisce il palo. Nello stesso momento un brusio prolungato anima la gente, un rumore che ha la stessa frequenza della ola, ma non è festoso. Non me ne curo finché Cafu, che giocando sulla fascia della panchina è quello che ha accesso alle notizie, mi dice che a Torino ha segnato Trezeguet. Ampiamente previsto, nessuno pensava che la Juve non vincesse, ma è comunque un gol che alza di una tacca il livello della pressione. Se finisse così, sarebbe spareggio. Sapevamo di dover vincere, ora il tempo per farlo si è un po' assottigliato. Al quarto d'ora siamo ancora 0-0. Almeno non siamo finiti sotto, come troppe volte quest'anno.

Nasce in questo contesto di stress montante, ma non ancora esploso, il gol della mia vita. Non il più bello – per quanto bello – ma il tuffo al cuore che ho provato in quel momento sta dietro soltanto alla nascita dei figli, e non di molto. C'è un lancio profondo di Tommasi dal centro verso sinistra, Candela controlla il pallone dopo un colpo di testa avversario, ecco il suo tocco arretrato verso il centro dell'area, un'azione ripetuta mille volte che ormai potremmo giocare a occhi chiusi. Stavolta, però, c'è una variante: Montella. Delvecchio sarebbe altrove. Vincenzo invece, che è centravanti nell'anima, finisce inevitabilmente sulla linea del passaggio. Io mi sto inserendo a tutta velocità, grido «Mia» anche se Montella in qualche modo ha intuito la mia presenza, e un attimo prima di controllare ha l'istinto di scansarsi. Ma è davvero una frazione di secondo, l'impatto di destro deve essere perfetto e mi sembra di arrivare sul pallone un po' lungo, avrei dovuto rallentare un filo.

Sono pensieri vorticosi che si dissolvono al contatto, un collo destro magistrale che colpisce in controtempo, mandando il pallone nell'angolo che Buffon ha appena lasciato per coprire il resto della porta. Spiazzandolo, come in un rigore tirato bene. Eccolo, il gol della mia vita. Quel che resterà di me nel tempo, il mio messaggio ai tifosi della Roma del futuro. Io sono stato questo. Io sono stato il gol dell'1-0 nella domenica più importante della nostra storia.

Naturalmente non c'è memoria di un attimo del genere. Non può esserci. È un flash talmente accecante che non puoi fare altro che riguardartelo e godertelo, nei secoli dei secoli. La prima reazione è un ruggito in sintonia con la gente dell'Olimpico, poi sogghigno iniziando a togliermi la maglietta, salto il cartellone pubblicitario, volo all'appuntamento con la Curva Sud che non era stato fissato in settimana, ma molto prima: il giorno in cui, ancora bambino, ero arrivato alla Roma. Ci sono molte lacrime in quella curva, di amore e di euforia: le stesse che vedrò tanti anni dopo, la domenica del ritiro, venate di malinconia. Non ho vinto molto, nella mia carriera. Ma l'intensità di quelle poche giornate di trionfo, in particolare di quel 17 giugno 2001, compensa ampiamente ogni deficit. La felicità non si somma, si pesa. Il capitano romano e romanista che guida la Roma allo scudetto è un concetto che trascende la pura gioia sportiva. «Mi chiamo Massimo Decimo Meridio, comandante dell'esercito del Nord...»

Capello fa ampi gesti di tornare a centrocampo,

teme che l'effetto vantaggio ci tolga qualcosa nei minuti seguenti – come a volte succede –, vuole che il castello difensivo sia perfettamente in funzione alla ripresa del gioco. La bellezza di affrontare all'ultima un'avversaria priva di traguardi consiste nel fatto che il suo atteggiamento non cambia con il risultato. Il Parma continua a giocare come se niente fosse, si affaccia nella nostra area dove Di Vaio insegue un premio – fin qui ha segnato quattordici gol, gliene manca uno per il bonus dei quindici –, sa rendersi pericoloso ma dietro concede, com'è inevitabile quando attacchi con molti uomini. Prima dell'intervallo Batistuta parte inseguito da due difensori, che lo costringono ad allargarsi verso destra. Una volta in area Bati tira ugualmente, un destro violento sull'uscita di Buffon, che intercetta con il piede e respinge. Ma al centro, dove atterra il pallone, Montella è come al solito il più rapido. Colpisce con la pulizia di un chirurgo nell'attimo in cui la sfera tocca terra, ed è subito Aeroplanino. Mentre lo inseguo nella sua corsa sotto la curva penso che è finita, con questo gol è fatta, nessuno può più toglierci lo scudetto. Quando rialzo la testa dall'abbraccio, non vedo più i volti dei tifosi. Soltanto bandiere, che coprono ogni spazio.

L'intervallo è un susseguirsi di gesti d'intesa, di pollici in su, di sorrisi, di preparativi per la festa. Capello è costretto ad alzare la voce, si raccomanda di non rovinare quanto di buono abbiamo realizzato, chiede gli ultimi quarantacinque minuti fatti bene, ma fatica anche lui a trovare un appiglio per mantenerci sul chi vive, quando si gira lo intuisco sorridere assieme a Italo Galbiati, il suo vice. Lo scudetto a Roma è una medaglia che descriverà il suo valore come e più dei trionfi al Milan, dove vincere non è così raro. Una doccia fredda è il modo migliore per ritemprarsi in vista della ripresa. Esco e incontro Buffon nel corridoio, mi dice bravo per come l'ho beffato sul primo palo, «Mi aspettavo che incrociassi, ci sono caduto come un pollo». Detto da lui, è un signor complimento.

Dal punto di vista agonistico la ripresa non esiste. Noi vogliamo mantenere le distanze e, se possibile, suggellare la stagione con alcune cose simboliche. La prima è un gol di Batistuta, il ventesimo stagionale ma soprattutto la firma sullo scudetto di un uomo fondamentale per la sua conquista. Gabriel centra il bersaglio con un sinistro dal vertice dell'area, a una decina di minuti dalla fine, ed è il tappo dei festeggiamenti che salta perché già molta gente ha scavalcato le recinzioni e all'abbraccio per Bati partecipano anche i primi invasori, subito ricacciati dagli steward oltre i confini del campo. Gli altri atti simbolici sono le sostituzioni, perché prima di Delvecchio e Nakata, la cui importanza ho ampiamente sottolineato (ed era quindi giusto che partecipassero alla festa finale in campo), Capello manda in campo Amedeo Mangone, difensore sempre pronto all'uso e uomo capace di "tenere" lo spogliatoio come pochi. Il suo soprannome, il "Thuram bianco", gioca sul fatto che due stagioni prima era uscito tra i possibili obiettivi del nostro mercato anche il fortissimo francese del Parma: invece era arrivato lui, Amedeo – bravo ma non così bravo –, e ce l'eravamo fatto bastare, conquistati dalla sua simpatia. Fosse possibile, meriterebbero qualche minuto anche altri panchinari: innanzitutto Cristiano Zanetti, titolare per più di metà campionato e poi disposto a farsi da parte senza fiatare per rilanciare Emerson. Inciso: il brasiliano è molto forte, ma non è tra i compagni con i quali ho legato di più. Gli altri sono Amelia, che quando vinco c'è sempre, come scopriremo al Mondiale 2006, Di Francesco, che ha pagato troppo l'infortunio di inizio stagione, il vecchio Balbo, tornato per chiudere un cerchio, e Gaetano D'Agostino.

Ma torniamo all'Olimpico, e alle centinaia di persone che scavalcano rendendo Capello sempre più nervoso. Dal 3-0, che nel finale diventa 3-1 con Di Vaio che si guadagna il suo premio, l'allenatore quasi non guarda più il campo per concentrarsi su quanto sta accadendo tutt'intorno. La verità è che attorno al 70' qualcuno ha ordinato di aprire i cancelli, col risultato che adesso mezza città sta premendo per entrare all'Olimpico. A cinque minuti dalla fine Braschi fischia un fallo e qualcuno equivoca lanciandosi in campo: come sempre succede in queste situazioni, dopo che è partito il primo partono in mille. Capello è una furia, ha il collo gonfio dalla rabbia, urla alla gente che perderemo la partita a tavolino, panchina e magazzinieri lo aiutano cercando di arginare la festa montante, in campo noi giocatori veniamo spogliati delle prime magliette, ma poi riusciamo a spingere fuori gli invasori e a rivestirci alla bell'e meglio con gli indumenti che troviamo in panchina. Capello non ha più voce, ma Braschi gli fa segno di stare tranquillo. È un arbitro che tiene alle coronarie dei propri amministrati. La partita riprende, sotto lo scacco dei tifosi – ormai migliaia – assiepati ai bordi. A un certo punto lo stesso Braschi mi si avvicina mormorando «Portate la palla nei pressi dell'uscita, appena arriva lì io fischio la fine», ed è quel che succede in capo a trenta secondi. Io sono a una quindicina di metri dalle scalette. Vito mi corre incontro e per un attimo, soltanto un attimo, ci abbracciamo dalla gioia. Non possiamo farne a meno: ci guardiamo negli occhi, stiamo piangendo tutti e due. Subito dopo, mi fa da scudo per guadagnare l'uscita dal campo. Ma è un'impresa.

All'Olimpico la distanza fra il campo e gli spogliatoi non è brevissima, in situazioni normali ci vogliono almeno un paio di minuti per percorrerla. Quel giorno ce ne metto cinquanta, di minuti, perché quando arrivo all'imbocco del corridoio lo trovo intasato. Ci sono tutti, volti noti e persone mai viste, attori, giornalisti, politici, gente letteralmente impazzita che canta, balla, spinge, brinda, beve, rovescia il bicchiere addosso agli altri, pare un podio di Formula Uno, solo molto più affollato. La mia comparsa naturalmente non passa inosservata, ma essendo rimasto con le sole mutande a nessuno per fortuna viene in mente di cogliere quell'ultimo trofeo: l'avrei difeso a morsi. In realtà non se ne accorge nessuno, perché l'ho talmente arrotolata da farla sembrare un asciugamano, ma ho salvato pure la maglietta: è un cimelio dal quale non mi voglio separare. Quando arrivo in vista della porta dello spogliatoio, strusciando contro il muro cerco di farmi vedere, perché due magazzinieri sono lì affacciati, probabilmente preoccupati dal fatto che non sia ancora rientrato. Difatti appena mi notano mi vengono incontro, creando con la loro ragguardevole mole un minicorridoio che posso percorrere fino allo spogliatoio. Uff. «Cinquanta minuti tondi» dice Vito. Mancavo solo io. Appena entro, parte il tappo di una bottiglia di champagne. Non è la prima, a giudicare dall'ambiente.

Canti e balli mi coinvolgono subito, brindo con tutti e, come tutti, resto stupefatto e poi più che divertito da Nakata, che in quell'immenso caos si è seduto in un angolo e sta leggendo un libro. Un marziano. Nello spogliatoio ci sarà stato di sicuro qualche vassoio di frutta e di cioccolato, ma quando arrivo io non c'è più nulla. Così, al terzo sorso di champagne, mi sento male. Se già non bevo alcolici, farlo a stomaco vuoto è proprio un'idea da scemi. Lo spogliatoio è invaso da radio e tv, tutte implorano un ospite per il collegamento, Montella è il più bravo a prestarsi finché arriva Franco Sensi, e allora tutti gli cediamo rispettosamente il passo. Bacio e abbraccio Rosella, la figlia che è anche mia amica, abbozzo e poi dirigo un coro per il presidente, mi diverto da pazzi a guardare cosa è capace di fare la gente quando l'euforia allenta i freni inibitori. A un certo punto fa capolino nello spogliatoio anche Buffon, appena lo vedo lo invito al brindisi e dico a Sensi «Presidente lo blocchi, non lo lasci uscire dall'Olimpico». Ma mi fermo subito, anche perché mi rendo conto che alle orecchie di Antonioli certe battute possano non essere così divertenti. Però ribadisco a Sensi, in separata sede, che il blitz sarebbe ancora possibile. Il problema è che quella stessa estate la Juventus venderà Zidane al Real Madrid, e il primo frutto di quella montagna di denaro incassato sarà proprio Gigi.

Non festeggiamo tutti assieme, quella sera. Anzi, se posso confessare una piccola amarezza, non c'è mai stata una riunione di tutta la squadra, nemmeno al concerto di Antonello Venditti al Circo Massimo di qualche giorno dopo, quando Sabrina Ferilli si sarebbe dovuta spogliare come promesso e invece rimase in costume da bagno, quante gliene ho dette quella volta... In molti erano già partiti per le vacanze, sul palco del concerto e della grande festa saremo stati in cinque o sei. La stessa notte dello scudetto i brasiliani la passarono per conto loro, Batistuta si organizzò con Delvecchio, altra gente si riunì a casa di Montella. Lo so perché Capello, grandissimo, a mezzanotte suonò proprio lì il campanello. «Vincenzo, sono il mister, tanti auguri. Posso salire?» Dovete sapere che il 18 giugno è il compleanno di entrambi. Quale migliore occasione per appianare tutti gli screzi? Intelligente l'allenatore a presentarsi a mezzanotte con una buona bottiglia, intelligente Vincenzo ad abbracciarlo e a farne l'ospite d'onore della sua festa scudetto. Vincere è meraviglioso perché aiuta a mettere ogni cosa nella giusta prospettiva.

Io sono romano, quella notte non potrei fare niente di diverso dall'andarmene in giro per la città col motorino, e ovviamente il casco integrale, a spiare la felicità della mia gente. In realtà è una grossa imprudenza, perché nello spogliatoio ho bevuto troppo champagne e guido vedendo doppio. Ma vado piano, circondato dai motorini di amici e parenti, per godermi questi infiniti cortei di bandiere, questi colori – il giallo e il rosso – che pitturano tutta Roma, questa gioia senza mediazione e senza pensieri, la notte più bella della mia vita e delle vite di tanti che mi viaggiano accanto, e non s'immaginano chi ci sia sotto quel casco.

Ho bisogno di mangiare. Mamma, papà e tutti gli amici ci stanno aspettando da Claudio alla Villetta – il mio luogo delle celebrazioni – ma per entrare occorre uno stratagemma perché è tanta la gente che conosce la mia predilezione per quel locale, e ci saranno almeno duecento persone fuori, in attesa. È un antipasto di ciò che succederà nei mesi a venire. Restiamo da Claudio a cantare e ballare fino alle tre, di quanto accade dopo ricordo davvero poco: so che siamo finiti in una discoteca al Pantheon dove non ero mai stato prima, e che alla fine m'hanno riportato a casa verso le otto, steso come l'uomo più felice e rilassato del mondo. Finalmente.

Quando la Juventus vince lo scudetto, cosa che succede praticamente ogni anno, le tifoserie si punzecchiano sempre sullo stesso argomento: il contrasto fra l'abitudine al successo, che ti porta a festeggiamenti brevi, e la rarità della vittoria, che prolunga oltre ogni limite la sua celebrazione. E il bello è che ciascuna, anziché farsi gli affari propri, questiona sullo stile di gioia dell'altra: i romanisti – non solo loro – accusano gli juventini di fare festa per un giorno soltanto, gli juventini di rimando ridono di noi che abbiamo celebrato per un'estate intera, e certe macchie di colore visibili ancora oggi sui muri delle case risalgono a quei giorni. Io non sono così pazzo da pensare che mi sia andata meglio rispetto a Buffon o Del Piero: avrei voluto vincere di più, un paio di campionati almeno, e anche una Champions. Ma l'intensità di quell'unico scudetto è qualcosa di mai provato prima e nemmeno dopo, nemmeno per il titolo mondiale, e parlo del traguardo più alto che un calciatore possa raggiungere.

È corretto dire che i festeggiamenti durano in pratica l'intera estate. La verità è che finiscono l'11 settembre, quando la città sta preparando la grande serata di Champions col Real Madrid, ma quel che succede a New York cambia per sempre il mondo nel quale viviamo (e ovviamente no, non avremmo dovuto giocare: ma l'Uefa non seppe deliberare in tempo). Ciascuno di noi giocatori ha i suoi ricordi, di quell'estate, perché una sensazione di onnipotenza e di amore simile non è ripetibile, e soprattutto non è dimenticabile.

Io ho una storia divertente da raccontare: succede una settimana dopo lo scudetto, cena con tutti i parenti, prenotiamo da Consolini sotto all'Aventino, un bel ristorante con ampia terrazza. Una volta capito chi deve arrivare, il padrone espone il cartello "Chiuso" nel tentativo di limitare gli accessi: in quei giorni dovunque andassi si spargeva la voce, e in breve i locali si trovavano in stato d'assedio. Siamo in centocinquanta, riesco a entrare senza farmi beccare, ceniamo in pace tutti contenti finché non combino la scemenza. Vado alla ringhiera della terrazza e mi sporgo per guardare giù, verso Testaccio. Il primo grido è quasi istantaneo: «C'è Totti!». Secondo e terzo lo seguono da presso: «Totti è da Consolini» e «Chiamate tutti». A quel punto ritrarsi è inutile, anche se Riccardo e Angelo quasi mi placcano per spostarmi dalla posizione più esposta. Ritorno al tavolo, ma nel giro di una ventina di minuti il brusio che si alza dalla strada è sempre più avvertibile, e in qualche modo minaccioso. Vito ha acceso la radio, tutte le private hanno in corso un collegamento dall'Aventino «Perché Totti è stato avvistato in un ristorante della zona». Avvistato? Ma che sono, un ricercato? La risposta è sì. La gente comincia a premere sui pesanti portali di legno del ristorante, che il proprietario ha chiuso. Con molta cautela mi sporgo da un altro punto – più protetto – per sbirciare la situazione, e malgrado la conoscenza di Roma e delle sue pulsioni, resto allibito. Lì sotto c'è un impressionante brulichio di persone, saranno cinquemila e quasi tutte con la maglia della Roma, via Marmorata è completamente bloccata, non so davvero come uscirne.

Ci salva il padrone del ristorante. Prende me, Angelo, Vito e Riccardo e ci porta sul retro del terrazzo, nel punto più lontano dalla strada. C'è un terrapieno in salita molto ripido, e in cima un muro alto due metri con gli spuntoni. «È l'unica via di fuga, oltre c'è il Pontificio Ateneo e Collegio Sant'Anselmo, a quest'ora di notte in giardino non ci sarà nessuno. Dovete arrampicarvi sul terrapieno, scavalcare qui, e poi dall'altra parte della proprietà per uscire: adesso passo agli altri l'indirizzo, in modo che possano aspettarvi fuori con le macchine.» Un'idea da pazzi, ma certamente meno pazza dell'uscire in strada e affrontare cinquemila tifosi. Ci rimbocchiamo le maniche, la situazione contiene qualcosa di drammatico ma anche di irresistibilmente comico. Salgo io per primo sul terrapieno, scivolo un paio di volte ma senza tornare al punto di partenza, e dopo un paio di minuti sono attaccato al muro, ad aiutare gli altri che stanno ancora salendo. Quando siamo tutti sotto al muro, Riccardo piazza le mani a scaletta e mi spinge su: per un lungo attimo, in cima, osservo il nuovo paesaggio, anche nell'oscurità si coglie facilmente la bellezza del parco. Sulla sommità del muro ci sono un paio di ferri appuntiti da evitare, ma per fortuna non i cocci di vetro, molto più pericolosi. Tiro su Riccardo, Vito e Angelo sono già in posizione.

«Pronti?»

«Pronti.»

«Saltiamo?»

«Saltiamo. Ma non è che adesso esce un prete col fucile...»

L'atterraggio è sul morbido, erba tagliata di fresco. Per quanto si cerchi di non fare rumore, le risate soffocate sono inevitabili. Attraversiamo il grande parco sotto una luna piena e luminosissima, piegati in due come nei film. Come se così fossimo meno visibili. Passiamo davanti al portone dell'edificio, un palazzo antico e meraviglioso. Mi spiace quasi di andarmene così presto, ma Vito è già accanto al cancello carraio che dà su piazza dei Cavalieri di Malta, lì dove c'è il famoso buco della serratura dal quale si vede la cupola del Vaticano.

«Chi siete? Che volete?»

Il tono è perentorio. Mi giro. Da una porticina apertasi nel pesante portone è uscito un frate. Indossa il saio, mi chiedo se sia un cappuccino. Alzo le mani d'istinto, anche se vedo subito che non è armato, per fortuna.

«Non facciamo niente. Stiamo solo cercando di uscire, eravamo da Consolini...»

Mi rendo conto che qualsiasi spiegazione non sarebbe credibile. A meno che...

«Ma tu sei Totti!»

«Sì, padre, frate, non so come devo chiamarla. Sono Totti, e davanti a Consolini ci sono cinquemila tifosi in attesa di mangiarmi. Siamo scappati attraverso il vostro parco, mi scusi, ma non sapevamo come fare altrimenti.»

Il frate ridacchia, si è avvicinato e adesso mi guarda in faccia. Contento come un tifoso.

«Venite, venite, vi apro il cancello.»

Dall'altra parte c'è già mio padre in macchina, in attesa col motore acceso.

«Ciao Totti, ciao.» Il frate mi abbraccia, io ricambio affettuosamente.

Prima di salire in auto, chiedo un attimo di pazienza. Voglio vedere anch'io il Cupolone dal buco della serratura.

7

Batman e Robin

Antonio Cassano è il calciatore più forte col quale abbia mai giocato. Tra Roma e Nazionale ho dialogato in campo con molti campioni, ma non ho dubbi sul fatto che il talento più cristallino fosse il suo.

Una premessa così impegnativa è necessaria per spiegare il nostro rapporto, o meglio la profondità di un legame che è rimasto nel tempo, al di là dei vertiginosi alti e bassi che ha vissuto. Voglio bene ad Antonio, e so che lui ne vuole a me. È il fratello minore che non ho mai avuto, e al quale ho cercato di "salvare" la carriera senza riuscirci, o almeno non come avrei voluto. Oggi, quando succede di rivedersi, finisce sempre per dirmi che sarebbe dovuto rimanere alla Roma, e che insieme avremmo vinto molto di più. Io cambio discorso, perché in fondo a questi ragionamenti ti aspetta l'amarezza. Meglio pensare che ormai sia andata, fa meno male. Ma Antonio ha ragione: se fosse rimasto con noi avremmo vinto molto di più. E lui avrebbe mostrato al mondo più di quel trenta per cento di potenziale che si è limitato a farci vedere.

Cassano viene acquistato dalla Roma nel 2001, ed è la ciliegina sulla torta dello scudetto. In due anni di Bari si è palesemente dimostrato il giovane più dotato del nostro calcio, la Juventus lo insegue a lungo ma alla fine la spunta Sensi. È un affare dal forte valore simbolico: conferma che ormai siamo i più forti, e non soltanto in campo. Antonio è l'ultimo grande acquisto in lire, sei mesi dopo entrerà in vigore l'euro: la Roma lo paga cinquanta miliardi più il cartellino di Gaetano D'Agostino, uno dei ragazzi più promettenti di quel periodo a Trigoria. I giornali parlano di una valutazione complessiva da sessanta miliardi, al cambio trenta milioni di euro, somma notevole ancora oggi, a diciassette anni di distanza.

In realtà la trattativa con il Bari è stata definita fin dalla primavera, e a maggio tutti sanno che Cassano verrà alla Roma. A quattro giornate dalla fine del campionato, però, ci aspetta la trasferta del San Nicola. Il Bari è già retrocesso, il nostro vantaggio è netto ma quando si scopre che contro di noi Cassano non gioca scoppiano le polemiche. Si è infortunato nella gara precedente, e difatti non scenderà più in campo sino a fine stagione, eppure protestano in tanti, a dimostrazione che il giocatore è molto considerato.

Quello è il giorno in cui lo conosco "ufficialmente". 20 maggio 2001. Avevamo già fatto un paio di foto assieme, al centro del campo, prima di altre partite fra Roma e Bari, ma di quelle di cui ti scordi un momento dopo lo scatto. Per lui, invece, era stato diverso. Lo capisco prima della gara, quando Vito lo scorta nello spogliatoio e lui, candidamente, mi chiede la maglia a fine partita.

«Ma la prossima stagione ne avrai quante ne vuoi, sappiamo tutti che verrai alla Roma» gli dico, per fare il brillante.

Antonio ribatte molto serio: «Io voglio la tua, perché sei da sempre il mio idolo». Nei suoi occhi ci sono le scintille. Gliela prometto, lusingato dalla fermezza con la quale ha espresso la sua stima. Non è lo sbruffone che avrei conosciuto nelle stagioni a venire, sembra piuttosto intimidito. A fine partita, oltre a consegnargli la maglia, lo presento a mio padre, sceso dalla tribuna. Antonio lo saluta in maniera quasi deferente.

Meno di due mesi dopo è a Trigoria, ma mentre con me resta gentile e rispettoso, per gli altri diventa rapidamente una spina nel fianco perché non c'è mediazione fra ciò che pensa e ciò che dice: è sincero e spontaneo oltre qualsiasi senso di opportunità. Durante gli allenamenti non guarda in faccia nessuno, tormenta i compagni tecnicamente meno abili con prese in giro feroci. Tommasi e Delvecchio sono le sue vittime preferite, li chiama "pippe" a ogni controllo di palla impreciso, e se non subisce ritorsioni è soltanto grazie al loro buon carattere. Non pensiate, però, che Antonio faccia il gradasso soltanto con chi non reagisce. Macché. Rompe le scatole anche a Batistuta, uno che quando perde la pazienza è capace di correrti dietro: oltretutto lo fa in un periodo difficile per Gabriel, perché dopo essere stato decisivo nell'anno dello scudetto comincia a pagare i dolori alle caviglie che tanto lo condizioneranno anche dopo il ritiro. La sua forza è sempre stata la potenza, se scema quella diventa un giocatore normale, e Cassano non manca di farglielo notare senza preoccuparsi di risultare indelicato.

Ho letto che più di un campione, Kobe Bryant per esempio, stimola i compagni in allenamento trattandoli malissimo, e sfidandoli apertamente a dimostrarsi migliori di quanto lui li consideri. Questo non è mai stato il mio stile, anzi, ho sempre cercato di incoraggiare i meno capaci. Ma se Cassano è diverso, come abbiamo visto, la ragione non è la cattiveria. Antonio non è cattivo. Al contrario: è un ragazzo d'oro, buono e generoso con chi lo prende per il verso giusto, e soprattutto differente da chiunque altro. Facile immaginare che sia stata un'infanzia complicata a trasformarlo in ciò che è: una bomba caratteriale, sempre sul punto di esplodere. Ricordo che il primo giorno a Trigoria riuscì a darsi un contegno, ed era anche naturale: si trovava nel cerchio dei giocatori campioni d'Italia ad ascoltare Fabio Capello, l'allenatore più titolato della serie A. Normale emozionarsi. Ma dal secondo giorno, la sua natura prese il sopravvento.

Quando inizia la sua avventura alla Roma io sono preparato al fatto che Antonio sia matto, ma sinceramente non pensavo così matto. D'altra parte sapevo anche che era forte, ma davvero non pensavo così forte. Per essere chiari, Cassano è la mia fotocopia. E non solo:

potrei spingermi a definirlo un mio clone, perché non si limita a giocare come me. Lui pensa come me, anche. In ogni partita si verificano situazioni nelle quali mi viene naturale cercare una soluzione imprevedibile. Per come sono girato, per la posizione degli avversari, per la difficoltà del passaggio, nessuno si aspetta che io metta la palla lì. Nessuno tranne Antonio, che immancabilmente si fa trovare nel punto in cui arriva. Sono combinazioni che con altri non riuscirebbero nemmeno se spiegassi loro dove piazzarsi, con tanto di lavagna; fra me e lui invece basta un'occhiata, a volte nemmeno quella. Telepatia calcistica, mai più provata a quell'intensità. Antonio osserva i miei movimenti e riequilibra automaticamente con i suoi la disposizione dell'attacco. In ogni caso fa ciò che serve per vincere la partita. Il primo anno non gioca tanto, ci sono ancora Batistuta e Montella, ma a Trigoria, davanti a certi duetti, sento Capello mormorare «Di questo passo la prima punta non servirà più», e il tono è di chi si sta leccando i baffi. Io disegno uno sviluppo di gioco, Cassano non solo lo capisce ma lo raffina trasformando l'intuizione in un gioiello, poi chi è piazzato meglio firma il gol, senza egoismi. Praticamente siamo Batman e Robin.

Antonio sbarca a Roma con il "cugino" Nicola, e le virgolette servono a far capire che non si tratta di un parente, anche se viene presentato come tale. Nicola è un amico che gli sbriga le commissioni e gli tiene compagnia: fra i calciatori è una figura abbastanza diffusa, specie fra quelli che cambiano città e non hanno ancora una fidanzata da sposare. I due vanno ad abitare in un residence di Casal Palocco, non lontano da casa mia, e la ricerca di una villa da affittare incontra subito delle difficoltà: ci si mette pure mio padre ad aiutarli, ma tutte le soluzioni proposte presentano qualche pecca. Una è troppo piccola, un'altra è poco esposta al sole, a una terza manca la piscina, la quarta "fa schifo": Cassano guadagna centinaia di migliaia di euro al mese, e forte di quello stipendio si muove come se fosse a Beverly Hills. Si sente al cinema, vuole una villa da cinema. Siccome non la trova, e il feeling fra noi è eccellente, alla fine del ritiro estivo mi viene naturale proporgli di venire a stare a casa nostra. Abbiamo una bella camera per gli ospiti. Neanche il tempo di finire la frase, e mi getta le braccia al collo felice. Abbiamo un nuovo inquilino, e meno male che l'avevo accennato prima a mia madre. A vederselo capitare in casa di sorpresa, con i suoi due valigioni, le sarebbe venuto un colpo. Il "cugino" resta al residence, incaricato di proseguire la ricerca della villa hollywoodiana. Io sono contento di me stesso, perché Roma può essere molto complicata per un milionario di diciannove anni impreparato a reggerne l'urto, e il ruolo di capitano implica anche questo tipo di aiuto. Non lo faccio per dovere, però. Antonio possiede qualcosa che non può non toccarti. In un mondo dove in tanti sono molto costruiti, lui è un puro.

È l'estate del 2001. La mia prima storia d'amore significativa, quella con Maria Mazza, è da poco finita: Ilary deve ancora comparire all'orizzonte, succederà la primavera seguente. Questo per dire che sono giovane, famoso e single: con Cassano esco quasi tutte le sere, si unisce al solito giro di amici e cugini – i miei sono veri, però – e "sfonda" subito perché è un tipo divertentissimo. E generoso oltre il comprensibile. A volte succede che io vada a cena con altre persone, magari per lavoro, in uno dei miei ristoranti di riferimento, tipo da Claudio; se ci capita anche Antonio, la prima cosa che fa è venirmi a salutare, com'è normale che sia, dedicando un minuto ai miei commensali prima di dirigersi al suo tavolo. Quando, a fine serata, mi alzo per andare da Claudio a saldare il conto, lui alza le mani: «Non voglio niente, ha fatto Antonio per tutti». La prima volta lo ringrazio, la seconda pure dicendogli che però è l'ultima, dalla terza gli dico di piantarla perché non esiste che paghi ogni volta per dieci persone, oltretutto conoscendone soltanto una. Ma non c'è verso, e non riesco a impormi nemmeno con l'oste perché Antonio, quando ci si mette, è molto più sfibrante di me.

Quando sei un giovane calciatore, a maggior ragione se di successo, non perdi tempo a interrogarti sui comportamenti degli altri, specie se sono gentili nei tuoi confronti. Ti pare tutto dovuto. È solo in un secondo momento, dopo aver conosciuto bene le persone, che ti soffermi a pensare – magari in una notte d'insonnia – a cosa ci sia dietro le abitudini, le scelte, le stesse stranezze di chi fa parte della tua vita. Ho già ricordato che Cassano viene da un'infanzia difficile, col padre che è presto sparito – da qui il suo affetto immediato e naturale per il mio, di padre – e la madre che se l'è dovuto caricare sulle spalle per crescerlo in un ambiente non semplice come doveva essere Bari Vecchia. Il talento calcistico l'ha portato fuori da lì, ma mentalmente non si esce mai del tutto dalla propria infanzia. Un esempio illuminante: la sera usciamo spesso in gruppo con i motorini, perché grazie al casco è più difficile che ci riconoscano e così da Casal Palocco possiamo spingerci fino all'Eur. So guidare un motorino, è ovvio; o almeno lo penso, finché Antonio non ne compra uno e si unisce alle nostre gite. Ecco, il modo in cui lui porta il suo è proprio un'altra cosa, e non mi riferisco soltanto alla velocità, alle traiettorie che pennella in curva, alle acrobazie con cui ci diverte come se fossimo al circo. A essere diverso è innanzitutto il modo in cui ci si siede. Nel senso che io guardo avanti, e se devo dire una cosa a chi mi viaggia accanto giro per un attimo la testa all'indietro. Antonio, al contrario, quando è in compagnia si siede rivolto direttamente verso il suo interlocutore, come fosse in poltrona, e ogni tanto volge lo sguardo sulla strada, che ovviamente controlla in ogni momento con la coda dell'occhio, ma senza farsene accorgere. Lo prendiamo molto in giro per questa postura, che nessuno di noi riesce a replicare senza rischiare di andare a sbattere; gli diciamo che l'ha imparata quando faceva gli scippi a Bari, e lui ride di gusto senza svelarci se abbiamo indovinato o meno.

Il desiderio compulsivo di pagare per tutti è un segno di generosità – come ho già raccontato il suo animo è nobile – ma anche un modo per farsi accettare. Se uno viene abituato fin dall'infanzia a considerare il denaro come la chiave dell'inclusione, è logico che una volta fatta fortuna lo utilizzi. Antonio vuole sentirsi una parte riconosciuta e gradita della mia vita, perché la considerazione che mi porta è quella espressa negli spogliatoi dello stadio di Bari: sono il suo idolo. Ci sono occasioni in cui tanta stima risulta quasi imbarazzante. Con le ragazze, per esempio. Certe sere usciamo con due amiche – come ho detto siamo liberi entrambi – e se noto che gli piace molto mi capita di lasciargli strada libera verso la più carina. Lui lo capisce al volo – non è il tipo al quale devi spiegare due volte la stessa cosa – si avvicina al mio orecchio e sussurra: «Guarda che quella vuole te, si vede lontano un chilometro, che gli frega di uno come me?». Non lo dice perché gli difetta l'autostima, anzi. Lo dice perché, avendomi mitizzato fin dall'infanzia, non crede sia possibile superarmi. Me l'avrà ripetuto un milione di volte: vuole essere mio amico senza minimamente ambire a essere il mio erede, perché a Roma, qualsiasi cosa accada, nessuno potrà mai essere come me. È un pensiero che mi lusinga? Sì, molto, perché trattandosi di Cassano so che è sincero. E poi, quando ci è capitato in ritiro di dividere la stessa camera – è raro perché io voglio dormire da solo, ma in certi alberghi da trasferta può accadere perché non bastano le camere – un paio di volte mi sono svegliato con i suoi occhi addosso, e mi sono ricordato di quando facevo lo stesso dormendo nel letto accanto a quello di Giannini. Il mio idolo dell'epoca.

La convivenza nella casa di famiglia a Casal Palocco dura qualche mese ed è un periodo felice, perché se mio padre gli si era affezionato fin da quel pomeriggio a Bari, a mamma non ci vuole molto per iniziare a volergli bene come se l'avesse adottato. Lui se ne fa volere, peraltro: si rivolge a lei come fosse una regina, la riempie di attenzioni e di regali esagerati – qualche imbarazzo anche qui –, è davvero un modello di educazione. Così perfetto che, quando mamma legge di una sua bravata, me ne chiede conferma perché non riesce a crederci. «Porello Anto', ma davvero ha detto cornuto all'arbitro?» Ehm, mamma, il senso era più o meno quello. Devo andarci piano perché lei ci resta male: tifa per lui dal primo giorno e da questo punto di vista gli è rimasta sempre fedele, magari di nascosto nei periodi in cui il rapporto fra me e lui era più freddo.

E poi quei mesi sotto lo stesso tetto sono il sogno di ogni genitore, perché spesso si finisce per non uscire, e convocare piuttosto amici e amiche nella nostra taverna. Così loro dormono tranquilli, anche se facciamo festa fino alle ore piccole non si pone il problema del tornare a casa: ci siamo già. Immagino che qualcuno, a questo punto, possa pensare che in quel periodo il nostro comportamento non sia stato granché professionale. Accolgo l'obiezione, ma rispondo: stiamo parlando dei primi giorni della settimana, certo non tiravamo tardi il venerdì o il sabato. Inoltre, a quell'età il recupero è molto più rapido; abitudini inappuntabili sono necessarie per durare tanto, ma è un'esigenza che cresce dopo i trent'anni. Aggiungete infine che né io né Antonio beviamo alcolici, nessuno dei due fuma né tantomeno si droga. Se i nostri sono peccati, li definirei veniali. Alla mattina, facendo colazione assieme prima di correre a Trigoria, li abbiamo già dimenticati.

Il primo anno di Cassano coincide col primo degli scudetti che avremmo potuto e dovuto vincere, e invece sono sfumati in secondi posti. Per Antonio è soprattutto una stagione di apprendistato ai livelli più alti, perché davanti è un po' chiuso da altri giocatori. Ma nel finale, quando le energie generali sono declinanti e io, infortunato, manco per alcune partite, è la sua freschezza a tenerci a galla. Per esempio a Venezia, dove pure abbiamo un passaggio a vuoto che peserà molto nella corsa allo scudetto: contro una rivale già retrocessa andiamo sotto 2-0 senza nemmeno capire come. Io, che sono rimasto a casa per curarmi, assisto basito davanti alla tv a una débâcle che viene solo parzialmente riaggiustata negli ultimi cinque minuti. Collina ci concede due rigori: sono entrambi chiari, ma ci vuole un arbitro con la sua personalità per darli così ravvicinati. E ci vuole uno con il carattere di Antonio per lanciarsi in uno slalom a tempo ormai scaduto, alla ricerca di una finestra di tiro o, più maliziosamente, dell'ingenuità di un difensore. Quella domenica – la quintultima – l'Inter capolista perde in casa con l'Atalanta, se avessimo vinto l'avremmo agganciata. È un campionato che passerà alla storia per il giorno in cui si conclude, il 5 maggio, e per il sorpasso-beffa in extremis della Juventus. Per come la vedo io, però, è uno scudetto che buttiamo via noi. Siamo i più forti, ma non lo vinciamo.

Alla fine di quel torneo Cassano se n'è già andato da casa, in coda alla prima crisi del nostro rapporto. È un equivoco tutto suo, e riguarda l'assegno mensile dello stipendio: roba grossa ovviamente, siamo sui trecentomila euro. Un mattino Antonio va da mia madre, la informa che l'assegno è sparito, l'ha cercato da tutte le parti, la conclusione è che glielo abbiano rubato. Secondo lui può essere stata soltanto la cameriera. Che però lavora da anni in casa nostra, e sono anni in cui non è mai sparito nulla, nemmeno una monetina. Prima mamma e poi io cerchiamo di farlo ragionare: al di là del fatto che per lei mettiamo la mano sul fuoco, ti pare che una cameriera possa rubare un assegno così grosso? Cosa se ne fa? Quale banca vuoi che glielo cambi? Sono domande di pura logica che Antonio non sta nemmeno a sentire; ha bisogno di un capro espiatorio, ripete di averlo cercato dappertutto e, visto che non gli diamo la soddisfazione di incolpare la cameriera, se ne va. Chiude le valigie in un'atmosfera carica di tensione, chiama Nicola perché lo venga a prendere, esce di casa con un rapido saluto a mamma. E basta, fine della storia.

Non ci parliamo per un mese. In campo l'intesa resta, ed è interessante osservare che le nostre capacità tecniche continuano a dialogare come se fossero dotate di una vita loro. Finché Vito, che è sempre stato – con Cassano e anche con altri – il canale di comunicazione aperto nei momenti difficili, un giorno mi racconta che Antonio ha ritrovato il suo assegno in macchina. Era finito fra le pieghe di un sedile. Ci guardiamo come due adulti alle prese con un bambino: sono sollevato dalla soluzione del giallo, ma adesso mi aspetto le scuse. E infatti il giorno dopo sto prendendo il caffè al bar di Trigoria quando improvvisamente vengo abbracciato molto forte da dietro le spalle. È Antonio. «Scusa. Scusa. Scusa. L'ho trovato qualche giorno fa, ma mi vergognavo troppo per venirtelo a dire. Sono stato un bambino, scusami anche con tua madre, e con la cameriera naturalmente.» Con lei non ce n'è bisogno, perché nessuno le aveva detto nulla.

Un'altra volta il gelo dura molto più a lungo, e nemmeno la pace riesce a diradare tutte le ombre. Sono amico da anni di Maurizio Costanzo e Maria De Filippi, persone che mi sono sempre state vicine, e ogni stagione dedico una serata a *C'è Posta per Te*, la trasmissione di Maria che riunisce parenti, amici o conoscenti che per un motivo o per l'altro si sono persi di vista. Una prima volta Roberto, il capo della produzione, mi aveva proposto di organizzare un incontro fra Cassano e il suo padre naturale: si sapeva che i rapporti fra i due erano inesistenti, perché Antonio comprensibilmente gli imputava di essere sparito dopo la sua nascita. Quando poi sulla «Gazzetta» esce una lunga intervista a questo signore, nella quale – immagino per interesse – cerca di ricucire, capisco dalla reazione furiosa di Antonio nello spogliatoio che non è proprio il caso di insistere. Si arriva così a una seconda proposta, decisamente più light: portare Cassano in studio e fargli trovare il vigile urbano di Bari Vecchia, quello che nei suoi anni di scorribande gli aveva sequestrato il motorino un sacco di volte. Un uomo col quale aveva spesso litigato, ma che in fondo gli voleva bene, come lo stesso Antonio riconosceva.

C'è Posta per Te è una trasmissione di grande successo che conseguentemente paga ottimi cachet. Non so quanto diano a Cassano per quella puntata, sono affari suoi e non mi pare corretto chiedere. La serata fila via liscia, la "riunione" è pure commovente, Antonio è contento e io non ci penso più. Dopo un paio di giorni, però, noto che quando ci incrociamo nei corridoi di Trigoria lui tende a girare al largo. Che è successo? Domenica non gli ho passato un pallone? Non me ne curo granché, Antonio ha di queste lune, se gli vai dietro ogni volta diventi pazzo. Quando però il periodo di gelo si allunga a una settimana, e soprattutto viene esteso per la prima volta a Vito, chiedo a Montella – lui ed Emerson sono quelli più in confidenza con Antonio – se ne sa qualcosa. Vincenzo non si fa pregare: «È offeso con te perché gli hanno detto che hai preteso quindicimila euro di provvigione sulla sua partecipazione dalla De Filippi». Resto di sale. È una gigantesca bugia, e non capisco chi possa avergli detto questa cretinata. «Gliel'ho chiesto, perché anche a me la storia puzza» continua Montella. «Non me l'ha voluto dire. Dice solo che l'ha saputo nello spogliatoio.»

Qualcuno mi rema contro all'interno della squadra? Il dubbio è pesante, perché sarebbe la prima volta. Il grande difetto di Cassano è credere a chiunque gli racconti qualsiasi cosa, ma su un tema così delicato la fonte dev'essere per forza accreditata. Altrimenti sarebbe almeno venuto da me per chiedermelo a brutto muso. Comincio a indagare da una parte, e a cercare il confronto con Antonio dall'altra; anche perché la tensione è cresciuta, in campo sembriamo una coppia di separati e Capello, che se ne è accorto, ci bombarda di «Passatevela, ma cosa vi prende?». Una volta, durante una partitella, Antonio mi sfida: «Glielo dici tu o glielo dico io?». A fine seduta lo affronto, gli dico che è un cretino se pensa che possa avergli sottratto quindicimila euro; anche perché io ne prendo molti di più a ogni partecipazione, dunque non ne ho proprio bisogno. È una reazione da gradasso, non mi piace e non mi rappresenta, me ne pento subito: ma sono davvero arrabbiato, con lui e col fantasma che mi parla alle spalle. Non ho mai scoperto chi fosse.

La rottura con Antonio stavolta dura di più, alcuni mesi, ed è un periodo in cui la Roma non funziona, penso anche per colpa nostra. Lui si avvicina molto al gruppo dei brasiliani, a Emerson e Lima soprattutto, e in un ambiente che con tutti i suoi limiti almeno è stato sempre unito, la spaccatura si nota. Dopo la storia dell'assegno perduto e ritrovato, Antonio era tornato a casa per riabbracciare mia madre, che a ogni compleanno veniva sommersa dai suoi mazzi di cento rose, e il rapporto si era ricreato in un amen. Stavolta no, la freddezza resta a lungo anche con la mia famiglia, e quando infine qualcosa lo convince di aver creduto a un'autentica scemenza – e viene nuovamente da me a scusarsi – si fa la pace ma senza tornare quelli dei primi mesi. Qualche scheggia è rimasta.

Nel 2003/2004, l'ultima stagione di Capello sulla panchina della Roma, arriviamo nuovamente secondi: vince il Milan, più costante, mentre noi a marzo paghiamo un calo di tensione. È un campionato nel quale Cassano mostra con buona continuità le sue enormi doti, e sono tante le domeniche nelle quali si fa festa assieme dopo aver segnato entrambi. Ricordo Bologna, per esempio: io centro l'1-0 con un gran tiro al volo di sinistro, lui innesca il secondo gol di Montella e firma il quarto scivolando lateralmente rispetto al difensore. E poi, quanto sia speciale Antonio lo capisci dal fatto che più la partita è difficile, e l'avversario competitivo, meglio gioca. Questo è il segnale di personalità più sicuro che esista, perché nel calcio abbondano i fuoriclasse delle partitelle del giovedì, mentre sono molto più rari quelli che alzano il livello del loro gioco in proporzione al valore dei rivali. Si chiamano campioni, ed è una gioia duettare con Antonio quando di fronte ci sono il Milan, la Juventus o l'Inter. Quell'anno segna a tutte le tre grandi, addirittura una doppietta la volta del famoso 4-0 alla Juve, quando faccio il gesto delle quattro dita a Tudor che non mi aveva trattato con gran gentilezza. Ecco, Antonio quella sera è devastante, e il rigore che si procura per il 2-0 – lo trasformo io – è uno dei molti esempi di giochi a due che ci riescono perché la classe comunica con la classe. Come sempre, però, di lui devi accettare il pacchetto completo: gol e giocate celestiali, ma anche l'acqua spruzzata addosso al preparatore dei portieri Tancredi dopo il mio rigore – non guarda, forse non si fida –, o ancora la sciocchezza di spezzare la bandierina con un calcio dopo la rete del 4-0, quella che fa calare il sipario. Mentre lo stiamo festeggiando arriva Collina furente, gli indica l'asta distrutta, gli grida «Perché fai queste cose, adesso devo ammonirti» e pare un professore che deve punire suo malgrado un ragazzino impertinente ma non cattivo. Antonio accetta il cartellino e abbraccia Collina. E questo vuol dire essere figli di buona donna a livelli assoluti.

Ho detto prima che le nostre capacità tecniche in qualche modo dialogano anche nei periodi in cui fra noi c'è freddezza, come se fossero dotate di vita propria. In realtà un modo più adeguato di spiegare il rapporto è questo: a volte le storie d'amore perdono la potenza sentimentale dei primi giorni, ma la coppia resta ugualmente unita perché il sesso continua a funzionare molto bene. A me e Antonio succede di discutere e anche di mandarci a quel paese, ma è sufficiente che fra noi compaia un pallone perché la magia si ricrei, e i problemi vengano accantonati almeno per la durata della partita. Certo, la convivenza "totale" dei primi mesi svanisce nella primavera del 2002 anche al di là del fatto che l'incidente dell'assegno lo ha portato fuori casa: semplicemente conosco Ilary, e quindi comincio a passare con lei il tempo che prima dedicavo agli amici. Anche perché la nostra storia parte subito con premesse importanti.

Le situazioni legate ad Antonio continuano comunque a divertirmi. Come quella volta che col solito gruppo ci appostiamo fuori da Consolini perché abbiamo saputo che lui ha invitato lì a cena Pamela Prati, ma la presenza di un falso paparazzo da noi ingaggiato fa saltare in aria la serata: l'attrice lo sta aspettando sulla scalinata, Antonio – che ha la fobia dei giornali di gossip – arrivando nota il tizio con le macchine fotografiche e se la svigna, non prima di aver mandato un messaggio di insulti alla povera Pamela. È convinto che sia stata lei a chiamare il paparazzo per farsi un po' di pubblicità. Se racconto uno scherzo ai suoi danni è perché da lui ne abbiamo subiti a decine. Per Antonio lo scherzo è semplicemente il senso della vita, l'occupazione alla quale dedicare la gran parte del proprio tempo. Qualcuno se la prende, ma la maggioranza delle persone di Trigoria li sopporta perché a beffa riuscita il fragore della sua risata in qualche modo ti riconcilia col mondo. È felicità allo stato puro. Franco Sensi, per esempio, lo trova adorabile e si lascia prendere volentieri in giro. Il presidente, che aveva avuto seri problemi di salute, durante la convalescenza viene ogni mattina a Trigoria col fisioterapista per fare i suoi esercizi in piscina. A fine allenamento, prima di andare in doccia, Cassano passa da lui e comincia scherzosamente a insultarlo: «Vecchio paralitico, ma dove vuoi andare?». Non avete idea di quanto rida Sensi, divertito dall'impudenza di quel ragazzo. Si sbellica proprio. Il problema è che Antonio fatica a comprendere che la confidenza è un privilegio di cui non abusare, e che comunque ha dei limiti. Così, dopo un paio di sconfitte perché abbiamo giocatori "scarsi" – uso le sue parole – entra in piscina con occhi da pazzo e si mette a gridare: «Brutto avaro, spendi i tuoi soldi maledetti e compra qualche campione». Quella volta Sensi non si diverte affatto, e dobbiamo intervenire io e Vito per appendere al muro Cassano e spiegargli come ci si comporta.

La stagione 2004/2005, quella dei quattro allenatori, è la più difficile della mia carriera, e Antonio ne è grande protagonista prima nel male e poi nel bene. Nel male perché in quel periodo con i tecnici è davvero insopportabile. Se già l'anno prima aveva perso ogni freno inibitorio con Capello, e durante l'allenamento si metteva a inseguirlo per il campo rimproverandogli l'andatura claudicante – «Brutto zoppo, hai vinto uno scudetto qui solo perché avevi Totti e Batistuta» –, con Cesare Prandelli la situazione esplode subito. Succede che a Perugia, in un'amichevole di fine agosto a pochi giorni dall'inizio del campionato, la federazione faccia sapere che il nuovo c.t. azzurro sarà in tribuna. Cassano, che all'Europeo è stato l'unico a salvarsi, tiene alla Nazionale molto più di quanto il suo atteggiamento lasci immaginare. Così, quando Prandelli all'intervallo lo toglie, gli parte una sequela di insulti a voce alta che lascia tutti sbigottiti. La situazione non degenera perché siamo in molti a intervenire, ma è chiaro che nello spogliatoio si crea una frattura che è alla base della rinuncia di Prandelli alla panchina, qualche giorno dopo. Certo, nello stesso periodo il tecnico si trova anche a fronteggiare la delicata situazione personale che sappiamo; ma è quella furibonda litigata con Antonio a spingerlo verso le dimissioni.

Il problema è che la giostra, quell'anno, non si ferma più. Viene chiamato in fretta e furia Rudi Völler, un monumento della storia giallorossa, che dopo quattro partite rassegna pure lui le dimissioni proprio in ossequio al suo passato: non riesce a controllare la squadra, e non vuole rovinare il ricordo che la gente ha di lui. Nella prima gara, con la Fiorentina, Antonio si fa espellere per una manata a Chiellini. Nella quarta, a Bologna, andiamo sotto 3-0 ma all'inizio della ripresa ci troviamo undici contro nove perché due dei loro vengono espulsi per doppia ammonizione; be', malgrado la doppia superiorità numerica segniamo un solo gol – un mio tiro da fuori – e Völler capisce che non ci siamo con la testa. Negli allenamenti Antonio dice apertamente, come sua abitudine, che Rudi è negato per fare il mister, il che non aiuta a rasserenare l'ambiente. Dopo il tedesco arriva Delneri, la squadra fatica a riprendersi, poi infiliamo una serie di risultati e risaliamo fino alla zona Uefa; ma non è stagione, un paio di brutte sconfitte, nel derby e con la Juve, e si ripiomba giù. Il modo di parlare del tecnico, molto veloce, fa sì che a volte si mangi qualche parola, e Cassano è impietoso: «Non si capisce un cazzo» gli ripete più volte, in faccia e ad alta voce. Qualcuno ride, e inevitabilmente la presa di Delneri sullo spogliatoio s'indebolisce.

Naturalmente queste bravate di Antonio sono oggetto di continui confronti fra me – il capitano – e lui. Intervengo sia in pubblico sia in privato, ma in realtà le discussioni sono sempre brevissime perché lui mi dà ragione, ammette che col suo modo di fare complica il lavoro di ogni tecnico, eppure il giorno dopo siamo daccapo. «È più forte di me» dice, allargando le braccia, e ribadisco che è vero, non è la cattiveria a muoverlo ma un'esigenza evidentemente insopprimibile di fare casino. Il problema è che così facendo rischiamo la caduta libera. A dieci giornate dalla fine perdiamo male a Cagliari, un 3-0 ispirato da Gianfranco Zola, ancora bravissimo a trentanove anni. Negli spogliatoi Delneri comunica a Rosella

Sensi di averne abbastanza. Se ne va. La circostanza di tre allenatori dimissionari in un anno – Prandelli, Völler e Delneri – in un mondo dove non si dimette mai nessuno descrive perfettamente la delicatezza della situazione. Quel pomeriggio Rosella chiede al presidente Cellino, del quale è amica, l'uso di uno spazio riservato per discutere brevemente e prendere una decisione: oltre al direttore sportivo Daniele Pradè fa chiamare soltanto me e Montella. Ormai siamo i vecchi saggi dello spogliatoio. Così saggi che, quando Cellino ci accompagna nell'abitazione del custode dello stadio, veniamo distratti dall'odore delle fettine di carne impanate che la moglie sta preparando in cucina. Anche Rosella, malgrado la drammaticità del momento, fa la smorfia di chi avrebbe una gran voglia di attaccare la pila di bistecchine: la signora intuisce la situazione, e con estrema gentilezza ce le offre. Impossibile resistere. L'atmosfera è surreale: il vertice d'urgenza tra dirigenti e giocatori anziani per decidere il nuovo tecnico si svolge sbocconcellando (deliziose) cotolette e cercando uno scottex per pulirsi le dita unte. Sia come sia, arriviamo tutti allo stesso nome, e siccome l'uomo in questione è fuori dallo stanzino a chiacchierare con il figlio, usciamo non prima di aver salutato la portentosa cuoca del Sant'Elia.

Appena ci vede, e nota che i nostri sguardi si sono concentrati su di lui, Bruno Conti alza le mani come a proteggersi dicendo «No, no». È evidente che se nella vita avesse voluto fare l'allenatore, avrebbe fatto già da tempo altre scelte. Adesso sta appunto parlando con suo figlio Daniele, ignaro della riunione, e quando capisce che vogliamo lui prova a sottrarsi. Ma non può. La Roma è arrivata vuota, nelle gambe e nella testa, a uno sprint finale nel quale la salvezza non è ancora stata messa al sicuro. Ingaggiare un quarto allenatore non avrebbe senso, non c'è il tempo per impostare un nuovo discorso tattico: questo è il momento di un romanista – in questo caso di una leggenda romanista – che sappia compattare nel suo nome lo spogliatoio spaventato e i tifosi arrabbiati. Non ricordo se all'epoca fui così chiaro, o se invece tenni per me le paure più estreme. Oggi posso dire che quell'anno la Roma rischiò pesantemente la retrocessione: a dieci giornate dalla fine avevamo ancora un buon margine – dodici punti sulla terzultima – ma nemmeno un litro di benzina nel serbatoio. «Non mi mettete in mezzo» è l'ultima difesa di Bruno, che infine deve concedersi, da persona generosa qual è.

Io non gli do certo una mano. Nella gara che perdiamo in casa col Milan mi faccio espellere all'ultimo minuto per un calcetto ad Ambrosini. Un turno di squalifica. Tre partite dopo, alla trentaduesima, ne perdiamo un'altra assurda, in casa col Siena, e quando siamo già sotto di un gol mi saltano i nervi e colpisco Colonnese con un pugno. Una volta eravamo pure amici, quando giocava nella Roma ai tempi di Mazzone: si andava insieme per locali, mi aveva mandato dal suo parrucchiere, era uno di quelli che frequentavo di più, e con piacere. Poi però ci siamo persi di vista, lui ha giocato con Napoli e Inter, e una volta passato alla Lazio c'era stato un derby di botte e ripicche. A Siena sta chiudendo la carriera, e mi resta misterioso il motivo per cui cominci a insultarmi dal primo minuto. Voglio dire che provocare e menare Totti in maglia laziale può garantirti l'applauso dei tuoi tifosi, ma farlo in maglia senese non ha senso, se non quello di farmi perdere le staffe. La sentenza del giudice è impietosa: cinque giornate, in pratica potrò rientrare soltanto l'ultima domenica. Panico. La squadra sta scivolando sempre più in basso, e io non potrò aiutarla. Bruno, che ha il coraggio di resistere alla tentazione delle dimissioni, deve trovare un altro salvatore.

Antonio. Nelle settimane più dure della nostra storia recente, Antonio decide che è il momento di ridurre gli scherzi e aumentare il rendimento. Forse è il ricordo della retrocessione col Bari a disturbarlo, forse è la mia assenza improvvisa, di certo si prende le sue responsabilità, e affianca con la sua classe Montella, Panucci, De Rossi, insomma i residui leader dello spogliatoio. Perdiamo altre due partite ma riusciamo a tenere un importante 0-0 nel derby. Finché, alla trentasettesima, uno splendido tiro di destro in controtempo di Cassano ci dà il fondamentale 1-0 in casa dell'Atalanta: noi ci salviamo, loro retrocedono. È come vi ho già detto: quando l'avversario è forte oppure quando il momento è grave, Antonio alza il suo livello. L'aveva fatto anche l'anno prima, con la

Nazionale agli Europei, segnando il gol della vittoria con la Bulgaria che, senza il biscotto tra Svezia e Danimarca, ci avrebbe portato avanti nel torneo.

Purtroppo, però, è il canto del cigno del suo percorso nella Roma. Da una stagione così nefasta si esce cambiando tutto e ripartendo da zero, e Cassano ha esaurito la pazienza. Vuole vincere. Rosella Sensi sceglie per la panchina l'allenatore che ha portato l'Udinese in zona Champions, Luciano Spalletti, ed è una decisione che approvo. Antonio, invece, con lui non si prende proprio. È famoso l'aneddoto dei primi giorni di ritiro a Castelrotto, quando stiamo lavorando in palestra: Antonio mette la musica a tutta come suo solito e dopo un po' Spalletti, senza dire niente, va ad abbassare il volume. Allora Antonio, anche lui muto, va a rialzarlo. In un clima fra il divertito e il teso, perché tutti vogliono vedere come va a finire quel braccio di ferro, Spalletti abbassa per la seconda volta, diffondendo la certezza – com'è giusto che sia – che l'ultima parola sarà sempre sua. Antonio esplode: «Guarda che qui non sei più all'Udinese, dove tutti stanno zitti, questa è casa mia». Ma è una sortita che non produce effetti: il volume resta basso, Cassano perde i gradi di vicecapitano e la squadra capisce che certi comportamenti non saranno più tollerati. L'allenatore vince su tutta la linea e Antonio decide definitivamente che è ora di andarsene, anche perché i tifosi, fischiandolo alla prima occasione, fanno subito capire quale parte abbiano scelto. Fra noi è nuovamente un periodo privo di calore, e quindi non mi sollecita un consiglio sul da farsi né io prendo l'iniziativa di parlargli. L'autunno è un pianto di frecciatine e tensioni, ma intanto la squadra prende forma ed è evidente a tutti come la strada imboccata sia finalmente quella giusta. Antonio ne resta ai margini, finché a gennaio le voci ricorrenti sul Real Madrid prendono forza, e un brutto giorno lo troviamo nello spogliatoio a vuotare l'armadietto.

È un brutto giorno, sì. Vissuto da tanti come una liberazione, perché un Cassano arrabbiato è anche un enorme problema di tranquillità del gruppo, ma che a me provoca un profondo dispiacere. Sento su di me il peso di un fallimento. So bene che la gran parte delle responsabilità non è mia, ma la cosa mi addolora ugualmente perché ho avuto per alcuni anni al fianco il compagno sempre sognato, e il puro richiamo del mio talento – che l'aveva indotto a scegliere la Roma fra tante pretendenti – non è bastato per trattenerlo. Tecnicamente Cassano è insostituibile, niente sarà più come prima, ma da questo punto di vista confido che Spalletti sappia trovare una soluzione (e infatti la troverà). Umanamente medito con amarezza sul capitale sprecato di un rapporto passato addirittura per la condivisione di una casa e, per certi versi, di due genitori; al funerale di Franco Sensi, Antonio si avvicinerà a mia madre per abbracciarla e lei – ancora offesa per certe modalità della nostra "separazione" – lo respingerà, per confessarmi subito dopo di esserci stata malissimo, a non poterselo stringere al petto come avrebbe desiderato. Una volta rifatta la pace, sarà una donna felice.

Ridiamo tutti moltissimo, a Trigoria, nel seguire in diretta la presentazione di Antonio al Real Madrid, perché l'improponibile pelliccia che indossa al cospetto dell'impeccabile abito da sartoria del vicepresidente, il grande Emilio Butragueño, è il simbolo di ciò che il Real, senza saperlo, si sta mettendo in casa. Per carità: in campo Antonio è perfettamente in grado di giocare al fianco di Ronaldo, Zidane, Raúl o Robinho. È il suo impatto nell'ambiente più tradizionale del mondo a lasciarci un po' perplessi... Dopo qualche mese di silenzio, comunque, filtrano le prime dichiarazioni in sala stampa, poi le prime interviste, e nei miei confronti Antonio è sempre splendido, come del resto sono io quando qualcuno mi chiede un'opinione sul suo conto. La stima professionale è incancellabile da entrambe le parti, e sull'onda di questa comincia a rinsaldarsi un po' l'antico rapporto umano. Di certo per un anno e mezzo seguo i risultati del Real Madrid con un certo trasporto, e quando Antonio rientra in Italia, in un club che mi è sempre stato simpatico come la Sampdoria, sono contento di vederlo contento. In realtà continua a procurarci dei guai anche a distanza: nei libri che scrive in quegli anni con Pierluigi Pardo compaiono storie di donne fatte entrare di notte a Trigoria che nessuno di noialtri ha mai visto. Ugualmente, spiegarlo alle nostre mogli non fu semplice per nessuno. Per fortuna la compagna giusta stava per arrivare anche per lui: Carolina è una donna intelligente, e tosta abbastanza per farlo ragionare anche quando non ne avrebbe voglia. Non a caso da quando sono sposati si sono moltiplicate le interviste nelle quali Antonio manifesta il suo rimpianto per ciò che si è perduto lasciando la Roma. Per ciò che ci *siamo* perduti, aggiungo io.

In campo ci si rivede molte volte, ma quella che conta è una: la partita stregata per eccellenza della mia carriera, Roma-Samp 1-2 del 25 aprile 2010. È la giornata numero trentacinque, da due turni abbiamo sorpassato l'Inter in vetta, il nostro cammino sembra ormai uno scivolo verso lo scudetto. L'ultimo ostacolo di una certa difficoltà è appunto la Samp all'Olimpico e in settimana – come sempre succede in questi casi – gli inviti e le battute dei compagni si sprecano, «Telefona a Cassano», «Ricordagli la vecchia amicizia» e così via. Naturalmente me ne tengo ben lontano, ma quella domenica, mentre mi sto facendo massaggiare prima del match, è proprio Antonio a bussare alla porta dello stanzino. Sapeva dove trovarmi. Siamo solo noi due e il massaggiatore. Scoppiamo entrambi a ridere.

«Ahó, nu' rompe le palle» gli dico, e sono parole generiche, riferibili a tutto, a partire dalla sua presenza lì nei minuti che precedono la partita.

«Non posso, dai» risponde con una smorfia allegra, «ci giochiamo la Champions e dobbiamo vincere.»

Gli rispondo che lo so benissimo, e che mi spiacerà dar loro una delusione. Ci salutiamo mandandoci vicendevolmente a quel paese con un largo sorriso, e penso a quanto sia stato bello questo breve intermezzo nel quale ci siamo giurati battaglia come deve essere, ma con un profondo rispetto di fondo. Antonio si è sentito in dovere di venirmi a dire che farà di tutto per batterci: non ne dubitavo, ma interpreto la sua visita come un omaggio alla nostra storia.

E succede, maledizione. In realtà il vero protagonista della partita è Storari, perché la sua è una delle più grandi prestazioni di un portiere cui abbia mai assistito. Di certo però, dopo il mio gol del vantaggio nel primo tempo, a inizio ripresa Cassano disegna un cross semplicemente meraviglioso per Pazzini, che di testa non perdona. Non è una vendetta, come commentano in tanti. È soltanto il destino che si compie: trovandosi di fronte una squadra molto forte, Antonio innalza il suo livello di gioco di quanto occorre per superarla. Mi sorprendono e mi abbattono le parate di Storari, non la giocata di Cassano. Se non l'applaudo è soltanto perché comincia a sfilarci uno scudetto dalle mani – Pazzini completerà l'opera negli ultimi minuti – e il rosicamento è a mille. Ma lo meriterebbe.

Un quarto d'ora dopo la fine del match, quando sono ancora steso sulla panca dello spogliatoio a chiedermi come sia stato possibile buttare il titolo così, mi si presenta davanti Antonio. Ridacchia. «Te l'avevo detto.» Gli altri lo guardano come se fosse un ufo, a parte De Rossi e Perrotta – che scuotono la testa – è tutta gente arrivata dopo il suo addio. Forse si aspettano che, di fronte a quella contentezza perlomeno inopportuna, io gli metta le mani addosso, e ammetto che per un lungo attimo la tentazione mi viene. Poi, piano piano, mi si fa chiaro che davanti ho il solito Antonio, quello che ho amato come un fratello. Un uomo puro, spontaneo ai limiti dell'autolesionismo. Capace di venire a rallegrarsi per una bella vittoria in uno spogliatoio funereo per la sconfitta decisiva, ma senza alcuna malizia o mancanza di rispetto. Semplicemente, non capisce la situazione. Visto che non lo tocco io, nessuno si azzarda a farlo. «Ciao Antonio, ci si vede.»

«Ciao, ciao.» Esce quasi sorpreso dalla brevità del mio congedo.

Immergeva il dito nel mio caffè per mescolare lo zucchero, questo lo divertiva un sacco. Invece si arrabbiava quando qualcuno faceva uno stop a due metri: «Giochi in serie A, non puoi essere così scarso». Ogni mattina dovevi farti il segno della croce, perché avrebbe combinato qualcosa per sconvolgere la pace dell'allenamento. Faceva le corna agli arbitri, ed era raro che la prendessero bene. Adesso che si è ritirato anche lui, e ci vediamo alle partite di beneficenza, Antonio mi racconta che al mattino si dedica al tennis e al pomeriggio – quando Carolina va all'allenamento di pallanuoto – passa le ore a giocare con i figli ed è felice.

Presto gli racconterà di quando eravamo Batman e Robin.

8

6 unica

La palla risale rapidamente il campo sulla catena di sinistra, portata da Candela, e quando arriva a Montella siamo ormai sulla trequarti laziale. Vincenzo mi scorge con la coda dell'occhio e me la appoggia per poi scattare verso l'area, dettandomi il passaggio di ritorno. Ma di gol ne ha già segnati quattro, è una serata che non dimenticherà mai, può fare a meno di quell'ultimo pallone. Serve a me.

È il 10 marzo 2002. Mancano venti minuti alla fine del derby più squilibrato della mia carriera. Stiamo vincendo 4-1, con quattro gol appunto dell'indiavolato Montella, e una volta blindato il successo ho una missione personale da compiere. Me la posso permettere: il primo gol nasce dal colpo di tacco col quale libero Candela al cross vincente, il secondo da una respinta del portiere sul mio tiro, il terzo da una punizione che metto sulla testa di Vincenzo. Insomma, mi sono guadagnato il diritto di pensare un po' agli affari miei. Affari di cuore. Vedo che Angelo Peruzzi – povero malcapitato amico mio – è avanzato di qualche metro rispetto alla linea di porta, e decido in un lampo di provare il pallonetto. Se deve essere uno dei gol più importanti della mia vita, vediamo di farlo bellissimo. Scavo col destro sotto al pallone per arcuare al massimo la parabola, quel che ne esce è un arcobaleno di venti metri che sorvola Angelo senza dargli alcuna chance di intervento, e poi si abbassa per entrare in porta appena sotto la traversa. Sì, mi è riuscito un capolavoro. Ne avevo bisogno. Adesso devo "trovarla" in tribuna Monte Mario; più o meno so dov'è, la direzione verso cui esporre la maglietta dovrebbe essere questa.

E dire che quella domenica era iniziata proprio male. Silvia, la sorella maggiore di Ilary, mi aveva avvisato che l'invito al derby era verosimilmente destinato a cadere nel vuoto. Ilary era rimasta a Milano col fidanzato, la maglietta con dedica che avevo preparato assieme ad Angelo e Giancarlo non sarebbe quindi uscita dal cassetto, e il mio umore era pessimo perché non sapevo come comportarmi. Le mando un messaggino? E se poi ottengo l'effetto opposto? È inutile, sento che come mi muovo sbaglio. Vorrei avere qui ora, davanti a me, tutti quelli che dicono «Per i calciatori è facile, le donne cadono ai loro piedi». Avanti, datemi un consiglio visto che pensate sia così semplice. È normale che in determinate circostanze essere il capitano della Roma aiuti: ma quando incontri la ragazza speciale, quella che ti fa tremare le gambe soltanto a parlarci, saltano tutte le marcature. Sei un innamorato ansioso come qualsiasi altro ragazzo, e quando le cose non vanno nella maniera che avevi preparato ti trovi a dover gestire l'emergenza. È la domenica mattina di un derby in notturna, e io ho in testa soltanto Ilary. Che faccio?

Amore a prima vista. Proprio così, "vista": nel senso che la prima volta in cui mi capita di vederla in tv, a *Passaparola*, resto a bocca aperta. «Mamma mia quanto è bella» dico ad Angelo e Giancarlo, e loro subito concordano informandomi che la ragazza si chiama Ilary Blasi ed è romana. Sono anni in cui la televisione è piena di show a tutte le ore, il famoso *Non è la Rai* – chiuso qualche tempo prima – creava ingorghi incredibili fuori dallo studio di registrazione, i ragazzi (e molti calciatori fra questi) letteralmente sbavavano per le giovanissime di Boncompagni. Insomma, quella tra sportivi e showgirl era una complicità naturale.

Il colpo di fulmine con Ilary arriva qualche tempo dopo la fine della storia più importante che avevo avuto prima di lei, quella con Maria. Era stata una chiusura abbastanza serena, senza particolari sofferenze né da una parte né dall'altra, ma il fatto che avessi infilato qualche prestazione mediocre aveva contribuito a montare un caso assurdo, con i tifosi che imputavano a Maria, e ai suoi eventuali nuovi accompagnatori, la responsabilità del mio scadimento di forma. In quel periodo inoltre un attore romano, Massimo Giuliani, aveva elaborato una mia imitazione nella quale non facevo una gran figura – sarei un bugiardo se dicessi che mi piaceva – ma che certo non mi toglieva il sonno. Anche lui, però, era finito nel mirino di qualche tifoso un po' troppo preoccupato della mia serenità. Ecco, questo è l'aspetto più antipatico della popolarità: il fatto che qualcuno che non conosci, agendo in tuo nome senza che tu abbia detto mezza parola, possa molestare altre persone. Quelle due esperienze mi fecero pensare, e da allora ho moltiplicato l'attenzione a ciò che dico, specie nelle situazioni polemiche. Troppo amore può avere anche dei risvolti pericolosi.

Quando vedo Ilary a *Passaparola*, insomma, sono sentimentalmente libero. La sua è una situazione più complessa, perché a settembre si è trasferita a Milano per fare la "letterina" da Gerry Scotti durante la settimana e, una volta al mese, *Buona Domenica* con Maurizio Costanzo. Cresciuta al quartiere Portuense in una famiglia laziale per parte di padre e romanista per parte di madre, a vent'anni ha deciso il grande salto nella capitale della televisione commerciale. E a Milano, in quei primi mesi, si è pure fidanzata. Ignaro di tutto, appena la vedo in video dico «Voglio sposarla», e devo essere molto convincente se è vero che Angelo e Giancarlo cominciano subito a studiare come. Naturalmente Ilary è conosciuta nel giro della gioventù romana che gravita attorno allo sport e allo spettacolo: l'aggancio che trovo si chiama Alessandro Nuccetelli, che fa il pierre per eventi e locali, e quando gli chiedo di Ilary mi presenta subito Silvia. Le devo molto, perché comincio a tormentarla per conoscere Ilary e lei, anziché mandarmi al diavolo, mi asseconda. Le racconta che ha incontrato un calciatore famoso molto preso da lei, e davanti al suo disinteresse insiste – «Almeno fattelo presentare» – finché non acconsente. Ilary passa un weekend a Roma ogni due settimane, l'occasione buona arriva a inizio gennaio, in un pub sulla Nomentana dove suonano i Ragazzi Italiani. Ci vado pieno di speranze, ma il primo contatto è abbastanza infelice, il suo gruppo è reduce da una festa e lei è furiosa perché ha perso il telefono. Il volume della musica è molto alto, Ilary si fa prestare i cellulari degli amici per chiamare di qua e di là alla ricerca del suo, quando Silvia riesce a isolarci un attimo ci limitiamo a stringerci la mano, piacere-piacere, e capisco che non è la sera giusta per conoscersi un po' di più. Devo accontentarmi.

Un paio di giorni dopo Alessandro mi dà il numero di Ilary, precisando che lei l'ha autorizzato a darmelo, e questa è la seconda buona notizia. La prima è che lei, del tutto distante dal calcio, ha un'idea molto vaga di chi io sia e soprattutto di cosa rappresenti, e questo è un sollievo perché in qualunque direzione si svilupperà il nostro rapporto, sento che sarà sincero. Le mando un sms molto tranquillo – tipo «Ciao, sono Francesco» – e lei mi risponde in modo altrettanto garbato. E distaccato. Non proseguo subito, non voglio mostrarmi assillante, ma dopo un po' riparto chiedendole se nel weekend successivo tornerà a Roma (che poi il weekend non è esattamente la mia finestra di tempo più libera, ma questo glielo avrei spiegato successivamente). Ci si accorda per fine gennaio, e poi per fine febbraio: in entrambe le occasioni usciamo in gruppo, e a fine serata accompagno a casa Ilary e Silvia, che è un po' complice mia e un po' guardia del corpo sua. Non che ce ne sia bisogno: se già normalmente sono timido, figuratevi con la ragazza della quale mi sto innamorando. Ilary non è soltanto bellissima: è intelligente, simpatica, molto quadrata pur avendo solo vent'anni, direi seria. Diversa da tutte, ecco. Così diversa da farmi vivere con profondo imbarazzo gli incontri casuali nei locali con altre donne. Parliamoci chiaro: spesso quelle che non vedono in me la persona ma il personaggio – capitano della Roma, protagonista in tv e sui giornali – manifestano il loro apprezzamento in modo molto esplicito. Perciò, quando succede in presenza di Ilary, la mia prima reazione è stizzita, "Adesso penserà che se fossimo fidanzati, dovrebbe stare sempre sul chi vive". Tempo dopo infatti, a storia ormai decollata, mi confesserà che il suo dubbio era stato esattamente quello ("Ma quando io sono a Milano, questo che fa?").

Arriviamo così al 10 marzo. Le sensazioni sono buone, la confidenza con Ilary è cresciuta e anche lei mi pare contenta quando passiamo del tempo insieme. Del fidanzato milanese non parla mai, così mi allargo e, a metà settimana, le chiedo se mi permette di invitarla allo stadio a vedere il derby. Ovviamente le preparerei l'intero tragitto, per chi non è mai stato all'Olimpico la prima partita può essere uno choc organizzativo – figuriamoci se è un derby: lei si dice dubbiosa ma non si nega, e io lo interpreto come un sì rimandato. Insomma, una storia da liceali con progressi e ritirate, speranze e docce fredde, piani complicati e brusche frenate. O pensavate davvero che gli amori tra calciatori e showgirl fossero quelli patinati delle riviste di gossip?

Il sabato arrivano in ritiro Angelo e Giancarlo, e assieme confezioniamo le t-shirt da vestire in partita sotto la maglia giallorossa. Ne prepariamo due, una per il primo tempo e una per il secondo. Devo mandare a Ilary un messaggio chiaro, e "6 unica" mi pare inequivocabile. Da lei. Siccome i giornalisti, nell'eventualità che riesca a mostrarla, pretenderanno una spiegazione, potrò sempre tirare in ballo la Roma, la squadra o la tifoseria. Insomma, meglio mimetizzarla: non siamo nemmeno fidanzati, devo stare attento a non tirarle addosso mezza città. Tutto sembra andare per il meglio quando arriva il primo stop, ovvero un messaggio dove Ilary ribadisce – ma ormai siamo a sabato sera – che molto probabilmente non potrà venire. Messaggio bissato la mattina dopo dall'avviso di Silvia, e il morale mi finisce sotto le scarpe. Siamo all'ora di pranzo, anzi al riposo in camera dopo aver mangiato. Trigoria è immersa nel silenzio, ma di prendere sonno non è nemmeno il caso di parlare. Disteso sul letto giocherello col telefono come se dovessi ingannare anche me stesso, alla fine non resisto più e digito il messaggio più neutro che mi venga in mente.

«Come stai?»

«Tra un po' vado in stazione.» La risposta è immediata, e sul momento non collego. Parte?

«Dove vai?»

Breve silenzio. Il messaggio successivo me lo immagino pronunciato in tono spazientito.

«Ma come dove vado? Vengo a Roma da te, non mi hai invitato allo stadio?»

Per descrivere il mio stato d'animo alla notizia, diciamo che salto sul letto da fermo rischiando seriamente di battere la testa contro il soffitto. Sta venendo a Roma! Ilary sta venendo a Roma! Calma, calma. Ragioniamo.

«A che ora arrivi a Termini?»

«Alle sei.»

«Mando il mio amico Massimo a prenderti con la Vespa, se hai bisogno di passare da casa ti aspetta giù e poi ti porta all'Olimpico. Tanto lui sa dove ritirare i biglietti.»

Il dialogo via sms si interrompe, la chiamo perché ho troppa voglia di sentirla, lei è in taxi diretta alla stazione centrale di Milano. Vorrei dirle che le dedicherò un bel gol, ma non faccio mai promesse che non sono certo di poter mantenere: metti che la partita finisca male… In realtà, una volta rassicurato sulla presenza di Ilary, e dopo aver sentito Massimo per organizzare il trasporto, posso finalmente concentrarmi sulla gara. In classifica abbiamo quattordici punti più della Lazio, ma il derby è sempre il derby.

Be', non quella sera. Correndo verso la tribuna Monte Mario alla ricerca del viso di Ilary – Angelo e Giancarlo la sollevano per farmela scorgere, ma sinceramente più di un gruppetto indistinto non riesco a vedere – penso che una congiunzione astrale più felice non si poteva verificare. Roba da allineamento dei pianeti: un gol meraviglioso dentro a una vittoria storica, tutto per la sua prima volta allo stadio. La scritta "6 unica" ovviamente tiene banco nel dopogara, e i giornalisti che mi conoscono da più tempo qualcosa devono intuire, perché la mia urgenza di andarmene è davvero evidente. «Unica è la Curva Sud» dico.

«Ma eri rivolto verso Monte Mario...»

Arrivederci alla prossima.

Quella notte facciamo festa tutti assieme, ma prima di portare Ilary a casa mi assicuro che la sera dopo sia soltanto per noi due, e lei accetta. Programma classico: prima al Cineland di Ostia a vedere un film horror davvero orribile, e non scherzo (siamo entrambi amanti del genere, ma quello proprio non si poteva seguire: difatti non ne ricordo nemmeno il titolo), poi per fortuna saliamo di livello andando a cena al Fungo, all'Eur. È la sera del primo bacio, 11 marzo 2002: Ilary mi racconta che ci pensava da un po', e che il giorno prima, decidendo in extremis di venire a Roma, ha praticamente piantato il fidanzato. Io lo desideravo dal giorno in cui l'avevo vista per la prima volta, in tv. Siamo entrambi molto contenti, ma a lei fa strano lo stereotipo di coppia che incarniamo: «Ma ci pensi? Siamo il calciatore e la velina, quanto di più banale esista oggi in Italia».

«E allora rendiamolo speciale noi» le dico per convincerla.

Non mi devo sforzare troppo, anche lei ha voglia di

provare. Vediamo entrambi il grande amore negli occhi dell'altro, ed è una sensazione che ci accompagna da allora. Sono così felice che se qualcuno mi chiedesse dov'è la Roma in classifica non saprei rispondere, e continuerei a fissare Ilary negli occhi, sognante. E sì che dopo il derby siamo tornati in testa...

La storia è subito travolgente, una necessità perché essere la mia fidanzata a Roma non è semplice, e oltre al sentimento occorre un grande slancio per reggere l'urto. A quel tempo vivevo già abbastanza ritirato, frequentando sempre gli stessi posti selezionati, quelli dove riuscivo ad appartarmi senza dare troppo nell'occhio. Con Ilary la vita "si riapre", anche perché lei fa parte del mondo dello spettacolo e quindi ha i suoi circuiti da percorrere. Ma se finiamo in zone non protette, diventa dura: lei resta sbigottita, per esempio, dalla gente che mi vede e cerca di toccarmi il piede destro come fosse una reliquia, che scoppia a piangere senza ritegno mentre io provo a rincuorarla, che vorrebbe scattare una foto ma siccome la mano trema facciamo notte, che si lancia a peso morto sul cofano della macchina per salutarmi dal parabrezza. Tutte situazioni "normali" per me, che ci faccio i conti da anni, ma assurde per chi mi sta accanto. E fosse soltanto questo.

Succede più di una volta, e sono le storie che amareggiano di più. Ilary e io siamo distesi sul divano a guardare un film nell'appartamento che ho comprato in via Amsterdam, al Torrino, quando le squilla il cellulare. È una sua amica, o meglio una conoscente, perché gli amici certe schifezze non le fanno.

«Devo dirti una cosa antipatica, ma non posso tacerla: mi hanno appena segnalato che dieci minuti fa Francesco era al Gilda a fare lo scemo con una.»

Ilary è gelida: «Segnalazione sbagliata: Francesco è qui a casa con me, da almeno due ore» e mette giù mentre quella comincia a farfugliare qualche scusa per recuperare la figuraccia. Sì, l'invidia che una coppia come la nostra può generare fa spavento, e anche tristezza.

La prima trasferta insieme è piuttosto importante: in Giappone, per il Mondiale 2002. Non che lei scoppi dalla voglia. Ma quando le dico che non ce la faccio a starle lontano più di un mese, acconsente. Fra l'altro deve sobbarcarsi un tour de force mica male, visto che il viaggio da Roma a Tokyo è inframmezzato da uno scalo alle Seychelles, dove l'aspetta un servizio fotografico per un olio abbronzante. Quel Mondiale è un incubo non soltanto in campo, ma anche nella logistica: a parte i permessi dopo le partite – ma non siamo certo in luoghi turisticamente apprezzabili – riusciamo a vederci solo per una ventina di minuti al giorno nelle hall degli alberghi, e dopo un po' Ilary mi fa capire di averne abbastanza. Non ha niente da fare, a parte evitare i giornalisti che vorrebbero strapparle chissà quale scoop. Torna a casa quando la Nazionale, esaurite le gare del girone in Giappone, si sposta in Corea per quello che sarà un passaggio molto breve. Tempo una settimana e siamo nuovamente insieme, stavolta in vacanza.

La percezione che la storia sia molto seria è immediata, e infatti si comincia presto a parlare di matrimonio. Una prima data di massima viene fissata per il 2004, ma qui inizia il dibattito perché io sono un ragazzo all'antica, e alla prospettiva delle nozze unisco la domanda fatidica: quando saremo sposati lascerai la tv?

Confesso di vergognarmene un po', adesso, perché è una richiesta fuori dal tempo e l'esperienza dimostra che Ilary, pur lavorando in un settore molto duro e competitivo, sta crescendo tre figli in maniera magistrale. Fra l'altro è molto più ferma e severa di me, che a furia di giocarci a volte sembro un fratello maggiore... Comunque, quando il ragazzo all'antica discute con la ragazza moderna, finisce sempre per vincere la seconda. Non per sfinimento, ma perché la vita insieme giorno per giorno ti insegna quanto conti la persona a prescindere dalla sua professione. In questo senso è simbolico, e insieme prezioso, un lunghissimo viaggio Milano-Roma che facciamo in Smart. Dopo due anni lontana da casa, Ilary si è decisa a tornare a Roma: per le nostre prospettive, e perché ormai è sufficientemente lanciata per decidere lei i suoi lavori. Spedisce i bagagli per il mini-trasloco, ma sul treno non trova posto per la macchina che s'era presa per girare Milano. «E che problema c'è, guido io» le faccio, ed è un viaggio interminabile, tenero, romantico e divertente, con la gente che ci osserva stupiti – una Smart in autostrada non è frequente – e quando ci riconosce comincia a suonare il clacson all'impazzata. Ogni tanto telefona mia madre, chiede dove siamo.

«A Piacenza!» le grido, dando un occhio al primo cartello.

«Ancora lì? Ma sarete partiti da due ore!»

«Ehm mamma, chi va piano va sano e va lontano.»

E giù risate.

È deciso, ci sposiamo il 19 giugno del 2005. Cominciano i preparativi, vogliamo fare una cosa in grande che unisca i molti amici che abbiamo alla gente che certamente vorrà esserci, per affetto o anche semplice curiosità. Amiamo entrambi la basilica dell'Aracoeli, e quindi la scelta della chiesa è facile. Sky si offre di mandare in diretta l'evento, e l'accordo è presto trovato sulla base di un compenso che devolviamo interamente in beneficenza. Sulla strada della cerimonia incontriamo due soli problemi. Il primo è meraviglioso: a marzo Ilary scopre di essere incinta, e in mezzo a tanta felicità va gestito il contrattempo di dover rifare i due abiti del giorno fatidico, quello di nozze e quello per la festa: se ne occupano i sarti di Armani, Ilary deve rifare tutte le prove, ma siamo emozionati come due adolescenti.

L'idea di diventare padre è semplicemente eccitante, come il modo in cui apprendo la notizia. A marzo abbiamo entrambi un paio di giorni liberi, e decidiamo di passarli in montagna, a Roccaraso. Salendo in macchina, vedo che Ilary appoggia sul cruscotto una busta bianca con il logo della sua farmacia. Non dico niente, non ho sospetti anche se ci eravamo detti che sarebbe stato bello allargare subito la famiglia. Facciamo un po' di chilometri chiacchierando di varie cose, poi lei mi chiede di fermarci a un'area di servizio perché ha bisogno del bagno. Io l'aspetto in macchina, lei ci mette qualche minuto, per ingannare il tempo prendo la busta della farmacia e la apro per vedere che c'è.

Il test di gravidanza. Positivo. Brividi. Comincio a tremare. Dentro la testa mi esplodono i fuochi artificiali. La botta più intensa, più bruciante della mia vita. Resto un po' lì, inebetito da un'emozione che si sta rapidamente trasformando nella gioia più assoluta. Richiudo la busta e la risistemo sul cruscotto, cercando di ricordare la posizione esatta. Non so cosa dire. Ilary ritorna, ripartiamo, per qualche chilometro nessuno apre bocca ma con la coda dell'occhio ognuno indovina il sorriso dell'altro.

«Cosa c'è nella busta?»

«Guarda tu stesso.»

«Ma sto guidando. Dimmelo te.»

«Sorpresa. Devi aprirla tu.»

Io mi giro. Lei si gira. Scoppiamo a ridere insieme, e non ci si ferma più. Senza parole: soltanto una lunga, tenera, dolcissima risata. Poi lei si avvicina per darmi un bacio, e io le dico «Piano, stai attenta, siamo in tre in macchina». Indimenticabile.

Avevo detto di due problemi. A differenza del primo, che è un sogno, il secondo è un incubo. Si materializza nella famosa intervista a «Gente» in cui Flavia Vento sostiene di aver passato una notte d'amore con me a casa sua. È tutto falso, ma come sempre succede in questi casi prima gira la voce che sia in arrivo la polpetta avvelenata e poi, una volta uscita e smentita la notizia, si inizia a dire che la storia contiene troppi particolari perché sia stata inventata. Dev'essere vera. In base a questo discorso, allora, ogni romanzo, ogni film dovrebbe riguardare qualcosa di realmente accaduto: nelle fiction i particolari abbondano... La verità è che io conosco la Vento una sera in cui Ilary non c'è, a un evento sulla Tuscolana: per pubblicizzare un nuovo modello di condizionatori vengono invitati alla festa calciatori e showgirl, il solito mix delle serate romane. Lei mi viene presentata, è una ragazza carina, parliamo qualche minuto e poi, come succede in queste situazioni piene di gente, ci separiamo perché sia lei sia io abbiamo incrociato nuove persone da salutare, e per quella sera non ci vediamo più. La settimana successiva sono con gli amici al Prado, ristorante di Trastevere, quando Giancarlo e Angelo mi segnalano che a un altro tavolo c'è una ragazza che sta cercando di attirare la mia attenzione. È la Vento. Saluti e sorrisi da una parte all'altra della sala, voglio dire senza alzarsi per venirsi incontro, poi ciascuno si dedica alla propria compagnia. Andando via c'è un'altra serie di saluti da lontano, e stop. Me ne vado a casa a dormire. Ecco, nella sua versione quella è la notte incriminata.

L'intervista inquieta molto Ilary, com'è normale

che sia: ha scoperto recentemente di essere incinta, mancano poche settimane al matrimonio, non è un buon momento per gestire le infedeltà del quasi marito. Soprattutto se ci fossero. Io invece le spiego per filo e per segno i miei due contatti con la Vento, che poi sono quelli appena raccontati, e la prego di credermi perché è la mia parola contro la sua, e per lei la mia dovrebbe valere di più. Infatti Ilary mi crede, e la storia sarebbe finita se qualche giorno dopo Fabrizio Corona non telefonasse a Vito per dirgli che esiste una seconda parte dell'intervista, più dettagliata, unita ad alcune fotografie compromettenti. Lui è pronto a venderle a «Gente» per cinquantamila euro, ma se volessimo ritirare tutto dal mercato per la stessa cifra non avrebbe problemi a darcele. A noi la scelta. Vito riceve la telefonata mentre è al Campidoglio, a preparare il piano di sicurezza per il matrimonio. Si consulta con mio fratello Riccardo, perché loro due gestiscono il conto bancario aperto proprio per le nozze, e insieme decidono di pagare a prescindere dalla mia estraneità alla storia: giudicano che in quei giorni la precedenza spetti alla tranquillità di Ilary, qualsiasi cosa possa turbarla va cancellata. Si consigliano anche con Maurizio Costanzo, che del mondo dell'informazione sa tutto e mi è vicino dai tempi dei libri di barzellette.

Io vengo avvisato dell'accordo soltanto a pagamento avvenuto, e la cosa non mi piace per niente perché non ho nulla da nascondere: non a caso, al dunque Corona consegna a Vito un dattiloscritto firmato dalla Vento nel quale ci sono ben poche novità rispetto alla prima parte dell'intervista, e nessuna fotografia. L'evidenza del bluff.

Due anni dopo il mio caso verrà valutato all'interno dell'inchiesta "Vallettopoli", ma archiviato perché quella manifestata da Corona era stata una disponibilità priva di minacce, e quindi non un'estorsione. La differenza è sottile, ma ciò che mi interessa è uno degli accertamenti compiuti dalla polizia durante le indagini: quella famosa notte incriminata il mio telefono non risulta mai agganciato alla cella della zona in cui abita Flavia Vento. Spero proprio che questo particolare inedito tolga di torno i dubbi residui.

È in quel periodo che dedico a Ilary una nuova esultanza, il dito in bocca, destinata a diventare definitiva. A lungo si è pensato che fosse un modo per segnalare i figli in arrivo o, dopo le loro nascite, la tenerezza dei primi passi. Non è così. Quando Ilary si concentra, perché legge la scaletta di un programma oppure studia il menu per la mia festa di compleanno, il dito le torna in bocca proprio come quando era bambina. Non se ne accorge nemmeno, è il gesto più "suo" in assoluto perché evidentemente viene dall'inconscio. Replicarlo dopo ogni gol – i miei momenti professionalmente importanti – è un omaggio alla donna che mi ha cambiato la vita. È un modo per dirle che continuo ad amarla come quando la vidi in tv la prima volta restando senza parole, o come quando decisi di non restituire una palla a Montella, perché dovevo costruirci il nostro futuro.

9

No, gracias

Una delle partite della Roma più belle di questi venticinque anni è la Supercoppa del 19 agosto 2001. Da freschi campioni d'Italia è la prima volta che giochiamo con lo scudetto sul petto, e il particolare conta perché funziona da iniezione di richiamo dell'enorme dose di entusiasmo prodotta (e consumata) a giugno. Quello che i nostri detrattori sostengono con inutile sarcasmo è del tutto vero, il titolo viene festeggiato ogni giorno di quella lunga e calda estate; ma la prima uscita ufficiale con le maglie da campioni diventa ben presto l'evento più atteso per una città che ha imparato a convivere con la febbre da vittoria, e se la gode moltissimo. L'avversaria è quella che speravamo, la Fiorentina (per la quale avevamo tifato nella finale di Coppa Italia contro il Parma), perché è una delle squadre che ci ha battuto in campionato e abbiamo voglia di rivincita. L'Olimpico è colmo come il giorno dello scudetto, in tribuna vedo facce che normalmente sarebbero ancora al mare, e invece si sono tutte catapultate in città, malgrado la canicola, perché perdersi una partita di quella Roma è semplicemente inconcepibile.

Io sto facendo da giorni le prove a Trigoria per alzare la coppa, che tutti mi dicono essere piuttosto pesante. Pradè e Bruno fanno i saputelli e mi consigliano un supplemento di palestra per reggere il compito, il che descrive la piacevolezza del clima. In effetti, la partita è quasi il meno; nel senso che stiamo talmente bene – ci troviamo a occhi chiusi – che con la Fiorentina giochiamo al gatto col topo. La prestazione mostruosa è di Candela, che segna l'1-0 con un gran tiro di destro da venticinque metri e innesca il mio 3-0 con un'altra botta dalla distanza: Taglialatela non trattiene, io gli scucchiaio la palla oltre il corpo a terra con un tocco sotto molto snob. Ma la vera raffinatezza di una partita che potrebbe finire anche 6-1 è la rete del 2-0, un mio passaggio a palombella che Montella, dal limite dell'area, colpisce di sinistro con suprema pulizia. Uno di quei gol che ti fanno dire «Quest'anno non ce n'è per nessuno».

Peccato che non vada esattamente così. Partiamo con due pareggi e una sconfitta – a Piacenza, ci fa gol Di Francesco che è appena stato ceduto – e tutto si mette subito in salita. Considerata la premessa, sarà una rincorsa continua ma singhiozzante, nel senso che non ci sarà verso di trovare la continuità della stagione precedente. È un campionato talmente strano che per alcune domeniche lo comanda il Chievo, nella cui porta è finito Lupatelli: siamo noi, subito prima di Natale, a stoppare con un 3-0 al Bentegodi le sue ambizioni d'alta classifica. Succede così di arrivare in testa all'ultima giornata d'andata – siamo nuovamente campioni d'inverno –, di tenere la posizione alternandoci con l'Inter fin quasi alla fine, di buttare via tutto nello scontro diretto, ma anche e soprattutto nell'assurdo pareggio di Venezia, quello dei due rigori a favore. È il primo dei due scudetti mancati in quegli anni – il 5 maggio vince la Juve – pur essendo probabilmente la squadra migliore.

La verità è che le energie di Batistuta, straordinario protagonista dello scudetto ma a prezzo di sofferenze inaudite, si stanno spegnendo. Gabriel dura ancora il girone d'andata, ma il suo è un calvario: dal lunedì al giovedì si sottopone alle infiltrazioni al ginocchio, il venerdì fa un paio di corsette, il sabato partecipa alla rifinitura e domenica, quando se la sente, va in campo. È un lottatore e un animale da gol, ma ormai stremato: segna le ultime reti a gennaio, poi basta. Da lì in poi va benone Montella e cresce Cassano, ma nei momenti chiave non ritroviamo l'antica ferocia e chiudiamo al secondo posto.

Nella mia carriera, però, quell'annata porta con sé una novità, o meglio il trailer di un film che qualche anno dopo avrebbe assunto un rilievo da kolossal. Ma andiamo con ordine, perché la storia inizia in un giorno da incubo, l'11 settembre. Mentre gli aerei dirottati si dirigono verso il World Trade Center, le delegazioni di Roma e Real Madrid sono al pranzo ufficiale all'hotel Cicerone: è il primo martedì di Champions League, e il sorteggio ci ha messo subito di fronte alla squadra più grande del mondo in un girone che comprende anche l'Anderlecht e la

Lokomotiv Mosca. Le cose, a quanto mi hanno raccontato Rosella Sensi e Daniele Pradè, vanno così. Il primo a prendere la parola è Florentino Pérez, che si rivolge al presidente Sensi: «Caro Franco, tu sai che io sto cercando di portare al Real Madrid tutti i migliori giocatori del mondo. Per questo motivo, vorrei il tuo permesso per chiedere a Totti di raggiungerci il prossimo anno».

La reazione di Sensi è una sonora risata che lascia Pérez interdetto. «Che è? Una battuta?»

Allora lo spagnolo un po' si innervosisce.

«Nessuna battuta, nessuno scherzo. Fammi un prezzo per Totti e io te lo pagherò.»

«Ma non se ne parla nemmeno. Totti per me è un figlio, non affronterò mai un discorso che preveda la sua cessione. E non parlarmene più, per favore.»

Sull'elegante tavolata scende una cortina di gelo, ma pochi minuti dopo arrivano le prime notizie da New York, e per forza di cose nessuno pensa più al calcio. Noi siamo in ritiro, seguiamo in tv la diretta, dopo il crollo delle torri i contatti con l'Uefa diventano febbrili ma l'indicazione che arriva – assurda – è di giocare lo stesso. La sospensione delle partite scatterà solo il giorno dopo. Costretti ad andare in campo, siamo tanti fantasmi, sia noi sia loro. Perdiamo, ma nessuno ci pensa.

La risposta del presidente Sensi a Florentino Pérez è stata molto netta: non solo ha detto no, ma gli ha pure chiesto di non insistere, e in modo perentorio. Il Real però, sottotraccia, non lascia cadere del tutto la questione, anche perché io ci metto del mio segnando la rete del vantaggio al ritorno: solito schema di Candela che crossa arretrato dalla linea di fondo, e io che arrivo a rimorchio metto in porta di sinistro (pareggerà Figo su rigore nel finale). L'ideale per ingolosire ulteriormente Florentino. La pratica è affidata a Ernesto Bronzetti, un procuratore famoso molto legato al club madridista, che ciclicamente invia alla Roma segnali di disponibilità. Ma Sensi è nel suo periodo di massimo splendore: ha vinto finalmente lo scudetto, con Cassano ha acquistato uno dei migliori giovani europei, all'orizzonte vede una Roma sempre più forte e competitiva anche in Champions. E quindi si rifiuta non solo di incontrare l'emissario di Pérez, ma persino di rispondergli al telefono.

La prima tranche della storia (mancata) fra me e il Real Madrid si conclude qui, ma è soltanto il prologo. Per curiosità, però, sono andato a rivedere l'elenco dei Galattici ingaggiati da Pérez durante il suo primo periodo al Bernabéu: al ritmo di uno a stagione, aveva preso Figo nel 2000, Zidane nel 2001 e, nell'anno in cui sarei dovuto arrivare io – il 2002 – alla fine acquistò Ronaldo. Niente male come rimpiazzo. Me lo ritrovo contro all'inizio della stagione successiva, quando un sorteggio che pare organizzato apposta rimette Roma e Real nello stesso girone (Ronie gioca solo al Bernabéu). All'andata ci schiaffeggiano all'Olimpico: 3-0. Purtroppo è il periodo in cui il presidente Sensi comincia a capire di essersi spinto troppo in avanti, esponendosi finanziariamente oltre il dovuto, e frena: gli effetti sulla squadra si sentono, perché per rimanere ai massimi livelli devi rinnovare qualcosa a ogni mercato. Ma i soldi per investire non ci sono più. Infatti quel campionato, che a metà stagione vede l'addio di un Batistuta ormai spremuto, finisce proprio male: ottavo posto, a ventitré punti dalla Juve.

Se in serie A fa quello che può, Capello continua però a essere un mago al Bernabéu, stadio che è già stato suo una prima volta e che in futuro lo riaccoglierà. Al ritorno addirittura riusciamo a vincerci: finisce 1-0 con un mio gol, una strepitosa prestazione collettiva e due miracoli di Antonioli su Ronaldo. Di fronte a noi, sconfitto, c'è un Real più che galattico visto che in formazione, oltre a Zidane, Ronaldo e Figo, ci sono Raúl, Hierro, Roberto Carlos, Makélélé, Cambiasso... Una delle vittorie più preziose della mia carriera, con la chicca degli applausi a scena aperta dopo la rete, un destro volante nell'angolo, dal limite dell'area, dopo un tiro rimpallato a Montella. È una soddisfazione enorme, e immagino che in tribuna d'onore qualcuno aggiorni la propria agenda di mercato...

L'anno dopo, stagione 2003/2004, torniamo competitivi: l'investimento su Cassano sta fruttando, Panucci è diventato un leader, Chivu e il brasiliano Mancini sono aggiunte indovinate, comincia a farsi largo un certo De Rossi. E io, con venti gol, oltre al solito lavoro da regista offensivo non sbaglio un colpo vicino alla porta. Per la terza volta durante la gestione Capello siamo campioni d'inverno, sia pure in coabitazione col Milan, ma subito dopo il giro di boa arriva il passaggio a vuoto – pari in casa con l'Udinese, che ci raggiunge all'88', e sconfitta successiva a Brescia – che ci costa lo scudetto. Va proprio così, perché in quelle due giornate il Milan si prende i punti di vantaggio che non mollerà più. Poi ci riprendiamo, battiamo 4-0 la Juve nella famosa partita dello sfottò a Tudor e infiliamo anche noi una bella serie: ma il Milan non rallenta e, a tre giornate dal termine, nello scontro diretto a San Siro che potrebbe portarci a meno tre, Shevchenko segna dopo due minuti e chiude i giochi. Finisce che nelle ultime tre gare, quelle dove avremmo dovuto lanciare il grande sprint, raccogliamo un punto solo. Arriviamo ancora secondi. E Capello si infuria.

Cinque stagioni con lo stesso allenatore sono pesanti, se competi per lo scudetto e questo allenatore è uno specialista del calibro di Capello. Voglio dire che si tratta di un professionista che non solo pretende moltissimo, ma sa che dopo aver vinto per ripetersi occorre lavorare di più, non di meno come umanamente verrebbe da fare. Nessuno ha la capacità di Capello di comporre una rosa e renderla competitiva; lo accusano di essere bravo a farsi comprare i giocatori migliori – e questa è certamente una dote che possiede – ma il modo in cui sfioriamo lo scudetto quell'ultimo anno, dopo una campagna acquisti certo non faraonica, aumenta i suoi meriti. Per vincere, però, devi essere molto esigente con i giocatori, dagli allenamenti alla vita privata. E su questo, in quel periodo finale, ci sono momenti di tensione.

Io l'ho sempre aiutato, fedele al primo colloquio che avevamo avuto al suo arrivo, quello in cui mi aveva investito di responsabilità speciali in quanto capitano. L'ho aiutato e rispettato anche nei litigi, perché ce ne sono stati. Capello è permaloso, non puoi controbattere in maniera diretta a una cosa che dice, anche se ti pare sbagliata; per provare a far valere il tuo punto di vista ci devi arrivare lateralmente, altrimenti è inutile. Capello è un tuttologo, sa un sacco di cose, è colto e istruito, ma ha il difetto di voler sempre avere l'ultima parola. In volo sopra l'Europa ti dice che quella è Vienna e quell'altra Budapest in un tono che non ammette repliche, e a volte è successo che l'hostess – attenta a non farsi scorgere da lui – muovendo il dito negasse la sua indicazione. Sono i piccoli difetti connessi a una personalità molto forte, nulla di grave, ciascuno ha i suoi. Però il calcio ti propone a getto continuo momenti delicati, nei quali i difetti miei e tuoi si scontrano e la temperatura sale, rischiando a volte il fuori controllo.

Dopo l'amara conclusione di quel campionato, come dicevo, Capello è furibondo. Un paio di giorni dopo, a Trigoria, litighiamo di brutto: da una parte io, Samuel ed Emerson (sì, Emerson, che pure era portato sempre a esempio di professionista virtuoso), dall'altra il mister, che imputa ai nostri allenamenti troppo blandi gli ultimi tre risultati. «Non ci avete messo l'impegno necessario» grida, ed è un'accusa che voglio tirarmi via di dosso perché non vera: abbiamo giocato male, su questo c'è poco da contestare, ma con lo scudetto in ballo l'impegno c'è stato eccome. Siamo affranti come e più di lui, e per questo la nostra reazione è dura come le sue critiche. Siamo sgradevoli, certo. Gli diamo del chiacchierone e del falso, gli diciamo che canta *Grazie Roma* soltanto quando vede che la telecamera lo sta inquadrando. Cattiverie assortite frutto di una stagione finita male, ma nulla di trascendentale né di definitivo. Nulla che non possa venire chiarito alla ripresa dell'attività.

Il problema è che Capello se ne va molto prima della ripresa. Il 27 maggio, dieci giorni dopo la fine del campionato, la Juventus annuncia il suo ingaggio. È una notizia clamorosa: nessuno era a conoscenza della trattativa, concretizzatasi probabilmente in pochi giorni, se non in poche ore. Il mister col quale avevo litigato era però un uomo stanco della Roma, e quindi resto meno sorpreso di altri. Purtroppo non ne possiamo parlare al momento dei saluti, perché non c'è alcun saluto: il 27 maggio chi passa per Trigoria trova il suo armadietto svuotato. Capello se n'è andato, dei miei molti allenatori è l'unico col quale non c'è stato un congedo. Sul tema della "fuga notturna" vengono montate polemiche furiose. Lui l'ha sempre negata, sostenendo di aver recuperato le sue cose al mattino perché l'appuntamento a Torino per la presentazione era fissato per il tardo pomeriggio.

Sia come sia, è evidente che in quel momento non c'è una gran voglia di salutarsi, né da parte sua né da parte nostra: ne nascerebbe l'ennesima discussione. Memore di quel litigio subito dopo la fine del campionato, però, io avevo elaborato una serie di cose da dirgli, o meglio da chiarire, e mi pesa il fatto di dovermele tenere dentro.

Nei dodici anni successivi non ci siamo più parlati. Succedeva di incrociarci in campo, oppure a qualche evento; ma in entrambi scattava il riflesso di girarsi dall'altra parte, perché evidentemente i tempi non erano ancora maturi, la rottura era stata troppo traumatica. Ci siamo pure punzecchiati a distanza con interviste pepate, per dire. Di certo si è trattato di un percorso che per concludersi aveva bisogno di un'occasione speciale.

Ce la fornisce papa Francesco, nell'ottobre 2016, con la Partita della pace: della squadra in cui giochiamo Maradona e io, Fabio Capello è l'allenatore. Una stretta di mano, un sorriso, e semplicemente riprendiamo a parlare come se ci fossimo salutati il giorno prima, e non certo con un litigio. È un disgelo riscaldato poco tempo dopo da un nuovo incontro: a Dubai per un premio, nei giorni di Capodanno, ci ritroviamo allo stesso tavolo io, lui e Lippi, ciascuno con la propria moglie. Due ore serene, di calcio e risate, due ore belle perché finiscono di ricreare un rapporto che non può non rinsaldarsi. Capello e io abbiamo vinto assieme uno scudetto a Roma, impresa rarissima che inevitabilmente lega per la vita i suoi protagonisti. Certo, ci sono stati anche i dissapori, le divergenze, le litigate, come penso sia naturale in qualsiasi luogo di lavoro. Ma la grandezza di ciò che abbiamo realizzato, quella deve restare sopra tutto.

Riavvolgiamo il nastro adesso, eravamo arrivati alla brusca separazione da Capello che introduce la peggiore stagione della mia carriera, 2004/2005, quella dei quattro allenatori. Quando andiamo a Madrid a fine settembre – il sorteggio sta diventando un po' noioso – Prandelli e Völler sono già saltati, in panchina per quella gara c'è Ezio Sella mentre la società sta trattando con Delneri. Insomma, il caos. In questa bella situazione, mi avvisano che Ernesto Bronzetti è in albergo e avrebbe piacere di salutarmi. Non faccio in tempo a scendere che le mie fonti mi segnalano una discussione piuttosto animata al bar dell'hotel tra Franco Baldini, rimasto alla Roma come direttore sportivo anche dopo l'addio di Capello, e lo stesso Bronzetti. Semplicemente, l'iniziativa di venire in albergo all'insaputa di tutti ha fatto girare le scatole a Franco.

Non incontro Bronzetti né il suo assistente Giampiero Pocetta, però vengo a sapere che alla fine hanno parlato con qualcuno della società: Pérez vuole tornare alla carica, anche perché non vince niente da due stagioni, e il nome che ha scelto per proseguire la collezione di Galacticos – arricchitasi nel frattempo di Beckham e Owen – è nuovamente il mio. Stavolta, però, sa che la Roma non è più nelle condizioni di forza del 2001 ed è quindi intenzionato ad agire con altra determinazione. Quella sera al Bernabéu andiamo in vantaggio 2-0 con i gol di De Rossi e Cassano, ma il Real è un temporale che quando si scatena non ti lascia scampo: vince in rimonta 4-2 – ricordo lo splendido suggello di Roberto Carlos – e alla fine le sue stelle, da Beckham a Zidane, vengono ad abbracciarmi dicendo cose che suonano più o meno come "Abbiamo saputo che presto saremo compagni". Provo una sensazione stranissima. I migliori giocatori del mondo sono pronti ad accogliermi, e io non ne so niente.

Mentre la stagione va di male in peggio, e dopo Delneri tocca a Bruno Conti il compito di salvarci, Bronzetti passa ciclicamente per Roma annunciando l'arrivo dell'offerta ufficiale nel momento in cui la squadra si sarà tolta dalla zona retrocessione. Un tocco di classe, molto madridista. A quel punto anch'io vengo informato direttamente di quel che sta per succedere, e il giorno dopo la vittoria sull'Atalanta che ci garantisce la salvezza – siamo al 22 maggio – l'offerta arriva sul serio.

Nel 2005 devo compiere ventinove anni, ed è il periodo della mia carriera nel quale la Roma mi paga di più: 5,8 milioni di euro all'anno e diritti d'immagine interamente miei. È grazie a questi ultimi che in certi momenti di forte difficoltà del club posso permettermi di aspettare, invitandolo a pagare prima altri giocatori e, soprattutto, le persone che lavorano in società con stipendi "normali"; a me basta uno spot.

Particolare fondamentale: il mio contratto dura un altro anno, fino al 2006, il che significa che la Roma può chiedere al Real una cifra equa per il cartellino, com'è giusto che sia, ma difficilmente può dichiararmi incedibile. In linea di principio, rischierebbe di vedermi andare via a zero l'anno dopo. Rosella Sensi dice a tutti che non firmerà mai la mia cessione, e io le credo: non solo mi vuole bene, sa anche che la città si rivolterebbe. Ma accanto a lei ci sono dirigenti, da Pradè a Bruno Conti (Baldini nel frattempo è andato via), che potrebbero farla ragionare sui rischi di un'impuntatura. Insomma, il peso della decisione è essenzialmente sulle mie spalle.

Il Real Madrid mi offre dodici milioni di euro all'anno e una gestione mista dei diritti d'immagine, sia personali sia del club: in parole povere, avrei una percentuale sugli oggetti "miei" – le maglie personalizzate per esempio, o i pupazzetti con la mia faccia – e una, ovviamente minore, su tutto il merchandising targato Real. Le percentuali calano man mano che i numeri si alzano, ma una prima stima indica il potenziale guadagno in quindici milioni, persino più dell'ingaggio. Un'assoluta follia, diventerei certamente il calciatore più pagato al mondo. L'offerta è corredata dai sessanta milioni proposti alla Roma in prima istanza per il mio cartellino. In prima istanza – mi dicono – significa che il Real può salire fino a settanta senza problemi. Se fossimo in un film – e io non fossi astemio – questo sarebbe il momento in cui si dice «Ho bisogno di bere qualcosa di forte».

Sono i giorni di preparazione al matrimonio, e con Ilary abbiamo già parlato del tema Madrid: lei è disponibile a congelare per un paio d'anni i suoi impegni televisivi, commenta che sarebbe un'esperienza interessante anche se è scettica sulla mia reale volontà di trasferirmi. «Tu sei uno di quei romani convinti che fuori Roma non ci sia niente da mangiare» mi dice sempre, e un po' ha ragione. Però io m'ero fatto tutto un ragionamento sul prestigio del Real, sulla probabilità di vincere una Champions e sul sogno del Pallone d'Oro, ed ero disposto a digiunare, per quei trofei... Questo, prima che arrivasse l'offerta ufficiale. Nella quale ogni digiuno viene cancellato a priori.

Non sono per niente a mio agio, la testa mi gira. Con grande cautela introduco il tema in famiglia, con papà e Riccardo soprattutto. La risposta di papà è una chiusura netta: «Ma dove devi andare? Ma stai così bene qui...». Riccardo è più freddo: «Pensaci Checco, sono veramente tanti soldi». Chiedo consiglio anche a Pradè, andiamo a mangiare allo Scapicollo, e capisco di averlo messo in imbarazzo. Non posso chiedergli "Cosa faresti tu al mio posto?", perché soltanto dal mio posto si vede il panorama complessivo. E quindi soltanto io posso decidere.

Che cosa vuoi fare della tua vita, Francesco? Hai la possibilità di diventare un fuoriclasse "normale": un grande trasferimento, vittorie in serie dentro una squadra di superstar, la gloria mondiale e una ricchezza fiabesca. Oltretutto, il Real sta vendendo Figo anche per liberare la maglia numero 10 che Florentino Pérez ti ha promesso. Il bambino che giocava a Paperelle diventa la stella assoluta del Real Madrid, il suo numero 10, in proiezione il suo capitano. Non l'hai mai nemmeno sognata, una conclusione di carriera del genere. Troppo grande persino per concepirla.

Ma hai fatto abbastanza per sdebitarti con Roma, prima di lasciarla? Certo, l'hai guidata allo scudetto, ed è un'impresa rara. Ma il fiume d'amore nel quale nuoti dal giorno del debutto, la tenerezza con la quale ti sostiene e ti protegge, la fede che ha in te – non la fiducia, la fede! – possono conoscere una fine? La stagione appena chiusa è stata la più assurda, e all'orizzonte non si vedono nuovi progetti. Puoi andartene a cuor leggero? Cosa farai la domenica sera, prima di scendere in campo al Bernabéu, quando qualcuno ti dirà che la Roma ha perso il derby? Oppure che è scivolata nella parte destra della classifica? Colpirai l'armadietto facendogli un bozzo, ti massaggerai il pugno dolorante, e ai compagni allibiti mormorerai qualcosa nel tuo incerto spagnolo... Vorrai essere duemila chilometri lontano da lì, a organizzare la riscossa giallorossa. Vorrai, e non potrai.

Non ne parlo con mia madre. Lei sa, io so che lei sa, ma l'idea di dirle che vado a Madrid mi è insopportabile. Penso a quando mi accompagnava ai primi allenamenti, alle lezioni di storia che studiava per me in macchina mentre mi aspettava, e che poi mi ripeteva sulla strada del ritorno. Penso ai bocchettoni della 126 con i quali mi asciugava i capelli d'inverno. Penso alla sua faccia quando le mostrai l'assegno da duecentodiciotto milioni firmato da Ciarrapico, al terrore che qualcuno ce lo rubasse, alla corsa in banca per versarlo il lunedì mattina. Penso, e mi commuovo.

E decido. Non andrò al Real Madrid, perché non è la mia storia. La mia storia è Roma, la Roma e un sistema di punti di riferimento che mi permette di esprimere il mio massimo come uomo e quindi come calciatore. La famiglia di sempre. Quella che sta nascendo, perché Ilary aspetta Cristian. Trigoria, che non è un banale centro sportivo ma un'entità fatta di persone, di gente che mi ha voluto bene dal primo giorno, da prima che diventassi un campione: parlo dei massaggiatori, dei magazzinieri, di quelli che si svegliano presto al mattino per farmi trovare gli asciugamani piegati davanti all'armadietto e il campo in perfette condizioni per l'allenamento. Lo fanno perché ricevono uno stipendio, certo. Ma credetemi: provano un piacere particolare nel farlo per Totti, lo capisci da come mi guardano. Non saprei dire loro che me ne vado, la vivrebbero come una pugnalata. E io non posso pugnalarli.

Non saprei nemmeno come dirlo alla gente. Una conferenza stampa? "È stata una scelta di vita, non potevo rifiutare il Real!" Eh? Non mi ci vedo proprio a pronunciare certe fregnacce. Mi vergognerei come un ladro. La verità è che tutto l'amore che c'è già stato, ed è stato tantissimo, si basa su un tacito patto: il capitano romano e romanista non lascerà mai il suo club. La gente ha investito su di me, ha speso anche quelle riserve d'amore che generalmente per sicurezza tieni da parte e non tocchi, perché nel caso di un tradimento perderesti proprio tutto. Davvero, non la posso tradire.

E poi c'è mia madre. Le dovrei dire "Mamma, ci trasferiamo a Madrid io, Ilary, il nipotino in arrivo e gli altri che seguiranno. Tu però stai tranquilla, appena hai voglia di vederci mi telefoni, e io ti mando a Ciampino un aereo privato per portarti da noi". Dovrei dirlo a Fiorella Totti, che mi ha cresciuto in via Vetulonia, che si è presa un calcio negli stinchi da mio fratello Riccardo che temeva scegliesse la Lazio, che ogni domenica mi portava a Testaccio o a Trastevere dai parenti, che d'estate a Torvaianica teneva a bada una banda di trenta ragazzini? L'aereo privato? No, io non glielo dico.

È la metà di maggio, vado a cena con gli amici d'infanzia per respirare l'aria della vecchia Roma di quando ero bambino. Di compagni c'è solo Candela. È la fine del travaglio, dopo il dolce prendo il telefono e chiamo Pradè: «Daniele, dobbiamo vederci per prolungare il contratto. Niente Real, il mio posto è qui».

Non me ne sono mai pentito. Nei lunghi anni di secondi posti, scorrendo la classifica del Pallone d'Oro e trovandoci di tutto tranne che il mio nome, nemmeno per un attimo ho pensato "Se avessi detto sì…". È il caso di ripeterlo: non era il mio posto, non era la mia storia. È stato bellissimo tornare al Bernabéu con la maglia della Roma e vincere ancora, nel 2008, tra gli sguardi pieni di rimpianto dei tifosi, almeno io li interpretai così. È stato emozionante, veramente emozionante, entrare a un quarto d'ora dalla fine l'8 marzo del 2016, in quella che sapevo sarebbe stata la mia ultima volta in quello stadio meraviglioso, e ricevere una standing ovation. Sono scattati tutti in piedi, all'annuncio dell'altoparlante, e mi hanno applaudito a lungo mentre, correndo verso il centrocampo, incrociavo Marcelo, che mi ha dato il cinque e subito dopo si è unito all'applauso. Ecco, questo è il lascito più importante e più nobile del cammino che ho percorso, quello che mi resta veramente: il rispetto. La testimonianza di aver fatto parte del mondo di milioni di persone, di essere stato un punto di riferimento anche da avversario. Nel caso del Real Madrid, in particolare, essere stato apprezzato nonostante il rifiuto.

Mi sono portato dietro trenta maglie, per l'addio al Bernabéu. La prima è per Florentino Pérez, che mi abbraccia e, indicandomi ai dirigenti che gli stanno attorno, dice: «Guardatelo bene, questo è l'unico giocatore che mi ha detto di no». E mi chiede persino una dedica che lo ricordi. Poi, con grande orgoglio, consegno le altre ai fuoriclasse di quella squadra fantastica: un orgoglio moltiplicato dalla loro gioia nel riceverle, da Ronaldo a Marcelo – che è entusiasta al punto di inchinarsi davanti a me –, da Modrić a Bale. Tutti i giocatori collezionano le maglie degli avversari: sapere che la giallorossa “Totti 10” avrà un posto speciale nelle loro gallerie mi lusinga come la standing ovation. A fine gara scambio quella che ho indossato con Sergio Ramos, il capitano, uno che ha vinto tutto ciò che c’era da vincere, uno che segna i gol decisivi nei minuti di recupero perché il campione è sempre l’ultimo ad arrendersi. Gioca al Real dal 2005 Ramos, l’anno in cui stavo per trasferirmi anch’io. In qualche universo parallelo devo essere stato il suo capitano.

10

Il cucchiaio d'argento

Sarà opportuno adesso un lungo passo indietro, perché il racconto di quel che mi è successo in maglia azzurra – l'unica diversa dalla giallorossa che ho vestito in tanti anni di calcio – richiede uno spazio e un tempo dedicati. Non avrebbe senso diluire tutte le varie esperienze vissute con l'Italia nella narrazione cronologica che ho seguito fin qui. Quella è riservata alla Roma, la "donna" della mia vita. Non mi spingo a dire che la Nazionale sia stata una relazione clandestina, però qualcosa dell'amante oggettivamente ha avuto: la passione bruciante di certi momenti, una lunga serie di delusioni, infine riscattate da una notte indimenticabile. Lì, ho chiuso. Non avevo più le energie per gestire due rapporti, e non si è mai posto il problema di quale amore avesse la precedenza. Ma con la maglia dell'Italia ho vissuto comunque una grande storia, dal primo giorno a Coverciano – ero poco più di un bambino – alla festa al Circo Massimo per il titolo mondiale. Ed è per questo che preferisco raccontarla tutta d'un fiato.

La prima convocazione risale al 1991, Nazionale Under 15 per il torneo di Reggello, allenatore Sergio Vatta, raduno a Coverciano. Siamo tutti debuttanti. Io vado con Marco Caterini, che è mio compagno alla Roma, e ci troviamo in mezzo a decine di altri ragazzini schiumanti ambizione. Ne ricordo due in particolare, di quel gruppone: un portiere toscano di nome Buffon – sì, i primi passi della nostra amicizia risalgono a quei giorni – e un centrocampista di Cremona con ottimi piedi, Alessio Pirri. Avrebbe meritato un'altra carriera.

Affronto quei primi allenamenti con una silenziosa ma pressante curiosità. Malgrado la timidezza mi porti a svicolare dai discorsi sulle gerarchie, così frequenti invece tra i miei coetanei, ormai ho capito di essere il calciatore quattordicenne più dotato di Roma. Questo, però, potrebbe voler dire poco: se a Coverciano scoprissi che nel resto d'Italia ce ne sono tanti migliori, dovrei ridimensionare le mie aspettative. I raduni dell'Under 15 servono anche a questo, a misurarsi con i pari età che nelle altre regioni italiane stanno facendo lo stesso percorso: sarà più avanti il milanese, il romano, il friulano o il siciliano?

Sono più avanti io. Aspetto un paio di giorni prima di prenderne ufficialmente coscienza davanti allo specchio, perché il test sia attendibile li voglio vedere tutti bene. Ma fin dalle prime partitelle, da quello che riesco a fare e dal modo in cui gli altri cominciano a guardarmi, capisco la mia dimensione. Non sono soltanto il più bravo di Roma, sono verosimilmente il miglior quattordicenne d'Italia, e quella che provo è una sensazione di pura euforia. Attenzione, non di appagamento: nel calcio è una parolaccia, non ti devi mai accontentare. Coverciano, però, è il teatro dell'esame finale, riuscire a primeggiare in un gruppo dove sono forti tutti è l'obiettivo di chiunque sia venuto fin qui. E il fatto che in breve tempo, come mi è sempre successo, gli altri giocatori mi osservino col rispetto dovuto a chi si mostra superiore vale il biglietto d'ingresso nel calcio degli adulti. Un giorno il mondo sarà nostro, ragazzi; intanto, io mi porto avanti.

Due anni dopo vengo convocato per il primo grande torneo della mia vita: il Mondiale Under 17, in Giappone. Sul momento, non ci voglio andare: è pieno agosto a Torvaianica, sono in vacanza con amici e cugini, avendo già debuttato nella Roma mi godo i vantaggi della prima popolarità… Che faccio, butto via tutto per andare in Giappone? La risposta è sì, ma davvero a malincuore. È la prima volta che esco dall'Italia, al momento della partenza mamma scoppia a piangere per l'emozione, o forse è la pena nel vedermi sudare dentro alla divisa federale, in giacca e cravatta quando un'ora prima ero in costume da bagno, ci saranno sessanta gradi e devo portarmi pure tre borsoni. Ho un bel magone anch'io, andando a Fiumicino consumo le mie lacrime, a ripensarci adesso faccio tenerezza. Il torneo è un disastro, usciamo da ultimi del girone con un punto in tre partite. Nella prima però, quella che perdiamo 2-1 con il Messico a Kobe, segno il gol del provvisorio pareggio, ed è un gran bel gol: un destro da venticinque metri che ancora oggi si può vedere su YouTube con commento estasiato in lingua spagnola – «Golazo!» –, immagino sia la televisione messicana. Particolare divertente: festeggio correndo verso la panchina, dove si vedono i tecnici Vatta e Corradini, ma prima di raggiungerla vengo bloccato dall'abbraccio dei compagni felici, e fra tante maglie azzurre spicca quella grigia del ragazzone che difende la nostra porta, arrivato come una furia allegra. Indovinate chi è? Buffon, certo.

Tre anni dopo, è il 1996, si ripete la stessa storia: a fine maggio sono già lì a godermi le vacanze – passo grandi serate a Ostia con il mio compagno giallorosso Cappioli, uno che si è sempre saputo divertire – quando arriva il telegramma di convocazione per la fase finale a quattro dell'Europeo Under 21, a Barcellona. Fingo di non vederlo perché non ci voglio andare: al di là delle ferie, Cesare Maldini mi chiama soltanto perché Vieri e Inzaghi si sono infortunati, e siccome avevo rosicato un po' per la convocazione mancata, nella mia testa non vorrei dargli soddisfazione. Così non rispondo nemmeno alle chiamate dei miei, preoccupatissimi all'idea che un rifiuto possa costarmi una squalifica. Per convincermi a partire mio padre deve venire a prendermi letteralmente per le orecchie in spiaggia, e meno male che lo fa: pur avendo mollato la preparazione da una decina di giorni vado come un treno, tanto che Maldini, nell'intervallo della semifinale, mi manda in campo al posto di Marco Delvecchio. È una gara complessa perché davanti abbiamo la Francia. Ancora non posso saperlo, ma sarà la mia eterna rivale, e alcuni ragazzi in campo già quel giorno al Montjuïc torneranno più avanti nel racconto: Vieira, Wiltord, il mio futuro amico Candela, il dannato Makélélé (capirete perché)... Segno subito il gol decisivo, risolvendo di forza in un'area affollata, e così cancello il sorrisetto dalla faccia del loro malmostoso c.t., un certo Domenech. Anche con lui è soltanto l'inizio. Finisce 1-0, entusiasmo a palla, tre giorni dopo ci aspetta la finale contro la Spagna di altri giovani molto reclamizzati: Raúl, De la Peña, Mendieta. Pareggiamo 1-1, io esco nel finale – a quel punto la carenza di preparazione si fa sentire – per lasciare spazio a un altro talento cristallino, Domenico Morfeo dell'Atalanta, e proprio lui trasforma il rigore che ci dà il titolo nella serie conclusiva dal dischetto. È la mia prima vittoria in azzurro: sono campione d'Europa Under 21, e manco volevo venirci. Di ritorno a Ostia, nel rivedere la gente che aveva assistito ai miei tentativi di fuga, provo un filo di vergogna.

Qualche mese prima, in febbraio, Arrigo Sacchi mi aveva convocato alla Borghesiana per uno stage della Nazionale maggiore. La comunicazione era giunta una domenica sera, dopo un derby perso fra mille polemiche, e all'inizio non me l'ero goduta, pensando a una presa in giro. Poi, assodato che era vero, m'ero impressionato perché non avevo ancora vent'anni e insomma... la Nazionale era tanto. Sacchi chiarì subito che si trattava di una prima presa di contatto, assieme a me c'erano pure Morfeo ed Enrico Chiesa, l'intento sperimentale era evidente anche perché non c'erano partite da preparare: lunedì e martedì alla Borghesiana per imparare da una parte il codice di comportamento richiesto dal c.t. – piuttosto serio –, dall'altra a muoverci in sintonia con i campioni. Era la prima volta che mi capitava di giocare con Paolo Maldini, con Conte, con Casiraghi... Ecco, con Casiraghi mi trovai benissimo, tanto che nella partitella di fine stage, una decina di gol alla Juniores della Lodigiani, segnai due volte, e con due pallonetti niente male. Sacchi fu molto generoso nei commenti, disse che gli ero piaciuto e che avrei certamente avuto un futuro in azzurro. Fu un'emozione, lui era ed è un mito. Però all'Europeo di giugno Chiesa lo portò, mentre io rimasi fuori. Meglio così, non avrei vinto il titolo con l'Under 21.

In realtà il debutto con la Nazionale maggiore arriva parecchio tempo dopo, perché la stagione terribile con Carlos Bianchi mi toglie dai radar di Cesare Maldini – subentrato a Sacchi nell'autunno del '96 – e non mi basta il primo campionato con Zeman per acciuffare in extremis la chiamata al Mondiale '98. Confesso di esserci rimasto un po' male, all'inizio. Dovrebbe essere il torneo di Del Piero, che infatti riceve il numero 10, ma uno stiramento nella finale di Champions League gli costa il posto nella squadra titolare; al suo posto entra Roberto Baggio, che è ancora molto forte ed è sempre il giocatore italiano più amato dai giornalisti. In quella situazione, meglio non esserci. Il Mondiale va come va – l'Italia esce ai quarti, come al solito ai rigori, contro la Francia – e nuovo commissario tecnico viene nominato Dino Zoff. Il quale, malgrado abbia da poco smesso i panni di presidente-allenatore della Lazio (aveva sostituito il "mio" Zeman, pensa le coincidenze), mi dimostra subito piena fiducia: debutto in Nazionale alla sua seconda partita, 10 ottobre 1998, gli ultimi venti minuti contro la Svizzera a Udine, al posto di Del Piero che ha segnato le due reti della vittoria, e il mese dopo, nell'amichevole di Salerno contro la Spagna, sono già titolare.

Descrivere la prima partita che giochi in Nazionale non è semplice, perché è uno di quegli eventi che senti raccontare tante volte – ogni anno debutta qualcuno – e le emozioni che suscita sono più o meno uguali per tutti. Se temi la banalità, come spesso capita a me, è un discorso dal quale tenersi lontani. La Nazionale maggiore – le Under sono un'altra cosa, certamente importante ma non paragonabile – è un sogno che coltivi fin da bambino. Io sono nato col desiderio di giocare per la Roma, tutte le mie fantasie infantili si svolgevano in giallorosso. Però nelle estati dei Mondiali o degli Europei, quando a Torvaianica papà affettava enormi cocomeri per noi ragazzi in attesa delle partite, mi rendevo conto di come nell'aria ci fosse una febbre diversa, che coinvolgeva veramente tutti, anche la moglie del fruttivendolo che di calcio non voleva proprio sentir parlare. Quando il marito si attardava a discutere del mercato della Roma lo riprendeva in malo modo, lasciando così capire chi comandasse in casa. Ecco, persino lei nei giorni delle partite era più indulgente, se non in qualche modo interessata. E ricordo che questo particolare, più di mille parole, mi faceva realizzare l'importanza di giocare per l'Italia. Così, quando Zoff a Udine mi richiama dal riscaldamento perché è arrivato il momento di entrare, penso che quel debutto sia una specie di laurea. Non sarei stato soltanto un buon calciatore, capace di giocare in serie A nella squadra della sua città; se in maglia azzurra fossi riuscito a conquistare i tifosi degli altri club, quelli che non condividevano la mia fede e dunque non mi volevano bene a prescindere, sarei diventato un campione.

Zoff mi inserisce al posto di Del Piero, e uscendo Ale – col quale sta nascendo una sintonia – mi strizza l'occhio: avendo segnato due gol può lasciarmi il posto a cuor leggero, certo, ma io ci leggo anche l'okay al mio accesso all'attico. Ho ventidue anni appena compiuti. A Roma sono già Francesco Totti, ancora non lo so ma esattamente una settimana dopo indosserò la mia prima fascia da capitano: fuori dal raccordo, però, sono uno che ha vinto soltanto un Europeo Under 21 e uno scudetto Allievi, mentre Del Piero ha già in bacheca tre scudetti "veri", una Champions, un'Intercontinentale e ha partecipato a un Mondiale e un Europeo. Insomma, ha tutti i titoli per decidere se faccio parte del suo stesso giro, e quell'occhiolino decreta il suo sì. Sono andato a rivedere la formazione di quella sera, oltre ad Ale e a me ci sono Buffon, Cannavaro e Inzaghi: niente male, come nucleo di futuri campioni del mondo. Inoltre, sulla sinistra del centrocampo, un nome che incrocerà più volte la mia storia di romanista: Eusebio Di Francesco.

Il primo gol in Nazionale tarda un po' ad arrivare. Succede appena nell'aprile del 2000 a Reggio Calabria, negli ultimi minuti di un'amichevole pre-Europeo contro il Portogallo. Un'avversaria nobile – ci sono Figo, Rui Costa, Paulo Sousa, Conceição e Couto per citare i più famosi – che battiamo 2-0. Dopo il vantaggio di Iuliano, approfitto di un'uscita dissennata di Quim, il loro portiere, per mandare in rete un assist chirurgico di Stefano Fiore. Esulto molto malgrado il gol sia palesemente poco importante, perché ho sempre amato le prime volte, e questa è senz'altro da incorniciare. Partiamo per l'Europeo determinati a far valere il nostro giovane potenziale, anche se il forfait di Buffon, che si fa male in Norvegia nell'ultimo collaudo, ci mette di malumore. Portiere titolare diventa Toldo, e decisamente la sua non sarà una storia come tante.

Giochiamo un grande torneo. La squadra ha coraggio e voglia di imporsi, le ruggini del campionato – la Juve si è lasciata superare dalla Lazio all'ultima giornata, è l'anno del nubifragio di Perugia – sono svanite in pochi giorni di ritiro, Zoff punta esplicitamente su di me, schierandomi al fianco di

Inzaghi in un attacco a due punte, con Del Piero pronto a entrare. L'Europeo è un torneo più veloce e crudele del Mondiale, non c'è tempo per aspettare un giocatore in ritardo di forma: io sto benissimo e, dopo una buona gara d'esordio con la Turchia, segno il primo gol di due splendidi 2-0, al Belgio co-padrone di casa e alla Romania nei quarti di finale. Sto una meraviglia, e nei quattro giorni che ci separano dalla semifinale contro l'altra co-padrona di casa, la favorita Olanda, mi alleno regolarmente fra i titolari. Senza pensare nemmeno alla lontana che all'Amsterdam ArenA mi dovrò accomodare in panchina.

In quei giorni non leggo i quotidiani, quindi mi perdo lo scoop della «Gazzetta», che il mattino della semifinale mette Del Piero in formazione al mio posto. A pranzo avverto un'aria strana. Qualcuno me lo riferisce, ma io non riesco a crederci; poi, quando Zoff dopo il caffè ci riunisce per dare gli undici, la conferma mi abbatte, come se passeggiando lungo un marciapiede venissi colpito in testa da un vaso di fiori. Gioca Alessandro, io vado in panchina. Ho in mano il cellulare, me lo faccio scivolare tra le dita, scrivo un paio di sms agli amici più stretti nei quali insulto il commissario tecnico. I compagni non sanno dove guardare dall'imbarazzo, sono sbalorditi da una scelta incomprensibile, e se a sostituirmi non fosse Del Piero – un campione che tutti rispettiamo al di là del periodo un po' infelice che sta passando – è probabile che qualcuno non riuscirebbe a tacere.

La seduta è tolta, io sono inebetito dalla rabbia e Zoff – non so se perché mi vede alterato, o se magari l'aveva deciso già prima – mi ordina di restare ancora un momento, da solo con lui.

«Immagino che tu ci sia rimasto male, Francesco. Ti porto in panchina perché negli ultimi dieci giorni ti ho visto stanco, la partita potrebbe farsi lunga e ti vorrei lucido nel finale. E quindi prendila in positivo.»

Fatico molto a deglutire senza rispondergli male. Stanco io negli ultimi dieci giorni? Una balla, cinque giorni prima ero stato il migliore contro la Romania e andando indietro di altri cinque avevo riposato, visto che nel terzo match del girone, ininfluente, era stato dato giustamente spazio a Del Piero perché facesse un po' di "gamba". Comunque taccio: non gliela faccio passare perché non dico «Okay, capisco», ma nemmeno esplicito quel che sospetto, e cioè che qualche sponsor abbia operato una pressione sulla federazione e sul c.t. per imporre il suo testimonial. Chiarisco: all'insaputa totale di Ale, che esattamente come me rifiuterebbe schifato certi aiutini. Pensar male non mi è mai piaciuto, ma in quel momento altre spiegazioni non mi vengono.

Allo stadio non ho ancora smaltito l'ira per quella che mi appare una scelta del tutto priva di logica. Giochiamo in casa dei favoriti, e tu lasci fuori l'uomo più in forma? Mah. Devo ammettere che nel prepartita mi comporto da stronzo, perché quando vedo le telecamere all'uscita del tunnel degli spogliatoi rallento il passo fino a fermarmi, mi sistemo con ostentata calma il nastrino dei capelli, e insomma "comunico" a tutti che non giocherò dall'inizio, perché altrimenti correrei sul campo a riscaldarmi come gli altri. Naturalmente la voce era ormai girata, e i tifosi che vedono la scena sul maxischermo dello stadio cominciano a inveire contro Zoff per una scelta che evidentemente non pare assurda soltanto a me. Riflettendoci a posteriori, il piccolo cinema che organizzo per infastidire il c.t. è antipatico nei confronti di Del Piero, che meriterebbe invece il sostegno più compatto. Di questo mi pento, e avrò anche occasione per dirglielo.

Olanda-Italia non è una partita, ma un trattato sulla resistenza umana che dalla panchina seguiamo con rassegnazione: nel senso che gare così, attaccanti contro difensori senza mai scambiarsi i ruoli, si concludono sempre allo stesso modo, alla fine il gol arriva, e tutta la tua sofferenza risulta vana. Quel giorno, invece, succede una cosa che fin lì non avevo mai visto, e che mai più rivedrò: il gol non arriva. Bergkamp centra un palo, Zambrotta viene espulso e dopo mezz'ora ci ritroviamo in dieci, Toldo para un primo rigore a De Boer e Kluivert, più avanti nella partita, ne calcia un secondo sul palo. Accade di tutto, eppure riusciamo a sopravvivere. Anche in dieci, anche se ci danno due rigori contro. Nell'ultima fase di quel pomeriggio in panchina, nei minuti che precedono il momento in cui Zoff finalmente mi fa entrare, penso più volte a quel che si dice di noi italiani, e all'incredibile forza morale che sappiamo tirare fuori in certi frangenti. Il calcio è fatto di luoghi comuni, e questa l'avevo sempre considerata un'esagerazione, se non proprio una sciocchezza. Scopro invece che è vera, e lo scoprono soprattutto gli olandesi, via via più disperati malgrado la loro evidente, enorme, straripante superiorità. Correndo loro accanto senti distintamente il crescente sconforto, perché sanno che se non riesci a fare un gol in quelle condizioni, vuol dire che la partita è segnata.

Devo dire che la prestazione di Del Piero è eccellente, perché dopo l'espulsione di Zambrotta, Zoff non spende cambi ma chiede semplicemente ad Ale di ricoprire il doppio ruolo: 4-4-1 col suo arretramento sulla fascia. Fosse toccato a me, che ho meno corsa di lui, probabilmente sarei uscito dopo un po'. Invece Zoff prima spreme per bene Inzaghi, sostituendolo a metà ripresa con un fondista come Marco Delvecchio, poi mette Pessotto per Albertini irrobustendo la difesa e infine, all'83', manda in campo me cercando la giocata risolutiva. Che non riesce per pochi centimetri: catturo infatti un pallone al limite della nostra area e con un lancio immediato e lunghissimo metto Marco da solo davanti al portiere. Facesse gol, sarebbe il furto del secolo: invece Van der Sar gliela devia in corner di un niente. Si va ai supplementari, ma l'atmosfera si è alleggerita. La spia delle energie olandesi è ormai in rosso, e noi ci sentiamo insuperabili come i trecento alle Termopili:

è un esempio che amo perché qualche anno dopo andai a vedere *300*, e una volta compresa la differenza delle forze in campo commentai «Pare Olanda-Italia del 2000», scatenando nel cinema risate neanche troppo soffocate. E la solita caccia all'autografo in pieno film, ma questa è un'altra storia.

Rigori. Il primo pensiero è positivo: fra noi ci sono buoni tiratori, lo dicono i test in allenamento. Il secondo molto meno: negli ultimi tre Mondiali siamo usciti sempre ai rigori, quindi un certo complesso esiste. Zoff ci raduna brevemente davanti alla panchina per concordare i primi cinque tiratori e l'ordine in cui andremo sul dischetto. Guardo il mio amico Di Biagio, visibilmente turbato dal ricordo dell'errore decisivo di due anni prima a Parigi. Zoff lo chiama, lui annuisce con espressione grave, poi previene il c.t., che deve dirgli quando tirerà: «Mister, lo prendo ma mi faccia calciare per primo, fuori il dente fuori il dolore». Quando s'incammina verso quella che deve sembrargli la pedana del boia – ha la faccia di uno spettro – lo tiro su di morale con una battuta assassina: «Mamma mia quanto è lungo Van der Sar, pare 'na piovra». Lui si gira, mi manda dove sapete, ma allarga una smorfia che sarebbe un mezzo sorriso. E infatti segna. Merito mio, dai, almeno un po'.

È il giorno di Toldo, ormai l'hanno capito tutti. Ribatte un altro rigore a Frank De Boer come se fosse la cosa più naturale del mondo, ed è evidente che ormai gli olandesi, avvicinandosi al dischetto, vanno in panico totale. Pessotto trasforma il suo con un impeccabile diagonale, Stam è strangolato dalla necessità assoluta di segnare, e siccome quando non sai dove tirare un rigore finisce sempre che lo calci fuori, ecco una bella pallonata alta in curva. Tocca a me, e siamo avanti 2-0.

Ormai da qualche giorno chiudiamo le sessioni di allenamento esercitandoci dal dischetto. Finché assistono Zoff e Rocca, il suo vice, tiro i miei rigori classici, forti e angolati. Quando però se ne vanno, dopo averci ordinato un supplemento di cinque minuti, mi diverto a provarne qualcuno alla Panenka, ovvero il colpo sotto centrale che beffa i portieri già tuffatisi di lato. Insomma, lo "scavetto". A quanto ne so venne eseguito per la prima volta da Antonín Panenka, giocatore cecoslovacco, nella finale dell'Europeo 1976, l'anno in cui sono nato. È un numero ad alto rischio, perché il portiere capace di non muoversi non deve fare altro che ricevere il "passaggio" del rigorista: ma se sei abbastanza bravo da nascondere fino all'ultimo le tue intenzioni, sei quasi certo di fare gol, perché il novanta per cento dei portieri prima o poi battezza un angolo e ci si lancia. Negli allenamenti di quei giorni l'avevo provato con Toldo e soprattutto con Abbiati. E ogni volta che mi riusciva, aggiungevo tutto orgoglioso che un eventuale rigore in partita l'avrei eseguito in quel modo, scatenando la claque degli amici: «Sei un chiacchierone», «Non ti crede nessuno» e avanti così. Sorrideva Nesta, rideva Maldini, sghignazzava Inzaghi, si sganasciava Di Biagio, e io ad ammonirli: «Se capita ve faccio vede'…».

Adesso ci siamo, e non ho scelta: devo tirarlo a cucchiaio, altrimenti divento per sempre il Chiacchierone. Sì, con la C maiuscola. Sembrerà strano, e magari suonerà stonato, che in un momento così importante per i destini sportivi della nazione la mia preoccupazione sia evitare di dover successivamente rosicare, ma è l'assoluta verità. È sempre stato così. Se andando a tirare un rigore decisivo pensi ai milioni di persone che stanno trepidando per te davanti alla tv, vieni schiacciato dalla pressione e finisci per colpire la bandierina del corner. Se invece vivi l'attimo con la leggerezza di una scommessa al bar sport, diventa tutto più facile. Così, dopo aver sussurrato a Di Biagio – passandogli accanto – «Mo' je faccio er cucchiaio», mi incammino verso Van der Sar inseguito dai suoi «no, no» a bassa voce, ché se li esprimesse urlando magari qualche olandese potrebbe insospettirsi, e fare segno al portiere di aspettarsi un'esecuzione fuori dagli schemi.

Cavolo. Prima avevo fatto la battuta a Gigi per stemperare la tensione ma adesso, visto da vicino, Van der Sar ricorda davvero un enorme polipo. Il muro arancione alle sue spalle è impressionante, la porta si fa improvvisamente piccola. Ho molta paura di sbagliare, ma un'idea granitica in testa. Non sbruffona. Chirurgica. La palombella esce perfetta. Il portiere, che ha cercato di fregarmi fintando a sinistra e tuffandosi sulla sua destra, viene sorvolato da un pallone beffardo: deve sembrargli vicinissimo, eppure è irraggiungibile perché il peso del corpo in caduta gli vieta quel colpo di reni che magari sarebbe sufficiente. 3-0 per noi, e nessuno mi chiamerà Chiacchierone. Guardo la panchina e vedo facce sbigottite, Inzaghi si tiene la mano sulla fronte come a dire «Quello è matto», incrocio Toldo che sta tornando in porta e lo vedo ridere come se sapesse già tutto, e non vedesse l'ora di godersi il finale. Infatti, poco dopo, si riappropria dei riflettori: Kluivert trasforma, Maldini sbaglia, Francesco ne para un altro, a Bosvelt, e decreta il nostro accesso alla finale. Gli corro incontro fra i primi, per saltargli addosso e menarlo sulla nuca: «Spilungone» gli grido più volte, perché lo chiamo così. Spilungone, ti voglio bene.

La finale, invece, non è una storia a lieto fine. Un po' ce lo sentivamo, tant'è che guardando l'altra semifinale avevamo tifato per il Portogallo e quindi contro la Francia. Zidane e compagni sono i campioni del mondo, oggettivamente una squadra fortissima: nel primo tempo tengono il pallino del gioco, ma la nostra tattica difensiva è organizzata come si deve e ci porta indenni alla ripresa, quando emerge la nostra qualità. Io gioco una grande partita, una delle migliori con la Nazionale: il colpo di tacco col quale libero Pessotto al cross per il gol al volo di Delvecchio, per esempio, è un'iniziativa geniale, considerato che mi trovo dietro a due francesi e teoricamente non ci sarebbe spazio per il passaggio. Innesco anche le palle-gol per il possibile 2-0, che a quel punto meriteremmo, ma Del Piero purtroppo le manca, come è successo a me e a chiunque altro in mille occasioni.

Dico questo perché il processo che venne poi montato a suo carico non aveva senso, ma lo lasciò a dir poco prostrato. Un giocatore che ha sbagliato ne paga il prezzo subito, nello spogliatoio a fine gara, quando vorrebbe restare solo con la sua amarezza e invece deve sorbirsi le pacche dei compagni, che ovviamente hanno un intento solidale ma finiscono per appesantire il carico che avverte sulle spalle. In certe situazioni, dopo trionfi che sono diventati disastri per una manciata di secondi, la ricerca del capro espiatorio ha qualcosa di crudele. Ci sono passato anch'io, sia pure in misura minore, perché sono stato accusato di non aver trattenuto abbastanza a lungo il pallone in zona d'attacco, in quell'ultimo maledetto minuto di recupero.

La verità è che l'ho già congelato per un po', e non ce la faccio più: o lo metto direttamente in fallo laterale o tento il passaggio a Montella, che però mi pare in fuorigioco. Scelgo la seconda opzione, e va come nemmeno in un incubo: Barthez rilancia, con Cannavaro, Nesta e Iuliano in campo – tre bestie, soprattutto di testa – dovrebbe essere sempre nostra. Sfortuna vuole che finisca invece a Wiltord, e che il suo diagonale da posizione angolatissima passi sotto la mano di Toldo. Parliamo davvero del nulla, pochi secondi, pochi centimetri, zero fortuna, se la palla fosse stata controllata da uno di noi l'arbitro avrebbe certamente fischiato la fine. Non ricordo un'altra sensazione così, di mondo che ti crolla addosso: avevamo vinto, e per farlo eravamo arrivati oltre il 90' completamente in ginocchio. Ci guardiamo in faccia sconvolti da delusione e fatica, Maldini batte le mani per provare a rianimarci, ma davvero non ce n'è. Iniziamo il supplementare e qualcuno di noi è talmente sfasciato da non ricordarsi nemmeno del golden gol, chi segna vince... Sentiamo di non avere più chance, e purtroppo abbiamo ragione: la sentenza è di Trezeguet. Lo guardo esultare, inseguito dai compagni. Sarebbe bello dire che in quel momento penso: "Un giorno ci restituirai questa gioia con gli interessi, David", ma sarebbe anche letteratura o, meglio, una bugia. In quel momento penso solo a come scappare da lì, perché non vorrei restare a Rotterdam un minuto in più del necessario. Sono invece costretto a rimanerci un altro paio d'ore, sotto osservazione medica, perché al rientro nello spogliatoio vado giù come una pera cotta. Svenuto. Non ho reintegrato i liquidi perduti come avrei dovuto, e per un po' – mi racconteranno – stento addirittura a riconoscere i medici.

Ho perso molto, in quella manciata di secondi. Il titolo europeo e, credo, anche il Pallone d'Oro. Quell'anno venne assegnato a Luís Figo, che aveva giocato un ottimo Europeo uscendo in semifinale, come gli era successo in Champions col Barcellona, prima del famoso trasferimento al Real Madrid. Senza false modestie, in quel periodo ero certamente uno dei cinque migliori giocatori del mondo: se l'Italia avesse vinto l'Europeo, il torneo più importante della stagione, probabilmente i giurati avrebbero premiato il suo uomo di spicco. E fra gol, assist e giocate rimaste nella memoria collettiva come il rigore a cucchiaio, nel 2000 quell'uomo ero io.

Mi lascio bene con Zoff, com'è giusto che sia. La rabbia per l'esclusione in semifinale è ormai smaltita quando arriva la notizia delle sue dimissioni, che sinceramente non ho mai capito. Il suo successore è un altro totem del calcio italiano, Giovanni Trapattoni, ma basta qualche partita per capire che la sua chiamata in Nazionale è arrivata fuori tempo massimo: non possiede più l'energia e la positività necessarie per l'incarico, nulla a che fare col tecnico elettrico di cui parlano i giornalisti ricordando evidentemente un Trap più giovane. In realtà risulta simpatico allo spogliatoio perché ci lascia fare tutto, ma quanto a motivazione zero, siamo più noi a stimolare lui che viceversa.

Il Mondiale del 2002 nasce da queste incerte premesse, e probabilmente paghiamo anche il fatto di finire in ritiro nel Nord del Giappone, a Sendai: per come ci integriamo con il luogo e la gente – ricordo una sala in periferia eletta a Casa Azzurri e le nostre facce da "Che ci faccio qui?" – potremmo essere su Marte. Si parte ugualmente bene, perché l'intesa fra me e Vieri produce un facile debutto contro l'Ecuador; con Bobo ci troviamo in campo e anche fuori, perché è un tipo che scherza sempre, un giocherellone, di quelli che ti riempiono le ore dei ritiri. E in campo pesa, altroché se pesa. Malgrado queste buone sensazioni, però, le cose si complicano in fretta. Non vinciamo il girone, e per gli ottavi di finale veniamo spediti in Corea del Sud, ad affrontare i padroni di casa. Non solo: non veniamo piazzati nel classico albergo – che può essere più o meno lussuoso, ma garantisce comunque certi servizi – ma in un immenso centro sportivo universitario totalmente deserto. Liberato per noi, immagino. Una serie di edifici collegati fra loro da interminabili corridoi; per raggiungere la sala ristorante dalla zona delle camere occorre camminare per più di un chilometro. Chi ha visto *Shining* non scorderà finché campa l'Overlook Hotel, l'albergo sperduto – e spaventoso – in cui Jack Nicholson impazzisce. Ecco. In certi momenti, quando mi capita di passeggiare da solo per quei corridoi, mi aspetto che da un momento all'altro, come nel film, sbuchino da un angolo il bambino col triciclo oppure le due gemelle morte ammazzate. Un horror, insomma. Aggiungeteci i letti tagliati su misura dei coreani, e quindi corti, i gabinetti alla turca e la puzza d'aglio che c'è ovunque... e vi verrà il sospetto che abbiamo perso apposta per tornare a casa.

No, non è andata così. È andata che il famoso arbitro Moreno voleva far vincere la Corea. Il perché non si è mai saputo. Se l'era proprio venduta? Pensava che la Fifa avrebbe apprezzato il favore ai padroni di casa? Gli stavamo antipatici? Non lo so. Di certo il trattamento cui ci sottopose, giunto al culmine con la mia espulsione, a memoria non ha precedenti.

Di voci prima della partita se ne sentono tante, ma fra noi non abbiamo mai dato peso alle illazioni;

voglio dire che scendiamo in campo con un animo sereno, non prevenuto verso quello che potrebbero combinarci per favorire la Corea del Sud. Dopo i primi quattro o cinque fischi, che vanno a senso unico, cominciamo però a guardarci in faccia: occhio, non diamogli appigli, se può questo li aiuta. Il mio primo cartellino giallo, per esempio, è ridicolo: saltando sbraccio un po', ma senza toccare l'avversario. Il fischio va benissimo, il provvedimento disciplinare è del tutto esagerato: visto l'andazzo, da lì in poi mi riprometto di andarci due volte più cauto. In ogni caso passiamo in vantaggio col solito Vieri – che devia di testa in rete un mio corner –, sfioriamo più volte il raddoppio e, comunque con gran fatica perché Moreno ti dà l'idea di essere sempre in agguato, quasi la portiamo a casa. Quasi. Purtroppo la Corea pareggia a due minuti dalla fine, e si va ai supplementari.

Vengo subito alla mia espulsione perché ricordo poco altro – tanta fu la rabbia –, se non che continuiamo a sbagliare facili occasioni per chiudere il match. Allora, il rigore su di me è netto, perché nel duello col difensore coreano al momento del contatto io ho ormai preso la posizione giusta, e quando uno ti tocca la gamba mentre sei lanciato il fallo c'è sempre. Sempre. Non simulo assolutamente nulla. Certo, non faccio nemmeno uno sforzo per restare in piedi, ma giunti a quel punto di una gara così importante si può vincere soltanto in due modi: con una giocata speciale tua oppure su errore dell'avversario. E il difensore coreano sbaglia. Da terra sento il fischio, e penso che sia fatta: batterò io il rigore, e siccome c'è la regola del golden gol porterò l'Italia ai quarti di finale.

No. Moreno non indica il dischetto, ma viene verso di me. No, per favore. Si fruga nel taschino. No. Cazzo. No. Cartellino giallo e pochi istanti dopo arriva quello rosso. Rabbia. Proteste. Per la prima volta, la sensazione che sia inutile battersi. Infilo il tunnel che conduce agli spogliatoi con la vista annebbiata dalla furia, e siccome la porta non si apre subito la prendo a calci fino a romperla, e per fermarmi devono intervenire i nostri magazzinieri, perché nessun funzionario coreano ha il fegato di dirmi mezza parola. Resto lì, disteso su una panca, senza speranze. Un quarto d'ora dopo sento il boato dello stadio, e capisco che ci hanno saldato il conto. È lì, in quel momento preciso, che prometto a me stesso altri due tentativi – un Europeo e un Mondiale – e poi basta. Non si può soffrire così per tante volte ancora.

La rabbia comincia a sbollire sotto la doccia, più di qualcuno a mezza bocca dice che abbiamo permesso all'arbitro di rubarcela sbagliando troppi gol, e malgrado tutto devo ammettere che è la verità. Trapattoni ce l'ha con l'ispettore della Fifa, Carraro ordina il silenzio stampa, dice che siamo troppo nervosi ed è inutile aggiungere al danno subito la beffa di una squalifica per dichiarazioni troppo polemiche. A me non frega più nulla, o almeno credo, ma il giorno dopo incrociamo Moreno all'aeroporto di Seul e scopro che non è così. Non l'hanno fatto volare con noi per ragioni di sicurezza – la sua – ma nel grande scalo della capitale lo vediamo al di là della vetrata che separa la zona internazionale – dove siamo noi, in procinto di rientrare in Italia – e quella dei voli nazionali, dove c'è lui in transito verso qualche altra destinazione coreana. Non c'è contatto possibile, naturalmente, ma lui non deve esserne così certo perché davanti alle nostre urla, ai nostri insulti e – lo ammetto, ma capiteci – alle nostre minacce se la fila lontano dal vetro con una rapidità che provoca un effetto comico. Finiamo per deriderlo, e va da sé che se anche fossimo entrati in contatto, nessuno gli avrebbe torto un capello. Ma questo non raccontateglielo.

La stagione successiva non è felice per me, né nella Roma né in Nazionale, visto che tra infortuni e cali di forma ci gioco appena due partite. L'avvicinamento all'Europeo portoghese fila comunque liscio, e la squadra non sarebbe niente male visto che a quelli che già c'erano si aggiunge pure Cassano, in gran forma nei giorni di attesa del debutto. Difatti Trapattoni lo manda in campo, nel secondo tempo della gara di apertura contro la Danimarca, perché fatichiamo a superare il loro sbarramento difensivo. Non ci riesce nemmeno lui, e finisce 0-0.

Di quella partita, giocata a Guimarães, ricordo il caldo atroce, con i piedi che quasi mi vanno a fuoco, e poco altro. Sta già scomparendo dalla mia memoria quando, il giorno dopo, Vito Scala – che ha aggiunto

UNA VITA DA CAPITANO

TOTTI
10

A sei anni, in braccio a mia madre, ricevo una carezza da papa Giovanni Paolo II nella sala Nervi.

Sulla neve di Roccaraso da bambino e in bicicletta per via Vetulonia, poco distante dal portone di casa.

Con i miei genitori e mio fratello Riccardo in vacanza a Porto Santo Stefano.

Primi calci sul campo. *Dall'alto:* con la maglia numero 4 in un torneo estivo a Torvaianica; in posa con i miei compagni della Smit Trastevere a Testaccio; un lancio di destro ai tempi della Lodigiani.

Dall'alto: uno dei miei primi trofei individuali, miglior giocatore al torneo Cetorelli di Fiumicino.

1989. Il mio primo derby sul campo Ruggeri di Montesacro. Dietro di me il capitano della Lazio: Alessandro Nesta. Amici e rivali da sempre.

In classe alle scuole superiori (con il giacchetto addosso perché i termosifoni erano rotti); e cadetto durante il servizio di leva alla Cecchignola, nel giugno 1998.

Natale 1990. «Francesco... Totti, vero? Bravo, bravo. La Roma avrà bisogno di te.» Dino Viola, il mio primo presidente.

Le carte sono sempre state la mia passione: qui sono con Francesco Moriero a Lavarone, primo ritiro estivo della mia carriera, nel 1994.

I miei due maestri: Carlo Mazzone e Zdeněk Zeman, con il quale divento capitano e Stella (come da suo soprannome) della Roma.

La festa per lo scudetto: nello spogliatoio dopo Roma-Parma, con i compagni e Fabio Capello; e al Circo Massimo con il presidente Franco Sensi e Vincenzo Montella, davanti a un milione di persone.

Poker di Coppe: la Supercoppa del 2001, celebrata con Zebina, Bati e Assunção, e la Coppa Italia vinta a San Siro contro l'Inter nel maggio 2007.

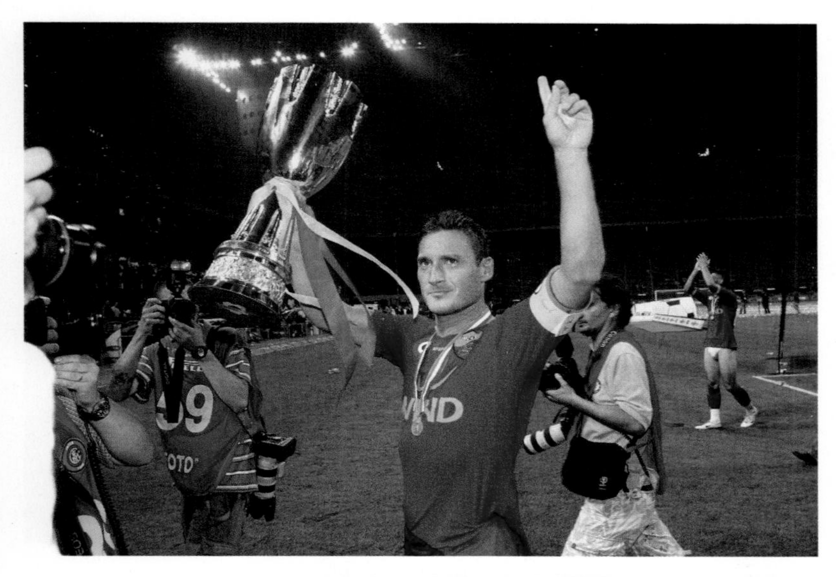

Pochi mesi dopo torniamo a San Siro per prenderci anche la Supercoppa, mentre nel 2008 conquistiamo la seconda Coppa Italia consecutiva, che sollevo insieme a Rosella Sensi.

La strada verso la Coppa del Mondo: l'infortunio in Roma-Empoli che stava per costringermi a casa, un colloquio con il c.t. Marcello Lippi, il gol su rigore contro l'Australia, la notte di Berlino.

10

10 marzo 2002. Ho appena segnato il gol del 5-1 alla Lazio e corro verso la tribuna Monte Mario scoprendo la celebre maglietta dedicata a Ilary, che assiste in tribuna al suo primo derby. È l'inizio della storia che cambia per sempre la mia vita.

Scene da un matrimonio: sulla scalinata dall'Aracoeli, in Campidoglio, e al ricevimento tra Angelo e Giancarlo, amici di una vita.

Vito Scala, da sempre mio insostituibile scudiero. Qui si prende cura dei miei muscoli durante una pausa dalla preparazione atletica.

Daniele. Il fratello a cui ho lasciato la fascia di capitano.

A centrocampo insieme con Gigi. Eterni rivali in campionato, compagni in Nazionale dalla Under 17 a Berlino 2006.

Antonio Cassano, il giocatore più forte con cui abbia giocato.

Kappa
WIND

Kappa

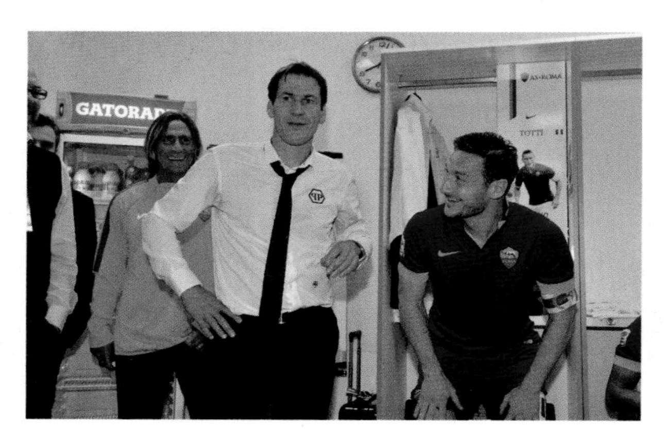
AS ROMA
TOTTI

C'eravamo tanto amati. Con Luciano Spalletti ai tempi della sua prima avventura alla Roma e qualche anno dopo durante la mia ultima stagione.

Nella pagina precedente: con Claudio Ranieri, Luis Enrique, Rudi Garcia.

Il gol contro il Manchester City con il quale divento il più anziano marcatore della Champions League. Poche settimane dopo, con quello al CSKA Mosca, aggiorno il record a 38 anni e 59 giorni.

Giugno 2007. Con mio figlio Cristian e il presidente Sensi alla cerimonia di premiazione della Scarpa d'Oro quale miglior goleador europeo della stagione.

Emozioni da derby: il mio ultimo gol, che fissa a 11 reti il record di miglior marcatore della stracittadina in campionato, e il selfie che completa l'esultanza sotto la Curva Sud.

28 maggio 2017, ultima domenica da calciatore. Al mattino, ripasso con Ilary la lettera di addio che leggerò qualche ora dopo all'Olimpico e Isabel mi porta gli scarpini prima di lasciare casa e raggiungere la squadra a Trigoria. Il saluto della Curva Sud. Vito, negli spogliatoi, mi porge la mia ultima maglia giallorossa.

SERIE A
TIM
ROMA
1927

Stadi

TOTTI
10

10

Il mio stadio, l'abbraccio con mia moglie e i miei figli, i miei tifosi, l'addio al pallone.

La prima uscita da dirigente all'Olimpico. Per l'occasione indosso addirittura la cravatta, e mi alzo in piedi a salutare il pubblico che mi acclama dopo avermi visto nel maxischermo.

Cosa significa essere un capitano? Assumersi le responsabilità, stare al centro di un gruppo, aiutare i compagni, dare tutto per la propria maglia e la propria gente, gioendo per la vittoria e accettando la sconfitta. Ma anche trovare il tempo per scherzare con dei ragazzini durante un allenamento, lasciare loro un'eredità. Così dovrebbe funzionare il calcio, così funziona alla Roma.

Barilla

Barilla

INA
Assitalia

INA

DIADORA
INA

DIADORA
INA
Assitalia

DIADORA
INA
Assitalia

INA

INA
Assitalia

mazda

DIADORA
mazda

DIADORA
mazda

DIADORA

DIADORA

Kappa

Kappa
WIND

Kappa
WIND

WIND

Kappa
WIND

ROMA
Cares

la Nazionale al suo lavoro nella Roma – viene in camera e mi chiede, senza giri di parole, se in campo ho sputato a Poulsen. «Ma che, sei scemo?» gli rispondo. E siccome ha ancora il dubbio dipinto in faccia, lo mando al diavolo non senza aggiungere che no, non ho sputato a nessuno, che mi fa schifo il solo pensiero e che dovrebbe conoscermi, certe cose non le faccio.

«Pare ci sia un video...» mormora allora lui, e io resto basito, perché sono assolutamente certo di non aver sputato a nessuno.

«Fammelo vedere» chiedo, e intanto sono arrivati il capo della delegazione azzurra Innocenzo Mazzini, il responsabile della comunicazione Antonello Valentini e altri dirigenti, tutti con un'espressione perplessa che mi suona molto male. Il video è sul sito della televisione danese. Sono stati loro, dedicandomi una telecamera per tutta la partita, a scoprire l'accaduto. Clicco sul computer. E vedo.

Lo sputo a Poulsen è l'episodio della mia vita del quale più mi vergogno. Non della vita sportiva, della vita tutta, a trecentosessanta gradi. Me ne vergogno così tanto da averlo immediatamente rimosso: se non ci fosse stato il filmato avrei negato di avergli sputato sino alla fine dei miei giorni, e l'avrei fatto in assoluta buonafede, convinto di dire la verità. Vista e rivista la clip non ci sono dubbi, e io mi sento sotto un treno. Mi dicono che l'Uefa ha aperto un'inchiesta, che dovrò andare a Lisbona per un'audizione davanti al loro collegio giudicante, che la federazione le sta studiando tutte per farmi avere il minimo della pena, e bla bla bla, non li ascolto più. Sto male perché continuo a non capacitarmi di una cosa così volgare e schifosa. Facciamo a capirci: di falli in carriera ne avrò subiti milioni, e finché non mettevano a repentaglio la mia salute, ho sempre sopportato. Nessuno mi ha mai sputato, invece: se fosse successo gli avrei staccato la testa, perché la sola idea mi dà il voltastomaco. Il che spiega perché fino alla visione del filmato non ci volevo credere, e perché poi l'abbia considerata la massima vergogna della mia vita.

Christian Poulsen è un personaggio pessimo. Un provocatore che a palla lontana non la smette di pizzicarti, di colpirti ai fianchi con piccoli cazzotti, di salirti sui piedi per far sentire i tacchetti, insomma, uno che ricorre all'intero armamentario del marcatore mediocre. Per di più ti ingiunge di tacere quando gli dici «Fallo quando ci contendiamo la palla, se ne hai il coraggio», e più lo mandi a quel paese più ride e ti prende in giro. Per fortuna non l'ho più ritrovato in campo, nemmeno nei due anni in cui ha giocato per la Juventus, perché non avrei resistito all'impulso di dargli una scarpata, e mi sarei fatto buttare fuori. Ma nel nostro codice di giocatori una scarpata è una scorrettezza accettata, uno sputo no, uno sputo è una vigliaccata. Ed è questo che continua a bruciarmi, anche a distanza di anni.

L'episodio è davvero sgradevole, e in federazione mi annunciano un'ondata mediatica negativa di enormi proporzioni. In effetti arriva, e supera le peggiori attese. È un massacro. Uno tsunami. Accetto tutto, sono consapevole di aver sbagliato, ma allo stesso tempo annoto una volta di più il pregiudizio antiromano e la sostanziale antipatia che ispira molti commenti. Sono reazioni che ormai ho imparato a sopportare e soprattutto a ignorare, ma non a dimenticare, ed è chiaro che alla lunga peseranno sulla scelta di abbandonare la Nazionale. C'erano già state situazioni difficili in azzurro, anche se non così, e avevo sempre avuto l'impressione che i media del Nord aspettassero l'episodio giusto per fare la morale non soltanto a me, ma a Roma tutta. Forse era un contrappeso all'indulgenza che si leggeva, non solo tra le righe, nei commenti di stampa e televisione romane. Okay. Però uno va in campo per la sua gente, e in quei giorni complicati – lo ribadisco: perché avevo sbagliato io – avverto con grande chiarezza che non tutta l'Italia mi sta tirando le orecchie con una severità, come dire, affettuosa. Tipo le paternali che fai a tuo figlio quando combina una scemenza: lo rimproveri anche duramente, ma resta tuo figlio. Altro che tirare, qui c'è chi le orecchie me le vorrebbe proprio tagliare.

Per difendermi, la federazione ingaggia un avvocato di grido come Giulia Bongiorno, la stessa che ha difeso Andreotti. Walter Veltroni, sindaco di Roma con il quale si è creato un eccellente rapporto umano, spedisce all'Uefa una lettera nella quale – pur condannando il mio gesto – assicura di non riconoscermi in quel bulletto, e dà testimonianza delle molte occasioni benefiche nelle quali non mi sono risparmiato al suo fianco. Ecco, questo è ciò che intendo per "severità affettuosa": riconoscere l'errore accettando la conseguente punizione, ma dopo aver fatto presente che si è trattato di un raptus, non di un comportamento abituale. Con questa lettera e l'arringa della Bongiorno – mi assicurano tutti, Carraro in testa – la commissione giudicante non calcherà la mano. Così, quando arriva la sentenza di tre giornate, resto francamente deluso, perché speravo di cavarmela con due: mi giurano che lo sconto ci sia stato, da quattro a tre partite, ma intanto sarà ben difficile rigiocare in quell'Europeo, dovremmo arrivare in semifinale. Comunque il problema non si pone: quello è il torneo del famoso "biscotto" fra Svezia e Danimarca, una settimana dopo la squalifica siamo già tutti a casa. E io, fuori dal raccordo anulare, sono più o meno il pericolo pubblico numero uno.

Il secondo flop in un grande torneo costa la panchina a Trapattoni. Per sostituirlo, la federazione sceglie l'allenatore più importante in circolazione, Marcello Lippi, reduce dal suo secondo ciclo juventino. Fantastico, penso. L'ultima volta che ci siamo affrontati, in febbraio, la Roma ha vinto 4-0 e io non ho resistito alla tentazione del famoso "quattro e a casa" rivolto a Tudor, che parlava troppo. Qualcuno ha scritto che l'avevo dedicato anche a Lippi: falsità totale, ma siccome non ci si era più incontrati non c'era stata l'occasione per chiarire. E adesso, dopo quel che ho combinato all'Europeo, mi chiedo con un filo d'ansia cosa possa pensare di me il nuovo c.t. della Nazionale.

Salto la prima partita, un'amichevole in Islanda poco dopo Ferragosto, perché sono acciaccato. La Roma lo comunica ai medici azzurri, nessun problema. All'inizio di settembre sono in programma due partite di qualificazione mondiale, a Palermo contro la Norvegia e poi in Moldavia: siccome non posso giocare la prima perché devo scontare l'ultimo turno di squalifica, vengo autorizzato a proseguire gli allenamenti con la Roma – sono un po' indietro – e a unirmi al gruppo azzurro soltanto la sera della partita contro i norvegesi. Quella stessa mattina però, in una sgambata con la Lodigiani al Flaminio, vengo colpito alla caviglia e finisco negli spogliatoi con la borsa del ghiaccio. Il dottor Brozzi chiama Castellacci, il suo omologo azzurro, per dirgli che non se ne fa niente, non sono in condizioni di giocare in Moldavia, meglio restare a Roma a seguire le terapie del caso. Una procedura normale, già seguita altre volte, non certo un modo per marcare visita. Immaginate quindi lo sconcerto quando, un'ora dopo, arriva in sede un fax della federazione nel quale si richiede comunque la mia presenza a Palermo per un controllo medico. Non c'è ancora l'esplicita ostilità di una visita fiscale, ma il messaggio è chiaro: non si fidano.

Mi imbarco per la Sicilia il mattino dopo con la sensazione che le prossime ore saranno decisive per il mio futuro in Nazionale. Lippi ha bisogno di parlarmi, l'ha detto a Vito che, conoscendo il carattere di entrambi, teme si possa arrivare a un confronto acceso. Quando sbarco al Mondello Palace, l'albergo che ospita la comitiva, la squadra è fuori per l'allenamento defatigante. L'atmosfera sembra allegra. Magari con un po' di fatica, perché il 2-1 di Toni è arrivato soltanto a dieci minuti dalla fine, ma abbiamo battuto la Norvegia. Arriva il pullman e il primo compagno che abbraccio è De Rossi: la sera precedente ha debuttato, e ha segnato pure il primo gol. Poi mi vede Lippi, mi viene incontro sorridendo, mi chiede come sto e mi dice che dopo mangiato, mentre gli altri riposano, vorrebbe incontrarmi da solo. Non sembra mal disposto, e nessun medico mi fissa un appuntamento per la visita. Non capisco. Mangio in fretta un piatto di pasta, a questo punto non vedo l'ora di parlare col c.t.

«Caro Francesco, dobbiamo cominciare a conoscerci meglio» è il preambolo di Lippi, «perché nei prossimi due anni passeremo parecchio tempo assieme, e io ti chiederò molto. Avrai letto sui giornali qualche mia intervista, i passi in cui dico che ho accettato di guidare la Nazionale perché sono convinto di poter vincere il prossimo Mondiale. Ecco, devi sapere che se mi sono sbilanciato così è perché sono convinto di avere gli uomini per compiere l'impresa, e tu sei uno di quelli fondamentali. Da allenatore avversario ho passato molte notti a studiare come limitarti, perché fermarti del tutto era impossibile: ora sono ansioso di godermi l'altra faccia della medaglia, organizzare un gioco che possa esaltare il tuo apporto. Ma perché questo succeda dobbiamo conoscerci, ed entrare in sintonia. Per cui smettiamola di parlare di calcio, quella è l'ultima cosa, e cominciamo a raccontarci che tipo di persone siamo.»

Io sono a bocca aperta. Mai visto un approccio del genere. Bellissimo. Inizio a spiegargli com'è la mia famiglia, gli dico che con Ilary le cose sono diventate subito serie, lui mi racconta le ultime di suo figlio Davide – siamo amici, abbiamo fatto assieme il servizio militare – e ci facciamo qualche risata ricordando le scemate di quei tempi. Stiamo lì due ore a parlare di tutto: musica, politica, donne, Federer e Kobe Bryant, la ricerca dello stile e quella della vittoria. Alla fine ho la sensazione di essergli piaciuto, e lui certamente è piaciuto a me.

«Adesso torna a Roma e curati bene, Francesco, perché a ottobre comincerò ad avere bisogno di te sul serio» mi dice, congedandomi senza visite mediche. Immagino la delusione di chi aveva previsto forti tensioni tra me e il nuovo mister azzurro. Stabilito il rapporto umano, quello tecnico viene di conseguenza: Lippi non esagera, mi vuole davvero al centro della sua Nazionale, e per farlo mi sfrutta giustamente al massimo nelle gare di qualificazione per lasciarmi invece a riposo nelle amichevoli. A giugno del 2005, per esempio, mi risparmia la tournée americana di un'Italia molto sperimentale, consentendomi di sposarmi. È la gestione perfetta per quelle che sono diventate le mie esigenze di quasi trentenne, ancora determinato a inseguire il grande risultato in maglia azzurra ma cui pesano ormai i ritiri troppo lunghi. Ed è in questa condizione privilegiata che inizio l'anno del mio ultimo Mondiale. Tutto liscio? No. Dovrò superare un'altra prova difficile prima di lanciarmi verso Berlino.

11

La grande paura

Crac. La scalata al titolo mondiale comincia così, con un perone che si spezza, domenica 19 febbraio 2006, pochi minuti dopo l'inizio di Roma-Empoli. Sul momento non provo dolore, caduto a terra dopo il tackle di Vanigli afferro il piede con le due mani per verificare cosa gli sia successo, e per un attimo pare tutto okay. Ma è solo un attimo. Appena stacco le mani pende verso sinistra in modo innaturale, a peso morto, e mi sento morire anch'io. Il Mondiale. Ho perso il Mondiale, maledizione. Aspettavo da quattro anni la rivincita della Corea, e invece non l'avrò mai. Avevo già deciso, e pure annunciato, che dopo questo Mondiale avrei lasciato la Nazionale. Era la mia ultima chance. Non è giusto, dannazione, non è giusto, non è giusto...

E dire che solo una settimana prima, d'accordo con il dottor Brozzi – il medico sociale della Roma – avevo lanciato l'allarme sull'eccessiva quantità di falli da dietro che stavo subendo. Intendiamoci: i calcioni fanno parte del mestiere di numero 10, chi mi accusò di essere un piagnone non aveva capito niente perché fino a un certo punto io ho sempre tollerato. Anche se sei il migliore, o forse proprio per questo, non puoi pretendere che gli avversari se ne stiano lì ad applaudire, ammirati dalla tua passerella.

Il gioco scorretto è una questione di misura, in quel periodo abbondantemente superata; Brozzi aveva valutato che mostrare i miei lividi, e quanto le caviglie fossero rosse e gonfie anche a distanza di giorni dall'ultima partita, potesse convincere gli arbitri a tutelarmi un po' meglio. Erano settimane che, a causa del dolore, faticavo ad allenarmi: dal lunedì al venerdì facevo soprattutto fisioterapia, il sabato mi univo alla squadra per la rifinitura, che in quanto tale di solito è leggera, e la domenica andavo in campo sperando di non trovare in marcatura un killer. Vi ho già detto del benvenuto che mi diede Vierchowod alla prima da titolare con Mazzone. Altri due veramente cattivi erano Couto e Montero, autentici incubi prima del derby e di Juve-Roma, mentre quelli del Milan – da Maldini a Costacurta – ti facevano capire subito chi avevi di fronte, ma senza farti troppo male. Erano dei campioni del ruolo, come anche Nesta e Cannavaro. Uno che dava di sé un'immagine peggiore di come fosse in realtà era invece Materazzi, perché i falli più vistosi non gli nascevano dalla cattiveria, ma dal ritardo col quale a volte interveniva. Naturalmente anche alla Roma c'era chi esagerava: ho già raccontato del modo in cui Samuel si incaricava della mia protezione, ma ricordo anche Cufré quando si caricava a pallettoni prima di affrontare la Juve, perché aveva un conto aperto con Del Piero e ogni volta finiva a botte. No, non ci sono squadre di soli santi.

Roma-Empoli, dunque. È il primo anno di Spalletti, dopo un avvio un po' stentato abbiamo preso velocità, siamo reduci da nove vittorie consecutive e nessuno pensa seriamente che loro possano fermarci, anche perché la settimana successiva c'è il derby e vogliamo arrivarci lanciati. Mi marca Richard Vanigli, che non è un titolare abituale ma nemmeno un ragazzino, eppure gioca con la foga di chi deve conquistare il posto in squadra. Tre falli in cinque minuti, sollecito all'arbitro Messina un cartellino giallo; non perché siano violenti, ma se non metti uno stop non giochi più, ogni intervento è un fischio. Niente, si gira dall'altra parte. Immagino che l'ammonizione sia soltanto rimandata, devi prenderti un altro calcio, porta pazienza Francesco...

Va esattamente così, un minuto dopo: 6' del primo tempo e quarto fallo, ammonizione, ma è troppo tardi. Vanigli mi ha colpito da dietro a metà campo. Dico: a metà campo, e non ero nemmeno rivolto verso la sua porta. Sarebbe "soltanto" un altro livido se il piede sinistro non si piantasse nel terreno, restando lì mentre il corpo scivola in avanti passandogli sopra. Più tardi mi spiegheranno perché all'inizio non sentissi dolore: il nervo si è spezzato, togliendomi ogni sensibilità. Mi accorgo del disastro dalla "caduta" del piede e allora, per la prima volta nella mia vita, capisco cosa sia il panico. Un terrore indicibile, la sensazione precisa e raggelante che sia tutto finito.

Piango e urlo di tutto a Vanigli, ma questo me l'hanno raccontato dopo perché per un buon minuto perdo la cognizione di quanto mi accade attorno. Sono lì che inveisco per dieci secondi e per altri dieci tengo la faccia a terra, poi ricomincio il ciclo finché Brozzi e Vito e Silio Musa, il fisioterapista, non mi sono addosso, e a loro tre grido: «Me so' rotto tutto». Vedo Vito alzarsi in piedi e agitare le mani in gesti febbrili, penso che ordini il cambio ma Spalletti ha già detto a Montella di spogliarsi, è già operativo. Vito sta semplicemente chiamando l'ambulanza a bordo campo. Qualcuno mi infila la giacca della tuta, è pur sempre febbraio, e pochi istanti dopo la barella mi deposita in macchina senza troppa delicatezza. «Presto, presto, a Villa Stuart» grida Vito all'autista, mentre il dottore, appreso dalla clinica che il professor Mariani è nella sua casa di campagna di Anguillara come ogni sabato e domenica, sta cercando di rintracciarlo al cellulare. Per fortuna ci riesce subito, mentre l'ambulanza viaggia a sirene spiegate lungo i tornanti di Monte Mario.

È incredibile come, di quei momenti convulsi, ricordi tutto con implacabile lucidità. La sedia a rotelle che mi attende all'ingresso della clinica, l'orologio digitale che quando entro segna le 15.26 – venti minuti appena dopo l'incidente in campo –, le due ali di infermiere e inservienti che mi scortano discrete fino alla sala delle risonanze, persino il ragazzo che, nel generoso tentativo di darmi un piccolo sollievo, sussurra che Perrotta ha fatto gol, e che stiamo vincendo 1-0. Il piede finisce per un quarto d'ora dentro al macchinario, sono solo nella stanza, chiudo gli occhi cercando di non pensare a niente mentre il ronzio della risonanza magnetica segnala il verdetto in preparazione. Ho ancora addosso i calzoncini da gioco, le cosce sono intrise di erba e sudore, le lacrime si sono asciugate ma mi cola il naso, vorrei tanto farmi una doccia.

Quindici minuti ancora, la macchina si ferma con un ultimo sospiro metallico, le porte della sala si spalancano e Ilary è lì, sconvolta eppure calma. Ci eravamo salutati al telefono prima del riscaldamento, lei era in macchina con Cristian diretta a Fiumicino perché doveva raggiungere Sanremo per le prove del Festival, che avrebbe presentato di lì a una settimana. Alle tre hanno chiamato il volo, ma qualcuno l'ha avvisata dell'incidente prima che salisse sul pulmino per l'aereo e non c'è stato verso di fermarla. Adesso è qui che mi abbraccia, mi bacia e mi dice che Mariani è già arrivato e sta valutando le lastre. Restiamo lì cinque minuti, mano nella mano, con Cristian fra le braccia della tata. Provo a frenarmi, ma è il momento in cui pago tutto lo stress: scoppio a piangere, e piango senza ritegno, consolato da mia moglie. Riesco a ricompormi appena in tempo per l'ingresso in scena del professor Mariani, che senza nemmeno dire ciao agita le radiografie e sentenzia: «Dieci minuti e la sala è pronta, ti operiamo subito Francesco, io e Santucci».

Ho letto da qualche parte che l'uomo, per quanto male possa stare, riesce comunque a trovare un equilibrio dal quale poi fatica a schiodarsi. Ecco, scoprendo questa caratteristica dell'animo umano mi sono spiegato la frase assurda che, di getto, oppongo all'urgenza molto professionale del medico.

«Subito? Non si potrebbe fare domani?»

Mariani trasecola. È un luminare, non è abituato a vedersi contestare le decisioni. Mi parla scandendo le parole, come se fossi un bambino. «Francesco. Ti sei fatto molto male. Andando a spanne sarebbero sette mesi, e il Mondiale è tra meno di quattro. Se vuoi avere una chance, devi guadagnare ogni minuto possibile.»

Vorrei dire ancora qualcosa, perché il panico è una frustata che va e viene in pochi secondi mentre la paura – anche di un intervento chirurgico – è un'emozione meno brutale ma più duratura, difficile da scacciare. Però lo sguardo di Ilary mi incenerisce, e capisco che non ci sono sponde, soprattutto fra la gente che mi vuole bene. Imploro soltanto l'anestesia totale, perché se sentissi il professore chiedere all'assistente un trapano morirei direttamente per lo spavento, e alle 16.30 entro in sala operatoria. La partita non è ancora finita. Prima che l'anestetico faccia il suo effetto tento di origliare cosa si dicono i vari medici, ma non capisco nulla, e forse è meglio così.

Mi risveglio alle 20.30, con un sapore acido in bocca. Sento che in camera c'è qualcuno, per cui socchiudo gli occhi prima di aprirli, per indagare. Sono tutti lì. Parlano a bassa voce per non disturbarmi, ma sono tutti lì: mamma, papà, Ilary, Riccardo, Angelo, altri parenti, una decina di persone, la cerchia più intima. Fuori dalla camera avverto un affollamento più importante, il vetro smerigliato mi lascia intuire solo i colori, c'è il rosso dominante delle tute, dev'esserci la squadra. Tossisco, e subito tutti scattano verso il capezzale. Per fortuna la più rapida è un'infermiera, che sa esattamente cosa fare: mi solleva un po' la testa per permettermi di bere da una cannuccia, capisco adesso quanto bisogno di acqua avessi per reidratarmi e togliere dalla bocca quel cattivo sapore. Il piccolo trambusto è stato ovviamente percepito all'esterno, e la scorta di medici e altre infermiere che non avevo notato si affanna a filtrare l'invasione dei compagni e di altre decine di curiosi misteriosamente arrivati fin lì. «Capitano, abbiamo vinto» grida qualcuno, ed è tutto quel che volevo sentire. Da loro. Per il resto aspetto Mariani, che entra in camera dopo aver negoziato l'allontanamento della folla.

«Ti dico subito che puoi farcela. Ti sei rotto il perone e il legamento del collo del piede. L'intervento è durato due ore e un quarto, ti ho inserito una placca con tredici viti che resterà lì per sempre, più la vite sul collo del piede che bloccherà per un mese il legamento e poi andrà rimossa. La rieducazione sarà lunga, faticosa e anche dolorosa, ma conosco bene il tuo corpo, so che le calcificazioni sono più rapide della norma, per cui mi sento di prometterti che a giugno sarai in grado di giocare delle partite. Non chiedermi come, però, perché i tempi sono davvero stretti e un Mondiale non è uno scherzo, richiede un'efficienza fisica totale. Voglio dire che ci arriverai, ma non so con quanta preparazione alle spalle. Dipenderà molto da te.» Come sempre, penso, ed è la penultima cosa che ricordo prima di un lungo sonno senza sogni. L'ultima è che Vito, ben conoscendo le mie fobie, ha evitato che Mariani o Santucci, il chirurgo, mi avvisassero prima dell'operazione che il perone era rotto. Mi sarei spaventato troppo.

Quando riapro gli occhi, alle nove del mattino, in camera c'è soltanto mia madre. Ha una rivista fra le mani, ma non la sta sfogliando perché i suoi occhi sono fissi su di me. Tornare bambini è abbastanza inevitabile, in certe situazioni, e il pensiero corre indietro nel tempo, quando qualche linea di febbre la convinceva a non mandarmi a scuola e io non ne ero esattamente addolorato. Però non potevo fare molto altro, perché lei mi vegliava toccandomi la fronte ogni cinque minuti per verificare che la temperatura non si stesse alzando. Ecco, siamo tornati indietro di venticinque anni e lei, con un sorriso appena accennato, mi posa la mano sulla fronte per sentire il calore e – immagino – spiegare poi all'infermiera di cosa ho bisogno. Mi verrebbe da dirle che mi sono rotto una gamba, mica ho l'influenza, ma trattengo per noi due soltanto questo breve momento di intimità ritrovata. Molto breve, in realtà. Una sagoma compare al di là del vetro, bussa alla porta, e senza attendere risposta entra nella camera. Le nove sono passate da qualche minuto, io non ho ancora fatto caso a come sento il piede, e nella mia stanza c'è già Marcello Lippi. Il commissario tecnico della Nazionale. Il nostro c.t.

«Mister, come sta?» Mi escono soltanto le parole più banali, perché sono sbalordito. Il pensiero si concentra sull'ora in cui Lippi dev'essersi messo in macchina a Viareggio per essere qui alle nove.

«Come sto io? Come stai tu, è questo il punto. Chi se ne frega di come sto io. Ciao Francesco, allora, raccontami...»

Alla fine, considerato il Mondiale e i ritiri per amichevoli e gare di qualificazione, avrò passato con Lippi non più di tre mesi della mia vita. Ma valgono come trent'anni, perché un uomo in grado di capirmi così in profondità, e quindi di prendermi sempre per il verso giusto, anche quando deve darmi una cattiva notizia, non l'ho più incontrato. Almeno nel calcio. Quel giorno a Villa Stuart ho davanti due strade: credere con tutto me stesso nel recupero, accettando le difficoltà del caso. Oppure cedere alla depressione, lasciandomi frenare dai dubbi. Sorridente come il divo del cinema al quale è stato sempre accostato, è come se Lippi mi prendesse per mano per farmi imboccare il cammino giusto.

«Francesco, sono venuto a dirti che tu verrai al Mondiale senza se e senza ma. Ieri sera ho parlato con Vito che mi ha dato le prime informazioni, più tardi andrò da Mariani per conoscere la situazione nei dettagli; ma qualsiasi cosa mi dica, tu verrai al Mondiale perché per vincerlo ho bisogno di te, anche al trenta per cento. Mi servi. Ci servi. Non pensare negativo nemmeno per un istante, e fidati della tua capacità di recupero. Sarà un lavoro duro, certo, però io lo vivrò accanto a te.»

Siamo abituati a pensare che tutti servano ma nessuno sia indispensabile, una bella massima che ci mantiene umili. Ma non è di umiltà che ho bisogno quel giorno, disteso su un letto d'ospedale con la gamba in trazione. Al contrario, ho bisogno di sentirmi indispensabile e Lippi – che ha un tocco magico nell'individuare le necessità dei suoi uomini – l'ha percepito al volo, soltanto guardandomi in faccia. Avverto una spinta quasi fisica, nelle sue parole. E a rafforzarla arrivano via via le telefonate e i messaggi dei compagni di Nazionale, tutti a ripetere le stesse cose. Non gliel'ho mai chiesto ma non mi stupirei se Lippi avesse ordinato loro un incessante martellamento per tenermi su di morale. Nelle situazioni in bilico, come oggettivamente è la mia, la testa decide quasi tutto.

Quel mattino telefona anche Vanigli. Sta male. Dopo l'intervento su di me l'Olimpico gli ha fatto passare un pomeriggio difficile, perché man mano che arrivavano allo stadio le notizie la rabbia dei tifosi andava montando. So che negli spogliatoi ha pianto chiedendo mie notizie, e non avrebbe senso fare il sostenuto. Gli dico che non ho dubbi sul fatto che non volesse farmi del male, e davvero non li ho, ma che magari qualche scorrettezza in meno gioverebbe anche alla sua immagine. Mi ribadisce di non essere un picchiatore e io gli rispondo: «Okay, tranquillo, è stata soltanto sfortuna». Dentro di me penso che è stata *soprattutto* sfortuna, non *soltanto*, perché quattro falli in sei minuti sono comunque troppi. Ma è giusto chiuderla lì.

Il ricovero a Villa Stuart dura quattro giorni, e il personale della clinica fatica a canalizzare la continua processione di gente – da una parte parenti e amici, dall'altra semplici tifosi che vogliono farmi sentire il loro affetto – che sale quotidianamente la collina di Monte Mario. È un calore umano che mi inorgoglisce, ma crea anche un certo imbarazzo, perché leggo sui volti delle infermiere il fastidio per gli straordinari non previsti. Realizzo insomma di essere una scocciatura, e non può sempre bastare la disponibilità a un autografo, a una foto, a due parole dette al telefono «A mio fratello che è tanto tifoso della Roma». Va così, e un po' ci penso la sera, quando le luci si spengono e anche mamma e papà, per ultimi, se ne vanno. Chissà come mi vedono le persone che, pur non provando interesse per il calcio, in qualche modo entrano in contatto con me – come prima o poi è inevitabile in questa città – e subiscono gli effetti collaterali di questo incredibile rapporto d'amore. Fino a dove sono tolleranti e da che punto invece divento una gran rottura di scatole, come potrebbe per esempio essere a Villa Stuart? Sono pensieri che mi prendono già al tramonto del primo giorno di degenza, di quelli che ti impediscono di dormire, anche perché è dalla mattina che sono a letto e avrei piuttosto bisogno di una bella passeggiata.

Mi giro dall'altra parte nel tentativo di prender sonno, il solito orologio digitale scatta sulle undici, nel silenzio dell'elegante clinica che domina Roma avverto prima uno scalpiccio di piedi nel corridoio e poi un bussare trattenuto alla porta, nell'evidente intento di farsi sentire soltanto da me. Al di là del vetro smerigliato c'è un'ombra, dire «Avanti» è un automatismo.

Luciano Spalletti. Le undici di sera, e il mister si introduce di soppiatto nella mia camera. Ha un pacco abbastanza voluminoso con sé, mi fa segno di tacere con l'indice davanti alla bocca e lo scarta, tirando fuori un cavalletto componibile e un blocco di grandi fogli bianchi. Come colpito improvvisamente da un dubbio lontano, mentre lo assembla si gira verso di me per chiedere: «Ma stavi dormendo?».

«No mister, non riesco proprio a prendere sonno.»

«Ah! Bene, bene…» e riprende il suo lavoro, come rasserenato. Trenta secondi dopo, l'allestimento è pronto. Toglie di tasca un pennarello nero, e comincia. «Adesso, caro Francesco, disegniamo la Roma del prossimo anno. Ti scrivo le varie opzioni, poi studiamo assieme i pro e i contro di ogni giocatore.» Io sono del tutto imbambolato per lo stupore. Lui lo sa, deve averlo previsto, e adesso certamente ci marcia accelerando la preparazione dello strano Monopoli. Scrive tre nomi di portieri, sei di difensori, sei di centrocampisti e cinque di attaccanti. «Cominciamo: scegline uno per ruolo come se non avessimo problemi di budget, quelli li consideriamo poi.»

Per quattro notti resto a Villa Stuart, per quattro notti Spalletti arriva alle undici e se ne va alle tre del mattino. Quel che facciamo, in sostanza, è chiacchierare di calcio: l'analisi dei giocatori che la Roma potrebbe acquistare è ovviamente un pretesto, perché in realtà discutiamo di tutto, dallo stile di gioco delle grandi squadre europee all'assoluta specificità del contesto romano, il più grande sin lì conosciuto da lui, che viene dall'Udinese. E ovviamente anche da me, non avendone mai frequentati altri. Sono quattro nottate lunghe e insieme leggere, nelle quali il mister mi concede grande confidenza e, attraverso il gioco del mercato, mi fa restare con la testa ben dentro alla Roma in un momento nel quale si sarebbe potuta creare una certa distanza, se non altro perché fino ad agosto di giocare per il club non se ne parla. Ho il ricordo di una grande unione fra noi, in quei momenti, persino di affetto, e anni dopo la cosa accentuerà la mia incapacità di comprendere il suo comportamento. Ma c'è stato un momento nel quale Spalletti è stato straordinario con me, ed è giusto dargliene atto.

Una settimana dopo l'intervento sono a bordo campo all'Olimpico, con le stampelle, ad assistere alla nostra vittoria nel derby. Finisce 2-0, Taddei e Aquilani non mi dimenticano al momento di festeggiare i gol, passando esultanti nella zona in cui mi hanno piazzato.

Se quella serata è una parentesi di gioia, il resto

è soltanto fatica, fatica e ancora fatica. Secondo le previsioni di Mariani, il fatto che le mie ossa calcifichino più rapidamente della media dovrebbe farmi guadagnare un mese. Io devo inventarmi qualcosa per rubare altro tempo, e l'idea giusta viene a Silio, che tagliando e sigillando con gli elastici alcune buste dell'immondizia – quelle nere, le avete in casa anche voi – riesce a crearmi una protezione impermeabile per la gamba in modo da farmi lavorare in piscina quando la ferita è ancora in via di cicatrizzazione, e fuori dall'acqua la vite che blocca il legamento mi costringe alle grucce. In questo modo guadagno venti giorni puliti, perché quando mi tolgono la vite ho già recuperato in piscina un po' di elasticità e soprattutto il tono muscolare. Difatti il primo giorno senza stampelle a Trigoria, meno di un mese dopo l'operazione, percorro il perimetro del campo principale molto lentamente, ma sentendomi già sicuro sulle gambe. Così sicuro che quando arrivo all'ultima bandierina del corner, e ci trovo un pallone accanto come se mi stesse aspettando, non resisto e, di destro, lo calcio a rientrare verso la porta. Non ho perso il tocco perché la traiettoria a effetto finisce in rete, ma non ho il tempo per compiacermi perché mi sono tutti addosso al grido di «Ma che fai?» o «Ma che sei scemo?». Per colpire di destro, infatti, ho appoggiato il peso del corpo sul sinistro, com'è normale, dimenticando però che il legamento è stato appena liberato dalla vite, e che meno di un mese prima il perone si è frantumato. Metto su la faccia del bambino pescato con le mani nel barattolo di marmellata, però allo stesso tempo mi "ascolto" il piede sinistro, e quello non comunica assolutamente nulla. «Guardate che va tutto bene» dico, a bassa voce, quasi temendo di offenderli. Vito, Silio, il mister… Credo che, se potessero, in quel preciso momento mi romperebbero l'altra gamba.

L'esigenza di affrettare i tempi al massimo mi costa otto ore di lavoro al giorno, caricando ogni volta di più il sinistro per irrobustirlo. Salti, gradini, gradoni; comincio fermandomi dopo ogni balzo per verificare che sia tutto a posto, poi passo a uno stop ogni due movimenti, poi ogni tre, ogni cinque, aumentando via via. Attorno al 30 marzo corro già in scioltezza, Lippi viene a Trigoria una volta alla settimana e assiste ai miei progressi con un'espressione sempre più ottimista, Spalletti fin dall'inizio corre con me alzando impercettibilmente il ritmo e calando soltanto quando vede che zoppico; succede regolarmente, ogni giorno un po' più tardi. Sono settimane di grande intensità emotiva, perché attorno a me c'è un mondo di persone che spinge perché io ce la faccia, e nitidamente avverto che si comportano così perché mi vogliono bene, non solo perché c'è in ballo per tutti il Mondiale. E quindi le famose domande che mi sono sempre posto su cosa diavolo debba fare per meritarmi tanto affetto, tanta stima, tanta popolarità, stavolta hanno una risposta semplice, immediata, lampante: devo riuscire a recuperare in tempo per giugno. Così la fiducia crescente e la sensazione di farcela, che giorno dopo giorno avverto più chiara, mi portano sensazioni bellissime. Sì, ce la farò. Sì, il vostro straordinario lavoro non verrà tradito. Sì, giocherò il Mondiale. Quanto e come si vedrà, ma sento che ci sarò.

L'ultima certificazione arriva dal professor Mariani, che all'inizio di aprile mi visita per autorizzare la ripresa degli allenamenti con la squadra. Gli dico che la caviglia non si è mai gonfiata, nemmeno dopo i carichi di lavoro più pesanti, e che mi sento benissimo: lui valuta le radiografie e le approva con un largo sorriso. «Francesco, quel pomeriggio non esageravo quando ti dissi che normalmente un disastro del genere avrebbe richiesto sette mesi tra convalescenza e riabilitazione. Però sapevo che il tuo corpo è speciale, e ne ho avuto conferma. Di mesi non ne sono passati nemmeno due, ma ti dico che il Mondiale è ormai vicino.»

Un altro mese di lavoro, ovviamente prudente nell'evitare i contrasti, e le telefonate con Lippi diventano quotidiane. Gli incoraggiamenti dei compagni, sia della Roma sia della Nazionale, sono sempre più convinti. Finché, all'inizio di maggio, il c.t. mi chiama e, con voce asciutta ma un po' emozionata – o almeno così mi pare di percepire – mi pone la domanda che deve: «Francesco, è il momento di comunicare alla Fifa l'elenco dei preconvocati. Posso contare su di te?».

Ricordate che da bambino suonavo ai citofoni di via Vetulonia dicendo di essere Gerry Scotti? Ecco, in quel momento penso al famoso «L'accendiamo?» del suo quiz, perché pur nella sua cortesia la domanda di Lippi ha un significato ugualmente ultimativo. Ma io non ho dubbi, l'accendiamo eccome.

«Sì mister, ci sono.»

Ovviamente se l'aspettava, ma avverto una certa difficoltà a camuffare l'entusiasmo. O forse Lippi non ha nessuna intenzione di camuffarlo. «Non potevi darmi notizia più bella, Francesco. Ci vediamo a Coverciano.»

12

La cruna dell'ago

Il primo allenamento a Coverciano mi fa capire la situazione reale. Dopo un'ora abbondante di lavoro atletico Lippi fischia la conclusione e ci dirigiamo tutti a bordo campo verso il tavolo delle borracce, abbastanza provati. Un paio di sorsi e la voce del c.t. risuona alle nostre spalle. «Doccia per tutti tranne che per Francesco, lui resta in campo con me.» Mi volto. Lippi ha due palloni in mano, e sorride: «Fammi vedere se sai ancora tirare in porta».

La provocazione è bonaria, ma in effetti dopo l'infortunio ho giocato meno di novanta minuti "ufficiali", tutti a San Siro, tra finale di ritorno di Coppa Italia con l'Inter e ultima di campionato col Milan. A Trigoria ho completato il recupero fisico: corsa, appoggi, cambi di direzione, molto torello, qualche partitella assieme a compagni attentissimi a non sfiorarmi. Il calcio è un'altra cosa. Prima di rilanciarmi nella mischia, Lippi vuole che riprenda confidenza con i "miei" fondamentali, e così si piazza in porta sfidandomi a batterlo da fuori area a un ritmo di tiro il più rapido possibile. È lui stesso a recuperare i palloni che finiscono fuori, e al decimo scatto lo vedo un po' ansimante. Molti anni dopo mi avrebbe confessato che quegli allenamenti supplementari – si ripeterono per tutta la prima settimana, mezz'ora al giorno – gli erano costati parecchio dal punto di vista fisico («A un certo punto non capivo più niente»), ma non per questo s'era fermato. Era l'ultimo tassello nel mosaico della ricostruzione prima della prova definitiva, quella del campo.

L'appuntamento è a Ginevra, il 31 maggio, amichevole contro la Svizzera. Dall'infortunio sono passati centouno giorni, al debutto mondiale contro il Ghana ne mancano dodici. Lippi mi infila nella formazione di partenza senza fissarmi un limite: devo giocare finché sento che ci sono energie. Come quando hai una macchina nuova e, per conoscere con la massima precisione la capacità del serbatoio, ci giri finché si ferma perché è finita la benzina. Nel primo tempo sono un po' legato. Gioco dietro a Gilardino, che ci porta in vantaggio mettendo in porta un cross radente di Grosso da sinistra. È un 4-2-3-1 con i lati occupati da Camoranesi e Del Piero, lo schema alternativo al trequartista dietro due punte che Lippi utilizza più di frequente. Gli svizzeri pareggiano con un bel tiro da fuori, io mi muovo con circospezione anche perché dopo un avvio tranquillo alcuni di loro diventano aggressivi, se la sono presa a male per qualcosa che non ho capito. Nell'intervallo Lippi mi rivolge un gesto interrogativo, a verificare se tutto sia a posto, e lo rassicuro: tecnicamente ho combinato poco, ma la gamba c'è e col passare dei minuti l'ho sentita sempre meglio. Infatti nella ripresa alzo il mio livello di gioco, anche perché siamo tornati allo schema classico, due punte davanti e io alle loro spalle, con tre centrocampisti dietro a sostenermi. Non arrivano altri gol, ma i novanta minuti interi – non mi faccio sostituire nemmeno nel finale – valgono la conferma più attesa. Sto bene.

Restiamo in Svizzera perché due giorni dopo, stavolta a Losanna, è in programma la seconda e ultima amichevole premondiale, contro l'Ucraina. Logicamente giocano soprattutto quelli che a Ginevra erano rimasti a guardare, ma dopo un'ora Lippi, che vuole capire a che punto è la mia capacità di recupero, mi butta dentro al posto di Del Piero. In mezz'ora succede poco, giusto una bastonata di Gusin che funziona da crash test per la gamba convalescente: se ha resistito a quell'entrata vuol dire che l'osso è più forte di prima. Il che non evita al biondo un sentito vaffa... Comunque corro, e non era scontato. Attorno a me vedo volti di compagni sollevati e sorridenti. Durante il Mondiale, e anche negli anni successivi, Lippi mi ripeterà più volte: «Tu non hai idea dell'affettuosa attenzione con la quale hanno seguito la tua convalescenza. Mi chiamavano e mi mandavano messaggi, tutti dello stesso tenore. "Mister, portiamo Francesco anche al cinquanta per cento, spaventa comunque gli avversari e ci apre spazi di gioco." Contrariamente alla famosa massima, mi imploravano affinché scegliessi il dottore malato anziché l'asino sano». Che poi è un modo di dire, di asini in quel contesto proprio non se ne vedono.

Partiamo per Duisburg, dove è stato allestito il nostro quartier generale, con la certezza di essere una buona squadra. Siamo armati in ogni reparto. Buffon è il miglior portiere del mondo per unanime riconoscimento. Al centro della difesa ci sono due fuoriclasse del ruolo come Cannavaro e Nesta. L'asse di centrocampo corre da Pirlo davanti alla difesa a me dietro alle punte. Davanti, c'è l'imbarazzo della scelta: Del Piero, Toni, Gilardino, Inzaghi, ognuno pericoloso in base alle sue caratteristiche. E oltre a questi campioni ci sono giocatori di qualità in grado di rendersi protagonisti nei momenti di necessità.

Non bisognerebbe dirlo, perché non è giusto togliere la speranza ai giovani, ma io credo che non avremo mai più una Nazionale così forte. O almeno non la riavremo finché non si troverà il modo di schierare nei club un congruo numero di italiani, perché il bacino di giocatori tra i quali scegliere è diventato uno stagno: puoi sempre trovarci il fuoriclasse assoluto, ma sette-otto campioni tutti assieme no, il calcolo delle probabilità ti gioca contro.

Per essere più chiaro: nello spogliatoio della Roma di oggi si parla in inglese, e questo a me continua a non sembrare normale. Per carità, un po' di inglese lo mastichiamo tutti, e per anni gli stranieri nuovi arrivati sono stati assistiti dai compagni finché non imparavano l'italiano. Adesso in molti nemmeno più lo studiano, tanto sanno che resteranno a Roma un anno o due, inutile sforzarsi. Col risultato che uno spogliatoio come il nostro, capace nel tempo di stringersi attorno a capitani romani, da Di Bartolomei a Bruno Conti, da Giannini a me e a Daniele, dialoga come se fossimo l'Arsenal o il Chelsea. Normale questo? Ma dai… La Nazionale del 2006 è stata il frutto di anni di scelte ricche, e di percorsi comuni nelle giovanili. Vi ricordate del mio gol al Messico, al Mondiale Under 17 in Giappone, e di Buffon che percorre tutto il campo per venirmi ad abbracciare? Era il 1993, e noi due eravamo già compagni in azzurro.

L'altro aspetto della modernità che trovo deleterio per lo spirito di squadra è lo smartphone, col suo potere – per altri versi fantastico – di portarti in mondi lontani e isolarti in ogni momento. Compresi quelli in cui dovresti vivere una dinamica di gruppo. La Nazionale del 2006 – come tutte le squadre dell'epoca – arrivava in pullman allo stadio ascoltando la stessa musica, con le casse di potenza esagerata portate da Materazzi. Non soltanto la celebre *Seven Nation Army*, c'era un'intera playlist a caricarci come molle per il semplice fatto di ascoltarla assieme. Negli anni seguenti alla Roma mi è capitato più volte di proporre un ritorno al passato: cellulari spenti, niente cuffie, musica condivisa. Be', non è più possibile, tutti hanno una ragione per tenere accesi i telefonini: chi deve comunicare alla moglie a quale sportello ha lasciato i biglietti, chi aspetta il WhatsApp degli amici per sapere in quale ristorante trovarsi dopo la partita, chi vuol sapere fino a un minuto prima del fischio d'inizio quanta febbre ha il pupo... Tutte cose legittime, ma che fatalmente ti distanziano dagli altri.

Quando manca un'ora alla partita, e sai che tra poco capiterà che tu debba sacrificarti per un altro oppure che un altro si debba sacrificare per te, i compagni di squadra sono la tua famiglia, il tuo rifugio, la tua motivazione. Non puoi trattarli come degli estranei, non sono colleghi di ufficio. Sono fratelli, e il risultato sarà uguale per tutti: non esiste una situazione nella quale tu vinci e loro perdono. Le emozioni individuali devono essere sincronizzate, e per quanto possa sembrare strano una canzone ascoltata assieme in pullman crea un'empatia che in campo si avverte. Chiudo la divagazione ripensando all'ultima stagione da calciatore, quando si pretendeva che mi sentissi vecchio nelle gambe mentre io – per la frequenza di questi pensieri, di queste nostalgie – semmai mi sentivo vecchio nella testa. Vecchio ma non sbagliato, nel mio nuovo ruolo tornerò alla carica...

Riprendiamo il racconto dalla partenza per la Germania e dal clima di fiducia che si respira tra noi, in contrasto con l'aria pesante che percepiamo attorno a causa di Calciopoli. Sul tema c'è una riunione interna all'inizio del ritiro nella quale prendiamo due decisioni all'unanimità: la prima è di rifiutare ogni domanda sull'argomento da parte dei giornalisti, la seconda è di non parlarne nemmeno fra noi, bandendo persino scherzi e spiritosaggini, perché siamo tutti profondamente convinti dell'onestà dei nostri compagni. Non di quella dei dirigenti, e difatti gli articoli sull'inchiesta li divoriamo ogni mattina; ma sul fatto che Buffon, Cannavaro, Del Piero e gli altri giocatori della Juve non abbiano nulla a che fare direttamente con Calciopoli, nessun dubbio. E comprendendo la difficoltà del loro momento, meglio evitare anche le battute. Vi farò una confessione: quando cominciarono a diffondersi le voci sui loro trasferimenti in caso di condanna della Juve, allargai le orecchie a dismisura per non perdermi nemmeno una sillaba di Buffon. Non glielo chiesi apertamente per una questione di rispetto – a parte la notte della festa al Circo Massimo, quando l'atmosfera era speciale e un po' alcolica –, ma se avesse pronunciato anche mezza parola possibilista, l'avrei tormentato fino a "costringerlo" a venire alla Roma. Ma Gigi non me ne diede mai la chance.

Man mano che l'esordio si avvicina, comunque, ogni altro discorso scolora fino a svanire. Ci tocca il Ghana, un'africana tosta perché ricca di giocatori "europei" di livello; e se dire che ne abbiamo paura sarebbe troppo, è difficile cavarsela col solo rispetto, perché è un termine blando, non rende abbastanza l'idea. C'è molta inquietudine, ecco, sì, inquietudine va bene. Siamo in calendario il 12, quarto giorno del torneo, e alla vigilia, prima di volare a Hannover, annotiamo che anche l'Olanda si aggiunge a Germania, Inghilterra e Argentina nell'elenco delle favorite che hanno superato il primo esame senza entusiasmare, ma con i tre punti. Li invidio, loro sono già oltre il test del debutto, ma dentro ciascuno di noi sta crescendo una voglia feroce di calcio, di misurarsi, di battersi, ed è una voglia che prende e contagia, come un tam-tam che ci impedisce di prendere sonno. Siamo tesissimi. Fatico a dormire anche nel break pomeridiano, così prima guardo un po' dell'altra gara del nostro girone, con la Repubblica Ceca che batte abbastanza facilmente gli Stati Uniti, e poi – siccome mi avanza mezz'ora – chiedo al parrucchiere di tagliarmi i capelli. È una decisione improvvisa, per nulla ragionata, me lo dice l'umore e l'assecondo. Come se volessi entrare nel Mondiale diverso da come sono stato fin lì, e avessi bisogno di un cambiamento estetico per certificarlo. Alla riunione tecnica delle 18.45 più di un compagno mi guarda interrogativo, ma se ci ripenso adesso le facce stranite appartengono alle riserve. Noi titolari, snocciolati uno per uno da Lippi, siamo concentrati come fossimo in apnea.

Bang. Il fischio dell'arbitro, un brasiliano, sembra lo sparo di uno starter. Gioco dietro Toni e Gilardino in una formazione molto offensiva, l'intento del mister è evidente: partire col botto per aumentare l'autostima all'interno del gruppo e, all'esterno, la percezione di essere pericolosi. Il più forte del Ghana è Michael Essien, un corridore di centrocampo che il Chelsea ha pagato un sacco di soldi al Lione per accontentare Mourinho. Lo incrocio alcune volte ma quello che mi cura da vicino è Addo, un mediano che gioca in Olanda, al PSV. E quando cerco di sfuggire alla sua marcatura a uomo finisco nella zona di Paintsil, che a un certo punto mi tira una bastonata di quelle serie, sulla caviglia operata, e meno male che non riesce a prendermi in pieno. Comunque il Ghana è un avversario di livello, fortissimo fisicamente, discreto tecnicamente e tutt'altro che digiuno dal punto di vista tattico. Partiamo meglio noi, fra le linee trovo buoni spazi a patto di giocare a un tocco, massimo due, peccato solo che un passaggio a sorpresa – non per noi ovviamente – di Pirlo su punizione mi liberi a un tiro orrendo dai sedici metri. La prendo con il corpo troppo all'indietro, ne esce una cosa tipo trasformazione di una meta di rugby. Poco male, perché quando sono io a toccare per Pirlo, dalla bandierina del corner, Andrea s'inventa un gran gol dal vertice dell'area: è l'applicazione di uno schema studiato a tavolino, ma certo non me la sento di chiamarlo assist. Merito tutto suo, e siamo in vantaggio. La cosa migliore della mia partita, comunque buona, è il lancio-laser col quale mando al tiro Gilardino all'inizio della ripresa: purtroppo il portiere non dorme. Di lì a poco arriva un'altra stecca di Paintsil, e anche se non mi faccio niente Lippi preferisce togliermi per Camoranesi. Giusto così. C'è un vantaggio da conservare, il 4-4-2 è la blindatura opportuna, negli ultimi minuti addirittura Kuffour – mio compagno quell'anno alla Roma – sbaglia un passaggio al portiere innescando il 2-0 di Iaquinta. Un trionfo. Alzandomi dalla panchina al fischio finale annaffio con la borraccia i riccioli di Ciro Ferrara, che è lì come assistente di Lippi, mentre gli altoparlanti dello stadio di Hannover diffondono a tutto volume *Azzurro*, nella versione di Adriano Celentano.

È inevitabile che un esordio così brillante, dopo le tante domande che soprattutto l'ambiente esterno si poneva sul nostro reale valore, porti a un rilassamento. Lippi ci concede un giorno di libertà ma io, non avendo lì ancora nessuno, resto in albergo a giocare a carte con Gattuso, ignaro che nella gara successiva uscirò per fare spazio proprio a lui. A un Mondiale il tempo sgocciola veloce, due giorni di allenamenti ed è già vigilia della seconda gara, stavolta prendiamo un aereo per il Sud – Kaiserslautern non è lontana dal confine con la Francia – con uno spirito molto più sereno. Troppo, evidentemente, perché dopo l'ulteriore buona notizia della vittoria del Ghana sulla Repubblica Ceca nel match del pomeriggio, la sensazione che il girone sia una pratica ormai risolta è diffusa. Errore capitale: gli americani ci massacrano fisicamente per tutta la partita, perché corrono più veloci e sono pure più resistenti. Riusciamo in qualche modo ad andare in vantaggio con una bella torsione sotto porta di Gilardino, ma un liscio di Zaccardo, con relativo autogol, riequilibra subito la gara. E un minuto dopo De Rossi combina il patatrac.

Voglio molto bene a Daniele. Il suo amore assoluto, esagerato, quasi schizofrenico per la Roma è stato ovviamente il terreno sul quale ci siamo intesi fin dal suo arrivo a Trigoria, ma col tempo il rapporto è cresciuto in tutti i sensi, ci siamo frequentati anche fuori dal campo, e adesso è un sollievo vederlo sereno e felice dopo anni nei quali ha passato le sue vicissitudini. Anche Daniele è rimasto tutta la carriera alla Roma, ma per farlo ha dovuto dire più volte di no rispetto a me, perché evidentemente i grandi club internazionali non credevano alla sua volontà di rimanere qui a vita, perciò di offerte importanti ne sono arrivate ogni anno. Penso che abbia tollerato in silenzio il progressivo invecchiamento del suo soprannome, Capitan Futuro: ma se andate a rivedere il video del mio addio, lo scoprirete devastato dalla commozione, segno di un affetto sincero. Oggi non c'è un momento nel quale mi senta più imbarazzato di quando un tifoso incrociato in albergo o in aeroporto mi chiama capitano in sua presenza. Non lo sono più. Il capitano adesso è lui, e non avrei potuto lasciare la fascia su un braccio più degno.

Quella sera a Kaiserslautern, poco dopo la metà del primo tempo e sul risultato di 1-1, in un contrasto aereo Daniele tira una gomitata a un americano, McBride, sotto gli occhi dell'arbitro. Cartellino rosso inevitabile. Lui cerca di spiegarsi con ampi cenni delle braccia – a significare che le aveva usate soltanto per darsi slancio –, noi gli siamo subito accanto, come dev'essere, ma in realtà nessuno ha visto bene l'accaduto, perciò gli crediamo sulla fiducia mentre urla inutilmente all'arbitro «Io non ho fatto niente, non l'ho nemmeno toccato», col tono urgente e disperato di chi sta lasciando i compagni in dieci in una partita mondiale. Daniele esce affranto, la testa fra le mani, e noi febbrilmente ci riorganizziamo. Io arretro sulla linea del centrocampo e riesco subito a far filtrare in mezzo a tre americani un pallone per Pirlo, che a sua volta manda Toni al tiro, e peccato che gli esca sbilenco perché la chance non è piccola. Ma sono consapevole che l'assetto, anche così ridisegnato, non durerà. Infatti al 35', sette minuti dopo il fattaccio, Lippi mi richiama in panchina per inserire Gattuso. Nulla da obiettare. È una partita che ci dice bene solo perché loro sono molto ingenui: al 45' Mastroeni, con un'entrata da far paura, fornisce all'arbitro uruguaiano l'occasione per ristabilire la parità numerica. E all'inizio della ripresa un intervento dissennato di Pope, che è già ammonito, li riduce addirittura in nove. Una fortuna, perché proprio non ci siamo con la testa, rischiamo di perdere anche così. Se avessimo affrontato una nazionale più esperta, non avremmo portato a casa la pelle.

Negli spogliatoi Lippi è molto arrabbiato con De Rossi, lo capisco dal fatto che non lo nomina mai. Daniele è seduto, cambiato, tiene la testa bassa. Già nell'amichevole con la Svizzera aveva rifilato un pestone a un avversario a terra, e il mister ci aveva fatto una ramanzina di dieci minuti sulla necessità di evitare certe sciocchezze (ecco spiegata quell'aggressività degli svizzeri che sul momento non avevo capito). Secondo Lippi l'arbitro in quell'occasione aveva visto tutto, ma si era astenuto dal prendere provvedimenti per non rovinare il Mondiale a Daniele: così adesso deve sembrargli incredibile che ci sia ricascato. In ogni caso non gli dice nulla, e fa cenno anche a noi di lasciargli smaltire da solo la sbornia di adrenalina. Due rapide considerazioni sulla partita, e sul fatto che contro la Repubblica Ceca avremo comunque due risultati utili per passare, e la seduta è tolta. Stiamo per uscire quando Daniele si alza in piedi e, sempre tenendo gli occhi bassi, pronuncia ad alta voce le parole che deve: «Vi chiedo scusa. Veramente, chiedo scusa a tutti. Ho fatto una cazzata, stava per costar cara. Sono imperdonabile, scusate ancora». E se ne va per primo.

Al di là di un gesto che rimane grave, l'aspetto che più colpisce tutti è la discrepanza fra la convinzione con la quale Daniele in campo giurava di non aver fatto nulla e la desolante verità del video. La gomitata c'è stata, altroché, tanto che nei giorni successivi, quando la ferita morale comincia a rimarginarsi, a un paio di coraggiosi scappa la battuta con De Rossi («Gli si è aperta una guancia, pensa se lo prendevi...»), che a malincuore sorride. Non sorride per nulla, invece, quando arriva la sentenza: quattro giornate di squalifica, in pratica Mondiale concluso; dovremmo andare in finale per riaverlo disponibile, e al momento nessun pensiero si spinge così lontano. Lo sconforto è tale che Daniele vorrebbe tornarsene a casa immediatamente, il giorno stesso, ed è questo il momento in cui tocca a me intervenire, perché nella Roma sono il suo capitano e l'amico di più vecchia data. Lo rincuoro, gli dico che quel buco della serratura dal quale oggi si vede la finale potrebbe allargarsi col passare dei giorni, indago un po' sul raptus che l'ha preso senza immaginare quante volte mi toccherà riaprire l'argomento nel corso del tempo. Succederà con Mauri in un derby, con Lapadula a Genova a fine 2017, e ogni volta Daniele ripeterà come un robot: «Non ricordo nulla, a un certo punto mi si annebbia la vista e faccio cose delle quali non ho cognizione». E gli si allargherà in viso un dispiacere sempre più desolato: verso l'avversario colpito, verso i compagni rimasti in dieci, verso se stesso che la vive come una maledizione. Ormai sul campo sono puntate mille telecamere, sfuggire a tutte è impossibile, quando sbagli è fatale che paghi. Razionalmente sai che certe cose non le devi fare, ma in quei raptus di razionale non c'è nulla.

La terza partita, contro i cechi, è l'ultima di Sandro Nesta, che nel primo tempo si stira all'inguine, esce e già all'intervallo apprende la diagnosi: ne avrà per un mese, e alla fine del Mondiale mancano meno di tre settimane. Soffro per lui, mio "gemello" laziale da quando eravamo adolescenti. Patisco per il suo destino di infortunato nei grandi tornei per nazionali, perché ogni volta ce n'era una. Eppure, malgrado la certezza di non poter più giocare, Sandro non pensa nemmeno per un minuto di tornare a casa: il suo coinvolgimento nell'avventura rimane totale, e la sua scelta ha un'influenza positiva su Daniele, che accantona definitivamente l'idea del rientro – lui una possibilità di giocare ce l'ha ancora, sia pure remota – e durante le partite si fa compagnia con Sandro. Finisce che li chiamiamo Cip e Ciop…

Come la squalifica di De Rossi ha riportato in squadra Gattuso, così l'infortunio di Nesta apre la strada a Materazzi: a pensarci, il ruolo del caso nella creazione di una formazione mondiale è impressionante. Dire che Marco si faccia trovare pronto è persino limitativo: pochi minuti dopo il suo ingresso vado a tirare un calcio d'angolo e lo vedo arrivare di gran carriera dalle retrovie, con le dita rivolte al cielo a intendere di alzare la traiettoria sul secondo palo. L'espressione del suo viso è talmente convinta da spingermi ad assecondarlo, ed è una scelta ispirata perché lo vedo svettare di una testa sopra tutti gli altri, deviando la palla nell'angolino, fuori dalla portata di Čech. 1-0. Stringo i pugni e corro ad abbracciarlo, è un gol importante perché nei primi minuti la Repubblica Ceca – costretta a vincere per restare nel torneo – ci aveva aggredito con grande intensità. Quel giorno Nedvěd è in forma irresistibile, e mi costa dirlo perché in campo non l'ho mai sopportato: un piagnone allucinante, lo sfioravi e volava a dieci metri forzando il cartellino all'arbitro, ti faceva venir voglia di picchiarlo con le mani, e ho detto tutto. Però era forte, mamma mia se era forte, e in quella gara di più, tanto che Buffon deve inventarsi tre o quattro parate di livello per tenerlo a bada. Dopo aver ribadito quanto mi stava sull'anima come calciatore, e confesso di non averglielo mai nascosto, devo invece dargli atto di essere stato molto carino con me la prima volta che ci siamo incontrati fuori, ai sorteggi dei gironi di Champions di Montecarlo.

È venuto lui da me – e il debuttante ero io –, mi ha chiesto come mi sentissi subito dopo aver chiuso col calcio giocato, si è scherzosamente raccomandato di scegliere bene e, quando ho pescato la pallina del Barcellona, ha alzato le spalle sorridente come a sgravarmi dal peso del peggior sorteggio possibile che gli avevo rifilato. Altro che il mio amico Buffon, seduto accanto a lui, e pronto a gridarmi «Mortacci tua» dalla prima fila...

Se il corner per il vantaggio di Materazzi è il mio primo contributo personale alla vittoria sui cechi, il secondo e definitivo si deve alle mie caviglie, colpite da dietro una decina di volte da tale Polák che, nel recupero del primo tempo, all'ennesimo fallo si vede sventolare in faccia dall'arbitro messicano il secondo cartellino giallo. La ripresa è pura gestione, anche se Nedvěd non smette di attentare alla porta di Gigi. Lippi mi tiene in campo fino alla fine: nella formazione iniziale ha tolto una punta per inserire Perrotta, mossa a me dedicata visto che Simone, nell'Italia come nella Roma, è il più bravo a lanciarsi negli spazi dettandomi il passaggio in profondità. Gilardino gioca punta unica per un'ora, poi lascia il posto a Pippo Inzaghi, che dopo aver mancato due opportunità segna il 2-0 all'87' in un modo che scatena l'ilarità generale. O meglio, ci mettiamo tutti a ridere di Barone, entrato anche lui nella ripresa, che insegue Pippo in un contropiede a campo aperto come se esistesse davvero la possibilità di farsela passare. Infatti Inzaghi dribbla Čech e deposita in rete il suo gol mondiale. Amburgo ci sorride: passiamo il girone da primi, entrando nel lato di tabellone opposto a quello del favorito Brasile. A sera scopriamo che l'avversaria negli ottavi sarà l'Australia, e non la Croazia come tutti immaginavamo: fra loro finisce 2-2, e non posso dire che il risultato venga accolto con delusione.

Ma è la sera dopo che ci si apre davanti il famoso corridoio, perché anche la Francia seconda nel girone finisce dall'altra parte del tabellone, e una grafica della televisione tedesca toglie ogni dubbio: dopo l'Australia affronteremmo la vincente di Ucraina-Svizzera. Con tutto il rispetto, in un quarto di finale mondiale può andarti molto peggio. Infatti Lippi ci riunisce il mattino dopo, in sala colazione, e con abilità dialettica riesce a far passare un duplice messaggio. Da una parte dobbiamo concentrarci esclusivamente sull'Australia, perché in un Mondiale l'unico modo di pensare possibile è una partita alla volta, specialmente quando inizia la fase a eliminazione diretta. Dall'altra dobbiamo renderci conto che l'occasione di arrivare almeno in semifinale è irripetibile, e che tutti in Italia lo considerano ormai il traguardo minimo: e giustamente – aggiunge – considerato il nostro valore. Inutile nascondere che poi, nelle chiacchiere da spogliatoio che in un ritiro si amplificano, non facciamo altro che parlare del "corridoio", e delle potenziali trappole nascoste in un cammino che pare in discesa. Ci sentiamo chiaramente più forti dell'Australia, e Svizzera e Ucraina sono nazionali che abbiamo affrontato da poco, nelle ultime due amichevoli prima di volare in Germania. Sono stati due pareggi, ma in entrambi i casi abbiamo avuto la netta sensazione che a gambe leggere, e non imbastite dalla preparazione, avremmo vinto facilmente. Ogni discorso, quindi, scivola dopo un po' sull'occasione della vita, perché quando il destino pare così favorevole è come se ti lanciasse un messaggio: usala bene questa chance perché non ne avrai altre. Il che a prima vista fa paura, ma poi ti mette addosso un supplemento di determinazione. Tra ultima gara del girone e ottavo di finale la distanza è brevissima, quattro giorni appena, il minimo del Mondiale: ovvero scarico, un allenamento, ed è già vigilia con il volo per Kaiserslautern.

Fino a qui ho giocato quasi un'ora contro il Ghana, trentacinque minuti contro gli americani e la gara intera con i cechi. Parlare di recupero programmato in un Mondiale può sembrare presuntuoso, ma è andata così: mi sono presentato che ero al cinquanta per cento, e adesso sento di essere progredito almeno fino al settanta grazie alla crescita della condizione e all'assenza di tossine pregresse, com'è logico che sia per chi non gioca una gara ufficiale da febbraio. Insomma, tutto procede per il meglio. Ed è per questo che quando Lippi viene a trovarmi in camera dopo mangiato, poco prima della partenza per lo stadio, per dirmi che stavolta andrò in panchina, ci resto malissimo. «Le prime tre partite le hai giocate tutte, adesso è giusto che riposi perché se le cose dovessero andare in un certo modo questa gara sarà esattamente la tappa di metà percorso del nostro torneo. Abbiamo avuto un giorno in meno per recuperare, e per uno che viene dal tuo infortunio è una cosa che potrebbe sentirsi. E poi gli australiani sono molto fisici, lasciamo che si sfianchino un po'...»

Il ragionamento onestamente non fa una grinza, ma il giramento di scatole è comunque massimo, anche perché Ilary è venuta per la prima volta, accompagnata da sua sorella Silvia, e il rosicamento di doverle avvisare che proprio oggi non gioco aggiunge rabbia a rabbia. Però non mi lamento. Di più: assecondo Lippi dicendogli che va bene, che non c'è problema e che nel caso sarò prontissimo a subentrare, senza minimamente manifestare la mia delusione. Glielo devo, per come mi ha aspettato e incoraggiato in quella lunga primavera. Ancora oggi, se gli chiedete come accolsi la sua decisione lui vi risponderà che non mossi un muscolo in senso critico e diedi la mia totale disponibilità. Vado orgoglioso che la facciata abbia retto, perché dopo aver ricevuto tanto era doveroso restituire qualcosa a livello di serenità: soltanto leggendo queste righe Lippi saprà quanto male ci rimasi, e probabilmente mi apprezzerà ancora di più.

Mi sfogo con Ilary che però, dopo avere ascoltato le mie ragioni, taglia corto sposando la linea di Lippi. Sono circondato. Lei non segue il calcio, ma istintivamente comprende il discorso del c.t. e lo trova giusto, perché in un contesto di ventitré giocatori d'élite è normale prendersi un turno di riposo in una partita facile, noi non possiamo nemmeno farci sfiorare dall'idea, ma lei ovviamente è libera da luoghi comuni e scaramanzie e può dire ciò che tutta Italia pensa. Quella con l'Australia è una partita facile. Se solo sapessero... Prima di partire per lo stadio Lippi convoca la riunione tecnica per dare la formazione, e io ragiono su due cose: la prima è che ha avuto la delicatezza di anticiparmi privatamente l'esclusione, e questa è una grande manifestazione di stima; la seconda è che al posto mio gioca Del Piero, e quando vieni sostituito da un simile campione l'unica cosa che puoi fare è inghiottire l'amarezza e tifare smodatamente per lui.

Dall'Europeo del 2000 al Mondiale 2006, ho condiviso in Nazionale con Alessandro quattro grandi tornei, e non c'è stata vigilia senza che qualche giornale s'inventasse il polemico titolo a effetto "Braccio di ferro per la maglia numero 10", ovviamente fra me e lui. Delle molte sciocchezze che sono state dette in quegli anni, a questa del "braccio di ferro" siamo quasi affezionati perché ci faceva ridere quanto la volta in cui registrammo il video delle barzellette, e non riuscivamo a dire tre parole senza sganasciarci. La storia della maglia azzurra numero 10 è presto detta: a Euro 2000 l'aveva giustamente lui, che veniva dal Mondiale di due anni prima mentre io – debuttante – chiesi e ottenni con grande soddisfazione la 20. Ma la finale del 2000 non disse bene ad Ale, che quindi due anni dopo, prima di partire per il Giappone, mi propose di prendere la 10: «Il 7 è un numero che mi ha sempre portato più fortuna, e so che con te la 10 è su ottime spalle». Per Euro 2004 fece lo stesso ragionamento, così alla vigilia dei Mondiali di Germania 2006 – visto che nessuna delle due spedizioni precedenti era stata un successo, facendo saltare qualsiasi scaramanzia – gli dissi che per la 10 potevamo tranquillamente fare pari e dispari. Anche perché Lippi ci aveva fatto sapere che avremmo dovuto risolvere la questione tra noi, e dunque era doveroso dimostrarsi disponibili. Ma Ale lo fu ancora di più: «Francesco, non solo a me non interessa, ma ho pure capito che tu ci tieni. E quindi non c'è nessun pari e dispari da fare, la 10 è tua e siamo tutti contenti così». La questione del numero di maglia, che poi questione non è stata mai, è ovviamente un pretesto per descrivere uno dei più bei rapporti di amicizia che ho avuto – e continuo ad avere – nel mondo del calcio: Alessandro è una persona speciale, generosa, intelligente, un uomo leale. Oltre che un campione incredibile, naturalmente. I ruoli che abbiamo ricoperto in carriera ci hanno portato a un'inevitabile rivalità, e per come le sfide tra Roma e Juventus sono state vissute dai rispettivi ambienti sarebbe bastato poco per odiarsi. Fin dalla prima partita invece, fin dal primo incontro nel sottopassaggio dell'Olimpico, quando gli sguardi si incrociano in attesa che l'arbitro ordini l'ingresso in campo, fra noi scattò una corrente di simpatia umana che i periodi in Nazionale avrebbero cementato in amicizia. E con questa stima per l'uomo che gioca al mio posto, al momento del fischio d'inizio con l'Australia ho già archiviato ogni tristezza.

Le gare a eliminazione diretta sono mortalmente

semplici: se perdi, vai a casa. Detta così uno s'immagina che prima di lasciare l'albergo non dico si prepari la valigia – che solo a farlo ti attiri addosso la sconfitta – ma almeno si perdano cinque minuti a radunare le cose, a guardare sotto il letto se è finita lì la ciabatta che non trovi da due giorni, a spremere l'ultimo grammo di dentifricio dal tubetto piuttosto che attaccarne un altro. Macché. Si vive ogni giorno di ritiro come se fosse eterno, della serie da qui non me ne andrò mai, e di certo non prima della finale. Pensi a cretinate del genere nell'attesa di una partita, e in panchina ovviamente ti ci soffermi di più perché non ti puoi sfogare correndo. Nel primo tempo non giochiamo bene, o meglio costruiamo numerose palle-gol ma le sbagliamo tutte, peccando improvvisamente di scarsa concretezza. Nell'intervallo Lippi alza la voce come non l'avevo mai sentito, perché dice che stiamo cincischiando troppo, sembriamo a un balletto, e non a una partita "vinci o muori". È arrabbiatissimo con qualcuno, che non nomina, accusandolo di parlare troppo con i giornalisti, svelando così agli avversari i nostri piani tattici. Guarda a quelli che hanno giocato ma anche a noi rimasti in panchina, nessuno può sentirsi escluso dalla sfuriata. Dice che gli australiani conoscono troppo bene le nostre linee di passaggio per non averle studiate a tavolino, e siccome la formazione e il modulo sono nuovi si vede che qualcuno ha spifferato all'esterno il cambio, e che quel diavolo di Hiddink – stavolta c.t. dell'Australia – ha preparato la partita con la formazione giusta in mano. A posteriori, ragionandoci, credo che Lippi abbia sparato alla cieca, o meglio abbia usato un pretesto per comunicarci la sua arrabbiatura: se io stesso ho saputo che sarei andato in panchina solo poche ore prima del match, non è possibile che qualcuno l'abbia rivelato ai giornalisti in tempo perché Hiddink lo venisse a sapere. In ogni caso, la sveglia dell'intervallo sembra recepita. Ma i guai devono ancora cominciare.

Cinque minuti dopo la ripresa Bresciano scatta affiancato da Zambrotta, e ugualmente Materazzi gli va incontro in tackle. Il fallo è evidente, e abbastanza inutile. Ma visto che Marco prende soprattutto Zambrotta, la decisione dell'arbitro – lo spagnolo Medina Cantalejo – ci raggela: era un intervento da cartellino giallo, lui tira fuori il rosso. Dalla panchina ci alziamo tutti in piedi, come succede sempre in queste circostanze, e mettiamo su l'espressione a metà fra il costernato e lo scandalizzato, che peraltro non serve a niente. Per la seconda volta in quattro partite ci troviamo dieci contro undici, ma questa è una gara a eliminazione diretta. Siamo sull'orlo del precipizio.

Mancano quaranta minuti al 90', e settanta ai calci di rigore che in quel momento sono un approdo per il quale tutti firmeremmo. Molto tempo, da passare in dieci. Qualche momento per riorganizzarsi e l'Australia comincia a prendere campo. Nulla di pericoloso ma Lippi, che al riposo aveva già tolto Gilardino per mettere Iaquinta, più portato ad aiutare in copertura, leva Toni per ripristinare con Barzagli la difesa a quattro tradizionale. Effettuato il secondo cambio, mi manda a scaldare facendomi segno che probabilmente il terzo (e ultimo) sarò io. Dalla bandierina del calcio d'angolo, corricchiando nella stretta fascia di prato che c'è fra linea laterale e cartelloni pubblicitari, noto la sicurezza di Buffon nel bloccare un paio di tiri da fuori area e un colpo di testa di Cahill che finisce alto, ma sul quale rischiamo. La squadra sta arretrando, alla quarta partita probabilmente affiora un po' di stanchezza: non era questa l'occasione giusta per restare in dieci, se mai quest'occasione esiste.

«Francesco! Francesco!» Lippi mi chiama agitandosi molto, come se mi fossi allontanato troppo. In un amen sono da lui. «Adesso entri. Devi giocare in profondità su Iaquinta, che è ancora abbastanza fresco. Fagli tenere palla così dietro respiriamo, e dopo averlo servito avvicinati a lui. Se te la ridà, magari hai la libertà per provare un tiro da fuori. Vai, vai...» Le ultime parole si perdono nel ruggito dello stadio, che ha visto il tabellone dei cambi. Esce Ale, ci abbracciamo fugacemente. Le facce dei miei compagni sono segnate dalla fatica, ma determinate a non mollare. Il cronometro segna il 75'.

Capisco subito che lo spazio per il contropiede c'è. Gli australiani sono ottimi atleti, ma nemmeno Hiddink è riuscito a dar loro un ordine tattico decente: corrono parecchio a vuoto, non riescono a sfruttare l'uomo in più, e malgrado la superiorità numerica non hanno ancora fatto un cambio, segno che in panchina c'è davvero poco. Mi appoggio due volte su Iaquinta, ma il passaggio di ritorno non arriva. Il cronometro segna adesso il 90', siamo nel recupero, quasi ai supplementari, chissà se riusciremo a tenere fino ai rigori.

A un certo punto Fabio Grosso, che è davvero inesauribile, parte lungo la linea laterale sinistra col suo passo da quattrocentista. Io ho la palla nel cerchio di centrocampo, lo vedo con la coda dell'occhio e decido di fidarmi: lancio lungo di sinistro, Fabio è furbo a lasciarlo sfilare perché così si prende un vantaggio su Bresciano, decisivo per dribblarlo ed entrare in area lungo la linea di fondo. Iaquinta aspetta al centro, io non mi sono mosso dalla zolla da cui ho fatto il lancio.

Non so bene come spiegarlo, ma nella mia memoria è come se vedessi tutto in HD. Fabio che allunga il pallone oltre Neill e poi cade al contatto con lui, l'arbitro che ci pensa proprio mezzo istante e poi indica il dischetto, Iaquinta che esulta e poi corre ad abbracciare Grosso a terra, il pallone che misteriosamente mi viene subito recapitato. Davvero, non ho mai saputo chi l'abbia calciato verso di me, se l'abbia fatto di proposito o meno. Di certo quando lo prendo in mano e mi guardo attorno non vedo una sola maglia azzurra. Mosè e le acque del Mar Rosso, avete presente?

Quell'Italia non ha un rigorista designato, Lippi

non l'ha mai voluto perché in certe partite le sostituzioni cambiano tutto – pensate per esempio a Del Piero che è appena uscito e a me che sono entrato al suo posto – e poi le emozioni di determinati momenti non sono programmabili. A rileggere la formazione in campo i tiratori più affidabili siamo io e Pirlo, e difatti se il pallone fosse in mano ad Andrea non mi permetterei di dirgli niente per lasciarlo tranquillo, mentre magari qualcosa direi a Gattuso, se in un impeto di generosità lo prendesse lui... Mi guardo attorno di nuovo. Buffon si è già girato verso la curva, come al solito non vuole vedere. Pirlo è accanto alla panchina, sta bevendo. Deve avere una sete paurosa, visto il tempo che ci mette... Insomma, la via verso il dischetto è completamente sgombra, le proteste degli australiani stanno scemando – li capisco, è un rigore tirato per i capelli – e siccome hanno una cultura dello sport anglosassone a nessuno di loro viene in mente di disturbarmi in qualche modo, di tagliarmi la strada, di dirmi qualcosa di sgradevole. Mi incammino guardando Schwarzer, che ha iniziato la liturgia del portiere prima di un calcio di rigore: i movimenti, i passetti verso l'arbitro, due parole con lui per sdrammatizzare. Cammino e penso, parlo persino, sussurrando fra me e me: «Gli faccio il cucchiaio?».

Più tardi quella sera Lippi mi dirà di aver vissuto un minuto di terrore, perché temeva seriamente che riprovassi lo scherzetto di Amsterdam. In realtà ci vado vicino, perché ancora a dieci metri dal dischetto sono indeciso. Poi penso che Schwarzer è un signor portiere – so che gioca nel Middlesbrough – e che alla vigilia del primo match a eliminazione diretta avrà certamente studiato i rigoristi avversari. Dunque saprà tutto di me, a partire dalla più famosa delle mie trasformazioni: meglio non dargli l'occasione di fare la figura dell'astuto, lasciando a me quella del cretino. Poso la palla sul dischetto e decido: alto a sinistra, subito sotto l'incrocio, interno collo e via.

Lì per lì non penso a nulla di diverso dalla meccanica di tiro, ma siccome l'arbitro – guardo solo lui, evitando accuratamente Schwarzer – ci mette un po' a fischiare, qualcosa dentro di me svicola, per allentare una tensione che si è fatta pazzesca. All'improvviso ho sei anni, sono davanti alla mia vecchia scuola e sto giocando a Paperelle, devo tirare giù l'ultima per vincere la partita. Il pensiero balena per un attimo, un lampo per alleggerire: in quel tiro c'è tutta la nostra spedizione, non so se sopravviveremmo ai supplementari, dieci contro undici alla lunga è un'agonia. Medina fischia mentre ancora lo sto guardando, sono concentrato come mai nella mia vita. Vai Francesco. Vai e chiudila.

La bomba nella testa scoppia quando vedo muoversi la rete, perché quello è l'istante della certezza. Voglio dire: sono talmente schiacciato dalla pressione da non fidarmi nemmeno dei miei occhi, magari ho l'illusione ottica che la palla abbia varcato la linea di porta quando invece la mano di Schwarzer può ancora deviarla. La rete che si muove è invece il timbro finale, la palla è entrata e nulla più può tirarla fuori. Ce l'ho fatta, paperella abbattuta. Infilo il dito in bocca mentre sto già cominciando a ridere. Non a sorridere, a ridere proprio, perché è quello il momento in cui tutto torna: l'infortunio, la paura, l'ansia di non farcela, le stampelle, la corsa contro il tempo, tutto torna e si salda in quell'attimo di gioia assoluta. Uno dei tre momenti più belli e importanti della mia vita sportiva, direi. Cerco Ilary con lo sguardo, più o meno so dov'è, ma prima di focalizzarla uno, tre, dieci, tutti i compagni mi sono addosso, e crolliamo l'uno nelle braccia degli altri. «Lo vinciamo questo Mondiale!» urla qualcuno, e subito la voce rimbalza, «Sì, andiamo a vincere!», e «Non ci ferma più nessuno!», e «Siamo i più forti!». Un'euforia pazzesca. È il 95' passato, l'arbitro non fa nemmeno riprendere il gioco, attraverso una sofferenza inaudita siamo ai quarti di finale. Lippi mi sorride come un padre. Anche quel suo viaggio all'alba da Viareggio, per arrivare presto a Villa Stuart in un giorno di febbraio, improvvisamente ha trovato il suo senso profondo. Gli dico che sono tornato al gol dopo l'infortunio, lui applaude lentamente e platealmente: «Complimenti, hai scelto davvero il momento giusto».

Quando facevo il chierichetto da bambino, e ascoltavo un po' distrattamente le prediche del parroco, c'era un passo del Vangelo che proprio non mi andava giù, quello del cammello che passa nella cruna di un ago. Semplicemente, non riuscivo a capire come fosse possibile: finché mi venne spiegato il concetto di metafora e tutto andò a posto, compresa la storia del cammello. Salvo riemergere da chissà quale cantina mentale la notte dell'Australia, con l'adrenalina ancora in circolo che mi impedisce di prendere sonno, e il pensiero che torna al calcio di rigore. Un tiro che per me generalmente è semplice, ma non in quelle condizioni: per sopportare la pressione ho dovuto fare appello a ogni riserva di energia mentale. Così, con tanta fatica e tanto batticuore, stringendomi e adeguandomi, ho attraversato la cruna dell'ago. Mi addormento infine, spossato. Felice. L'ultimo pensiero è lo stesso dei miei compagni: adesso andiamo a vincere.

13

«Andate. Segnate. Vincete.»

Il cambio di stagione psicologico – dalla speranza di avanzare nel torneo alla consapevolezza di poterlo vincere – trasforma le nostre giornate. Fino agli ottavi il progressivo avvicinarsi delle partite veniva vissuto con inquietudine: da qui in poi il gruppo sembra percorso da una febbre, e l'abbreviarsi dell'attesa – quattro giorni anche fra Australia e Ucraina – contribuisce ad alzare la frequenza cardiaca della squadra. Non aspettiamo più gli avversari, andiamo loro incontro con un desiderio smisurato di batterci. Non solo di batterli, che è un'ovvietà in un'eliminazione diretta. Intendo proprio di batterci, per il gusto un po' sfrontato di misurare la nostra forza, convinti come siamo di farla valere. Lippi moltiplica gli ammonimenti alla cautela, perché il rischio di prendere l'Ucraina sotto gamba è fortissimo, ma credo che nell'intimo avverta le nostre stesse sensazioni.

Se poi avessimo bisogno di una motivazione ulteriore, arriva a pranzo del giorno dopo la partita con l'Australia, quando siamo ancora tutti sottosopra per il rientro nella notte. Ce la portano Cannavaro e Zambrotta, che sono appena stati chiamati da Torino: non la dicessero con quella voce, grave e insieme tremante, penserei a una battuta cretina. «Questa mattina Pessotto si è buttato dal secondo piano della sede. È in coma all'ospedale.»

Fra le molte solidarietà che possono nascere su un campo di calcio, ce n'è una specialissima che riguarda i rigoristi di una serie finale. Dentro al cerchio di centrocampo aspetti che arrivi il tuo turno: a quel punto della contesa – non posso chiamarla partita, tecnicamente quella è finita – la pressione è fortissima, ed è inevitabile che lo sguardo percorra la fila dei tuoi compagni per poi deviare verso gli avversari, e quindi tornare fra i tuoi. È un duello. Si cercano segni di coraggio fra gli amici e cenni di paura fra i rivali. È fondamentale che chi indossa la tua stessa maglia sia una persona solida, mentalmente forte. Uno che non tremi, che non si pieghi all'emotività del momento. Penso esattamente a questo per elaborare la terribile notizia, mentre altri gridano il loro no e si affannano attorno a Gigi, a Fabio, a Ciro e agli altri juventini con le domande classiche di certe situazioni, perché, perché, perché. Io penso ai minuti terribili e ruggenti di Amsterdam, a sei anni prima, quando ci giocammo l'accesso alla finale dell'Europeo ai rigori, contro l'Olanda padrona di casa. Penso a Pessottino che si avvia verso il dischetto prima di me – lui era il secondo tiratore, io il terzo – e ricordo la sua camminata tranquilla mentre dentro, come tutti in quella situazione, aveva l'inferno. Ricordo la forza che mi comunicò la sua attesa serena del fischio, con Van der Sar che provava a disturbarlo muovendo quelle braccia lunghissime, e la scioltezza con la quale colpì di piatto, spiazzandolo. Poi si voltò, e serrò il pugno per un lungo attimo, unica manifestazione visibile della tempesta interiore che si stava sfogando. Tornando a centrocampo sorridente incrociò Stam, che frastornato da tanta sicurezza, da tanta solidità psicologica, stava andando a sbagliare il suo tiro, rendendo il mio cucchiaio molto più leggero.

Cosa deve succedere perché un uomo di questa forza caratteriale smarrisca i suoi punti cardinali in modo così totale? Così tragico? Qualcuno parla di depressione da ritiro, altri di problemi a casa, ma per una volta sconcerto e dolore superano di molto la curiosità, e in breve l'unico pensiero diventa sapere come stia. Nessuno osa dirlo in quelle ore, ma intimamente ci chiediamo se riuscirà a cavarsela. Gianluca ha appena concluso la sua carriera, lasciando in compagni e avversari un ricordo enorme di bravura e sportività. Un avversario forte, prima col Torino e poi con la Juve, ma di quelli che abbracci con gioia e partecipazione prima e dopo la partita. Poteva pure farti fallo, era un difensore: ma se cadevi, lui restava immancabilmente lì con la mano tesa per aiutare a rialzarti. Sento che la federazione sta approntando in fretta e furia un volo privato perché Cannavaro vuole assolutamente andare a trovarlo in ospedale, e un altro paio di compagni intendono aggregarsi. È bello e giusto che succeda. Prima di lasciare il ritiro, Fabio ci convoca: «Guardate che gli prometterò che batteremo l'Ucraina per dedicargli la vittoria». Dentro di me penso che ne avrei fatto volentieri a meno, ma che una motivazione così estrema toglie agli ucraini ogni residua chance.

Dopo la seconda partita a Kaiserslautern, torniamo ad Amburgo, dove siamo già stati. Durante il volo mi ritrovo a pensare che Lippi ha avuto ragione una volta di più: al di là del fatto che ho comunque trovato il modo di rendermi utile (ehm ehm), giocare soltanto una ventina di minuti contro l'Australia mi ha permesso di recuperare tutte le energie spese nella prima fase. Se davvero andassimo in finale, ci aspetterebbero tre partite in dieci giorni; ho rosicato tanto per quella panchina, ma adesso quasi la benedico. Il mio è il classico orizzonte ristretto del calciatore, che fatica a guardare oltre i novanta minuti. Gli allenatori, che devono avere una vista più lunga, la pagano con uno stress molto superiore. Guardateli, a me a volte fanno paura: in pochi mesi perdono i capelli, ingrassano, parlano da soli, si sentono nel mirino di tutti. Il più delle volte hanno ragione, come Lippi quella volta: ma per farcelo capire, sai che fatica...

L'Ucraina è chiaramente più debole di noi, l'opinione diffusa nello spogliatoio è che la batteremmo anche giocando al sessanta per cento. Naturalmente non lo diciamo al c.t., che se lo sapesse ci ribalterebbe, ma in nessun momento la nostra consapevolezza mi sembra presuntuosa. La squadra è ormai matura per accostarsi alle partite senza necessità di false modestie. Dirò di più: prima di entrare in campo per il riscaldamento molti di noi approfittano degli schermi nella zona degli spogliatoi per seguire col fiato sospeso i rigori di Germania-Argentina e scoprire così la nostra avversaria in semifinale. Bisognerebbe aggiungere "eventuale", lo so, ma davvero in quel momento l'ipotesi di uscire non ci sfiora nemmeno. Anzi. La maggior parte di noi tifa apertamente per i tedeschi, e quando Cambiasso sbaglia l'ultimo rigore non dico che ci abbracciamo, ma l'atmosfera è più che soddisfatta e vola pure qualche "cinque". L'Argentina era una squadra più tecnica, la temevamo, anche perché fuori dalla formazione titolare c'erano giovani di cui tutti parlavano: da Tévez, peraltro già abbastanza noto, al piccolo prodigio del Barcellona, Leo Messi. Chi l'ha visto dal vivo assicura che sia sul serio il nuovo Maradona, non come le altre volte in cui qualche ragazzotto argentino è stato accostato al grande Diego, per poi crollare schiacciato dall'assurdo paragone. La storia è poi andata diversamente, e Messi è davvero il prodigio di cui si diceva, ma nel 2006, almeno ai miei occhi, era ancora una promessa, anche perché – infortunatosi a fine inverno – non aveva potuto giocare le gare decisive della Champions vinta dal suo Barça.

In ogni caso la Germania ci va meglio, anche perché ai Mondiali grava su di loro la nostra tradizione vincente. Però prima dobbiamo battere l'Ucraina, e negli occhi del mio coetaneo Shevchenko, al momento di entrare in campo, leggo la stessa determinazione che è cresciuta in me: ora o mai più, a trent'anni il Mondiale da vincere è questo. La differenza è che lui – attaccante grandissimo – non ha i compagni per puntare al titolo. Io sì.

Facciamo gol dopo sei minuti appena, e il merito è anche mio perché con un colpo di tacco ben diretto evito il calcione del solito Gusin e chiudo il triangolo con Zambrotta, lanciandolo al tiro di sinistro. L'azione è molto veloce ed efficace: la conclusione di Gianluca è affilata e precisa, il portiere Shovkovskiy si tuffa con un istante di ritardo, e non la prende. 1-0 per noi, la semifinale è così vicina che mi pare di toccarla, anche perché l'Ucraina gioca a uomo pur essendo inferiore nella maggioranza dei duelli. Boh, contenti loro...

In realtà qualche grattacapo ce lo crea, perché ovviamente a questo livello, quarti di finale mondiali, il minimo rilassamento viene individuato e attaccato. La difesa riesce sempre a tenere Shevchenko a distanza di sicurezza, ma per marcarlo con più uomini siamo costretti a lasciare scoperte altre zone, e Kalinichenko per poco non ne approfitta all'inizio della ripresa, quando Buffon è molto bravo a deviare sul palo una sua conclusione ravvicinata. Lo interpreto come un segnale, devo sbrigarmi a innescare il 2-0. Su un corner da sinistra chiamo Grosso allo scambio, in base a uno schema che abbiamo curato in allenamento: lui me la ripassa perfetta, e io trovo col destro la traiettoria a scendere che deposita la palla sulla testa di Luca Toni. A dir la verità Cannavaro prova a soffiargliela saltando sulla stessa linea di volo, ma con un attimo di ritardo. Toni è bravo a lasciar lì la testa, e anche stavolta è il movimento della rete a confermarmi che la missione è compiuta. Sì, adesso è fatta. Una combinazione fra Pirlo e Zambrotta libera ancora Toni al 3-0, vinciamo largo e io mi godo una condizione ormai cresciuta. Ho servito due assist e, rigore all'Australia a parte, questa è stata la partita in cui ho contribuito di più. A fine gara sorrido mentre alzo anch'io, assieme ai compagni, una bandiera tricolore sulla quale abbiamo scritto "Pessottino, siamo con te". Glielo devo per la serenità che mi garantì ad Amsterdam. Glielo devo perché gli voglio bene.

Ripartiamo nella notte da Amburgo e arriviamo in albergo a Duisburg che è quasi l'alba di sabato 1° luglio. Il conto dei giorni è presto fatto: la semifinale con la Germania è in programma martedì sera a Dortmund, da lì la strada si biforca: o si va sabato a Stoccarda per il terzo posto, o si va domenica a Berlino per il titolo. In ogni caso la vittoria sull'Ucraina ci ha dato la certezza di arrivare fino in fondo, e questa è già una bella soddisfazione. Vito mi dice che dopo tante cattiverie – hanno scritto perfino che gioco in sedia a rotelle – i giornalisti cominciano ad accorgersi che sto facendo cose importanti. Meno male. Lascio che sia lui a farmi la rassegna stampa, non voglio distrarmi o farmi il sangue cattivo su certe critiche preconcette. So benissimo quello che hanno scritto dopo l'espulsione di Daniele: due anni fa lo sputo di Totti, adesso la gomitata di

De Rossi, questi romani sono inaffidabili, non riescono a tenere i nervi sotto controllo. Per carità, gli episodi sono inconfutabili, ma da qui a considerarli una tara genetica di chi è nato a Roma, ci passa tutta la distanza del mondo.

Il passaggio da simpatica outsider ad avversaria – anzi, nemica – della Germania è repentino e immediatamente percepibile. Dal fischio finale con l'Ucraina, tutti ci guardano in modo diverso: i volontari dell'organizzazione, la polizia che ci scorta, gli addetti all'aeroporto. E poi invece c'è il personale del ritiro di Duisburg, tutto italiano, che ci carica di pressione in senso opposto: se battessimo la Germania sarebbe il giorno più bello della loro vita, se ci facessimo eliminare sarebbe una ferita insanabile. Sabato proviamo anche a uscire dal ritiro, che peraltro quel giorno è aperto alle famiglie, ma non mi sono allontanato di duecento metri che decido di rientrare, perché la passeggiata è impossibile: la zona è ormai invasa dai nostri tifosi, e se da una parte capisci quanta aspettativa e quanto entusiasmo siamo riusciti a stimolare in Italia, dall'altra non puoi dare retta a tutti, meglio restare in albergo.

Musi lunghi. Lippi percepisce che la tensione sta crescendo, e per stemperarla architetta uno scherzo ai danni di Angelo Peruzzi. Prima di raccontarlo è necessario descrivere un po' Angelo, amico carissimo e compagno di mille sfide, quasi sempre su fronti opposti visto che, dopo essere cresciuto nella Roma, ha giocato per molti anni prima nella Juve e poi nella

Lazio, le nostre due avversarie principali. Angelo è quel che si dice – in senso buono, sia chiaro – una bestia. Ha una fisicità esplosiva, bicipiti grossi come cosce, e se ti attacca al muro non riesci a muovere un muscolo, fortuna che è un compagnone perché altrimenti sarebbe un'arma impropria. Siccome ha un orgoglio molto forte, è facile tirarlo in mezzo: una di quelle sere, per esempio, in pizzeria lo sfidammo a piegare una pizza in otto e mangiarla in un paio di bocconi. Lui ovviamente accettò – accetta sempre – e non vi dico come ridusse la camicia nel tentativo, riuscito, di vincere la scommessa. Su Angelo, cresciuto nella campagna viterbese, girano voci pazzesche, per esempio che uccida i cinghiali a mani nude, soltanto con un pugno. Infine, una prodezza della quale si vanta spesso: quella di saper pescare i pesci usando soltanto le mani, grazie a riflessi fulminei e presa ferrea. Un'arte che pratica nei fiumicelli della sua zona. Insomma, una bestia.

Nel giardino dell'albergo di Duisburg c'è un grande stagno attorno al quale passiamo il nostro tempo libero. L'acqua fa sinceramente schifo: sporchissima, fangosa, praticamente una melma. Il che non impedisce a una colonia abbastanza numerosa di pesci di nuotarci: quando il menu prevede pesce, scatta immancabile la battuta sul cuoco che avrebbe preso dallo stagno ciò che è finito nei nostri piatti. Scherzando, perché nemmeno lui muore dalla voglia di immergersi, Peruzzi ci tormenta dal primo giorno: «Fatemi vedere se anche voi siete capaci di prenderli senza fiocina», e ovviamente gli facciamo tutti delle gran pernacchie. Ma torniamo a quel sabato, e a Lippi che decide di allentare un po' la tensione. In pratica, senza farsi vedere da nessuno, va in cucina e, con l'aiuto di un cameriere, infilza con un forchettone una bella orata appena arrivata dal mercato. Poi, di soppiatto, mentre siamo ancora ai massaggi, piazza il pesce in un punto strategico dello stagno, memorizzando la posizione: così, dopo mangiato (e dopo averci avvertito), si presenta da Peruzzi dicendogli che la fa troppo lunga con la storia dei pesci pescati con le mani, che non è una cosa tanto difficile, e che lui per esempio è perfettamente in grado di farla. «Come tutti quelli di Viareggio» precisa, e la sfida è ufficialmente lanciata. Angelo ride moltissimo: «Guardi mister, lei non sa in che guaio si sta cacciando. Non è per niente facile, se ne accorgerà...».

Naturalmente è l'intera comitiva a partire per lo stagno. Peruzzi si piazza ai bordi a braccia conserte mentre Lippi, dopo essersi tolto le scarpe e rimboccato i calzoni della tuta, entra con fare circospetto cominciando una marcia a zigzag verso il punto in cui ha immerso la sua preda. Quando vede passare un pesce tuffa le mani nell'acqua e appena le tira fuori con una smorfia delusa la risata di Peruzzi rimbomba sovrana: «Glielo avevo detto, mister. Guardi che qui facciamo notte». Finché arriva la scena madre: il c.t. affonda nuovamente le mani nello stagno, inizia ad agitarle facendo un po' di schiuma, infine le stringe con forza sul pesce simulando uno sforzo terribile per non vederselo sgusciare fra le mani. Sono attimi falsamente drammatici, che in realtà servono a Lippi per sfilare il forchettone, ma che Angelo vive con crescente apprensione. «Ma che, ce la fa?» lo sento mormorare tra sé e sé con una faccia molto meno divertita di prima. E quando il c.t. estrae trionfante il pesce dalla melma, scatenando un boato nel pubblico ormai numeroso, Peruzzi non sa se ridere o piangere. Noi sì, ridiamo come matti, e torna immediatamente il buonumore.

Quello stesso sabato arriva anche un'altra notizia a scuotere l'ambiente: l'eliminazione del Brasile, che perde il suo quarto a Francoforte con la Francia, 1-0 gol di Henry. Siamo tutti davanti alla tv, e a un certo punto cominciamo a gufare senza ritegno. Il risultato è sorprendente, perché dopo un avvio lento i campioni in carica sembravano aver preso velocità, ed è dall'anno prima – quando hanno vinto alla grande la Confederations Cup – che tutti li considerano i favoriti assoluti: Ronaldo, Ronaldinho, Kaká e Adriano davanti, più vecchie conoscenze come Dida, Cafu e Roberto Carlos. Uno squadrone che eravamo stati molto contenti di non avere dalla nostra parte del tabellone, e che tutti immaginavamo come logico avversario se fossimo riusciti ad arrivare in finale. Il fatto di vederlo uscire così, mentre noi siamo ancora ben dentro al torneo, è un sollievo: soddisfatti dall'esito della gufata, molti commentano «Una di meno», e io tra questi. Senza pensare che per un Brasile che scompare c'è una Francia che si riaffaccia con forza, e i precedenti – parlo di quelli recenti – fanno ancora male.

I giornalisti italiani mi raccontano delle polemiche scatenate dai tedeschi sulla squalifica di Frings – dicono che l'abbiamo sollecitata noi –, delle solite prese in giro sui mangiatori di pizza (come se a loro non piacesse: in quel mese ho visto più pizzerie che birrerie...), insomma di una guerriglia psicologica che non mi tocca minimamente, visto che non capisco il tedesco e non ho interesse ad approfondire l'argomento. Gattuso se la prende di più, e condisce le nostre interminabili partite a scopa con qualche apprezzamento sulla strategia mediatica dei nostri avversari, che evidentemente qualcuno gli illustra. Finché domenica sbotta, chiede di andare in conferenza stampa e ne dice quattro ai tedeschi per aver mancato di rispetto agli italiani: al ritorno lo applaudiamo, ma più divertiti che polemici. Nel frattempo è diventato tutto un gran bordello, col nostro albergo che è un porto di mare fra giornalisti, personale della Fifa, parenti e soprattutto centinaia di nullafacenti che girano lì in cerca di un biglietto, un autografo, un quarto d'ora di celebrità. Quando l'affollamento arriva a essere fuori controllo, però, viene organizzato un servizio d'ordine a presidio della zona riservata a noi giocatori, con accesso consentito unicamente ai camerieri che conosciamo, e solo su nostra richiesta. Non si sa mai, giochiamo pur sempre contro i padroni di casa.

La strategia dei tedeschi per innervosirci passa

anche per l'albergo di Dortmund. Abitualmente le notti di vigilia si passano in grandi hotel internazionali che riservano un'ala a squadra e delegazione ospite. Stavolta, invece, ci spediscono in un tre stelle bruttissimo, piccolo e angusto, talmente foderato di moquette che se uno di noi fosse allergico a qualcosa sarebbe spacciato. Ma è uno sgarbo che ci carica ulteriormente. Ce lo diciamo apertamente, «Hanno talmente paura di noi che vogliono impedirci di riposare», ed è tutto un ridere per farci coraggio, per aumentare lo stato di esaltazione. La tensione è altissima eppure, incredibilmente, quella notte dormiamo. Alla faccia del tre stelle e della moquette...

Martedì 4 luglio 2006. Una delle domande che mi vengono rivolte spesso è cosa darei per rivivere le emozioni di quel giorno. Pagherei un milione di euro? Il quesito è ovviamente ozioso, ma la risposta che do è assolutamente seria. Se il lieto fine non fosse garantito, no: la sola idea di poter chiudere quella giornata perdendo la semifinale mi farebbe rosicare oltre ogni limite. Ma se qualcuno mi potesse garantire di riprovare le stesse emozioni arrivando allo stesso finale, di milioni gliene darei anche due, perché non c'è giorno in cui mi sia sentito più vivo, vitale, acceso, illuminato. È stato come camminare sulla Luna: chiedete a uno degli astronauti che ci sono stati cosa darebbe per rifarlo... Qualsiasi cosa, a patto di esser certo di tornare nuovamente sulla Terra.

Lo stadio del Borussia Dortmund è meraviglioso perché all'inizio, quando ci entri, non sembra enorme, ma ti rendi conto di quanto sia grande man mano che ti avvicini al centro del campo. Ci ho già giocato in un'amichevole con la Roma, ma allora non era pieno. L'impressione che mi fa quel giorno, ribollente di tifo e di speranze e di paure già due ore prima del fischio d'inizio, è semplicemente esagerata. Penso tra me e me che i tedeschi abbiano allestito un teatro stupendo per celebrare il loro approdo in finale, e che la delusione se passassimo noi sarebbe brutale. Be', pazienza. Durante la passeggiata per prendere confidenza con l'ambiente cerco con lo sguardo lo spicchio di gradinata riservato ai nostri tifosi. Naturalmente è piccolo, ma bene in vista (e durante la gara noterò bandiere un po' ovunque): accenno un saluto e scoppia un boato. Pure loro sono carichi come sveglie.

Quando ti prepari mentalmente a una partita in trasferta di grande difficoltà – e quella gara naturalmente è il top della mia carriera in questo senso: mai più giocato in un ambiente così ostile – non c'è niente che ti rincuori come la vista dei tuoi tifosi. È una cosa che ha a che fare con il rischio, anche se la sicurezza è garantita, e col disagio di trovarsi solo contro tutti. Ecco, la tua gente ti ha seguito perché non vuole lasciarti solo, come dice l'inno del Liverpool. Bellissimo. Più gli avversari fischiano i tuoi per coprirne l'entusiasmo, più ti cresce dentro la voglia di vincere per loro, per ripagarli del sacrificio che hanno fatto per essere lì al tuo fianco. Quando giochi in casa non c'è una comunione così perfetta. Nelle trasferte durissime, invece, le distanze fra chi gioca e chi sostiene si riducono molto, al punto da considerarti davvero sotto le stesse bandiere. Giochi per i tuoi tifosi perché vuoi vederli uscire dallo stadio a testa alta, felici, seguiti dallo sguardo deluso e invidioso dei tifosi avversari.

In quello spicchio di gradinata ci sono i miei, Silvia – mentre Ilary non è potuta venire – zii e altri parenti, un po' di amici. Non posso distinguerli, non ci si può avvicinare oltre un determinato limite. Ma so che ci sono, e questo mi basta. Intanto la polizia tedesca, solitamente tollerante, ha cacciato dal campo i nostri magazzinieri privi di biglietto, anche se portavano al collo l'accredito nominale con tanto di foto. Nelle altre gare li aveva lasciati sedere sulle loro casse, dietro alla panchina, stavolta invece è stata inflessibile. Facce minacciose, rissa pericolosamente vicina, ma i nervi tengono.

Via! Entriamo subito in partita, attacchiamo con personalità e continuità. Io trovo ottimi spazi fra le linee, e dopo una punizione ben calciata, ma che non procura grattacapi a Lehmann, ecco l'occasione che aspettavo: ricevo il pallone poco oltre la linea di metà campo, leggo all'istante una difesa tedesca "mossa" perché un terzino è fuori posizione, Perrotta vede il varco fra i centrali e ci si tuffa con decisione, né Ballack né Friedrich sono abbastanza vicini per contrastare il mio lancio, che atterra perfettamente davanti al compagno. È una giocata abituale nella

Roma, trattengo il respiro speranzoso: ogni volta che rinnova il contratto, Simone mi abbraccia dicendomi «Tutto merito dei palloni perfetti che mi scodelli». Ma stavolta il suo secondo controllo è leggermente lungo, e consente a Lehmann di uscire con grande scelta di tempo e chiudergli lo specchio. Peccato, era una palla-gol pulita. Qualche minuto dopo Pirlo batte un corner da destra dopo avermi fatto il cenno prestabilito: contro l'Ucraina l'avevo girata altissima, stavolta considero con cura la posizione del corpo per tenere la palla bassa, mi libero con una spinta di... Materazzi e colpisco bene. Ma l'area è troppo affollata, finisce che centro Cannavaro. Il fatto che a ostacolarmi nell'area tedesca siano i nostri due centrali di difesa descrive bene la spinta che ci anima in quella bolla di aria torrida: la Germania è forte e i suoi tifosi ci credono, ma la pressione non schiaccia soltanto noi. Anzi. La sensazione è che loro abbiano qualche timore in più, e che il nostro arrembante inizio li abbia ulteriormente preoccupati: Klinsmann gesticola molto – passo spesso accanto alla sua panchina – ma più che disposizioni tattiche mi sembra che cerchi di infondere coraggio a quelli che ne hanno di meno. Lippi invece è molto tranquillo. Arriviamo al riposo con la netta sensazione di essere avanti ai punti. Peccato che non sia pugilato.

«Dovete vincerla nei novanta minuti» dice il commissario tecnico passando fra una panca e l'altra. «Ne avete la possibilità, state giocando meglio. Continuate così, avete le gambe per farlo, state lavorando da più di un mese per vincere questa partita, niente ve la potrà togliere.» In realtà il secondo tempo è più equilibrato, e un paio di volte Buffon deve ricordare il suo valore ai tedeschi. Noi sfruttiamo un paio di tagli di Grosso e Perrotta per tornare dalle parti del loro portiere, ma Lehmann è davvero un drago nelle uscite, e in entrambi i casi battezza i lanci meglio dei nostri attaccanti.

Finiscono i tempi regolamentari. A metà ripresa Gilardino ha sostituito Toni, Lippi ci riunisce accanto alla panchina mentre ci attacchiamo alle borracce. «Adesso entra Iaquinta per Camoranesi. Non cambiamo assetto, Vincenzo è fresco e quando il pallone ce l'hanno loro può coprire la fascia. Ma voglio dare il segnale che continuiamo ad attaccare, perché questa gara va vinta prima dei rigori, siamo troppo più pericolosi di loro.» La valutazione è corretta, e infatti in quel primo tempo supplementare prima Gilardino timbra un palo dopo un bel contropiede e poi Zambrotta centra la traversa con un tiro da fuori. La bilancia pende sempre di più dalla nostra parte. Entra anche Del Piero, al posto di Perrotta. Nell'ultimo intervallo, brevissimo eppure prezioso, realizzo che siamo in campo con un portiere, quattro difensori, quattro attaccanti, un regista e il povero Gattuso. Lippi ha la vena del collo che gli pulsa: «Finiteli. Adesso. Ormai sono un sacco vuoto, sognano soltanto i rigori. Ma voi non glieli dovete concedere, perché siete stati più forti, e non è giusto dar loro un'altra chance. Ormai i due centrocampi non esistono più, si gioca attacchi contro difese e la nostra difesa è imbattibile. Andate. Segnate. Vincete», e vai con una pacca, una botta, una spinta.

Tornando verso il centro del campo avverto all'improvviso che il rumore dello stadio è scemato di intensità, e a sentirsi sono soprattutto i nostri tifosi. La paura dei tedeschi è palpabile, quasi solida. Gattuso mi fa cenno di "ascoltare" quel silenzio, se n'è accorto anche lui. Stringo i pugni, adesso bisogna far presto. Gli ultimi quindici minuti scorrono come aveva previsto Lippi, un'azione a testa: attaccano loro e si infrangono contro Buffon, che para a Podolski il tiro più velenoso della serata; attacchiamo noi e diamo l'impressione di una maggiore pericolosità. Ma non basta. Il tempo scorre, Pirlo tenta un gran tiro da fuori area su un rovesciamento di fronte, ma Lehmann è pronto a deviare in angolo: mica sembrava così forte, quando giocava nel Milan... La dinamica dell'azione mi ha portato a centroarea, avevo provato a chiamare ad Andrea il passaggio: Del Piero è il più fresco, corre veloce fino alla bandierina per battere, anche se non toccherebbe a lui. Pirlo è rimasto al centro della lunetta dell'area, Zambrotta – altro tiratore – lo ha raggiunto fermandosi però sul centro-destra, Gilardino mi si piazza davanti, facendomi arretrare di tre passi, oltre il dischetto. Grosso si dirige verso Ale per garantirgli l'eventuale scambio. Arrivano anche Materazzi e Cannavaro, sui corner ci sono sempre, mentre Iaquinta si sistema a cavallo dell'area piccola, il più vicino alla linea di porta. Dalla panchina segnalano che siamo a meno due. Due minuti ai calci di rigore. La sirena sta per suonare.

Ecco, fermiamo questa scena e guardiamola come una natura morta in attesa di rianimarsi. Dice già tutto il numero di maglie azzurre che ne fa parte: siamo in nove. Mancano Buffon, che attende sulla nostra trequarti, e Gattuso nel cerchio di centrocampo. In caso di contropiede veloce dei tedeschi si troverebbe a doverne fronteggiare due o tre da solo. In seconda battuta qualcuno di noi riuscirebbe, non so con quali forze, a rientrare per aiutarlo: ma nell'immediato, lo ripeto, Rino sarebbe solo. Una follia tattica, al 118' di una semifinale mondiale contro i padroni di casa, ma quello è un momento come nella vita te ne capitano pochi, l'attimo assoluto nel quale senti che sarai all'altezza di qualunque prova. Questa è una storia di uomini, prima che di calciatori. Prendiamo proprio Gattuso. A parte il fatto che tecnicamente era più bravo di quanto comunemente si pensava, non ho mai conosciuto un giocatore che più di lui fosse disposto al sacrificio. Questo vuol dire faticare in campo, come tutti vedono, ma anche – pur di non mancare, e questo lo percepiscono in pochi – giocare su dolori che terrebbero gli altri non in panchina, ma a casa sul divano. Rino è un uomo che si esalta quando sente che qualcuno a cui tiene ha bisogno di lui. È il primo che vorresti sempre al tuo fianco, perché sai di non avere nulla da temere, c'è lui a proteggerti. C'è lui ad attendere gli eventuali tre tedeschi in fuga verso Buffon, e qualcosa per fermarli s'inventerà. Noi, ora, dobbiamo andare tutti in area, perché è il momento di chiuderla.

Del Piero batte in mezzo, Friedrich anticipa di testa Gilardino ma la respinta non ha potenza, la palla atterra nella lunetta dell'area dove Pirlo non è marcato, e gli basta un solo tocco per domarla. Lì, siccome è un genio, comincia il suo viaggio. Avrò rivisto quel gol migliaia di volte, e ne resto regolarmente estasiato. Andrea accarezza il pallone quattro volte, muovendosi da sinistra verso destra, parallelo a una linea di difesa tedesca che pensa a chiudergli il varco anziché a contrastarlo. Mi è sempre venuta in mente una stazione all'ora di punta, con i treni che passano in continuazione, e tu che da una banchina riesci a vedere l'altra per un breve attimo, prima che ti si chiuda la visuale. La "finestra" di passaggio a Grosso si apre al quinto tocco, che è un assist no-look come se ne vedono nel basket, non nel calcio. In quel momento io sono arretrato dal centro dell'area sui sedici metri, per fornire ad Andrea un'alternativa di tiro se a fine corsa si dovesse voltare. Perfino io, che gli sto alle spalle ma non ho tedeschi davanti, non mi accorgo subito della sua mossa, perché non muove un muscolo del corpo nella direzione di Grosso, a parte il piede destro. E il tempo di reazione rallentato mi basta appena per inquadrare il sinistro perfetto di Fabio, la traiettoria arcuata che non dà scampo a Lehmann, l'apoteosi della rete che si arriccia appena, tanto è tesa.

Sinceramente, non ricordo nulla degli attimi successivi al gol di Grosso. Fabio s'è allontanato subito verso il centro del campo, tanto che nei filmati si vede Buffon arrivargli addosso come un razzo. Io devo aver rincorso Pirlo, stregato dal suo passaggio, ma in quel mare di gioia e di eccitazione potrei aver fatto qualsiasi cosa: ci sono grappoli di maglie azzurre dovunque sul campo, non soltanto quelli che stanno giocando, ma tutti e ventitré più lo staff, i massaggiatori, i magazzinieri. Il povero Lippi, dopo essersi concesso anche lui una breve ma irrefrenabile esultanza, ha il suo daffare per "ricollegarci" tutti rapidamente alla partita, perché almeno un minuto manca ancora, magari due col recupero. Lo aiuta Gattuso con un paio di urlacci che finiscono di risvegliarci. Siamo di nuovo in assetto. Sorridenti, ma in assetto.

Quando il risultato che inseguivi si concretizza nel finale di una partita (e più finale di questo non esiste), solitamente vivi gli istanti che ti separano dal fischio conclusivo in un mix di esaltazione e di terrore. Ovvio il perché della prima. Ovvio anche quello del secondo: se vieni riagguantato dopo aver fatto tanta fatica per mettere la testa avanti, ce n'è d'avanzo per sbatterla contro il muro. Stavolta, invece, non provo paura. È strano, o forse è il frutto della spettacolare sicurezza che ci è cresciuta dentro in quel mese. Non possiamo perdere. Negli spiccioli di tempo residuo la Germania lancia un pallone in area come le viene, ma Cannavaro prima lo respinge di testa – e la sua sì che è una respinta potente – poi va a soffiarlo sempre di testa a Podolski che, sfiduciato, sbaglia il controllo. Ed è in una tale trance di onnipotenza, Fabio, che da lì vorrebbe proseguire fino a Lehmann: fortuna vuole che nella sua corsa mi finisca praticamente addosso, e nel mio ufficio decido io cosa è meglio fare. Difatti un'idea già ce l'ho, visto che Gilardino ha attaccato lo spazio e da dietro Del Piero sta arrivando a tutta velocità. Ma per impadronirmi del pallone sono costretto a dare proprio uno spintone a Cannavaro, una sorta di «Lasciami fare!» necessariamente deciso. Fabio non fa nemmeno in tempo a rendersene conto che la mia palla – eh sì, adesso è diventata mia – viaggia già veloce e precisa verso Gilardino. Il quale, come me, si è accorto che Del Piero ne ha il triplo degli altri: attende che gli sfili a fianco per lanciarlo a sua volta, e il magnifico colpo d'interno destro di Ale scavalca Lehmann per infilarsi all'incrocio. È una grande rivincita dopo gli errori di Rotterdam, bella e meritata. Sono strafelice per lui, perché la verità è che ci siamo sempre incitati a vicenda.

Lo stadio di Dortmund è affranto di un dolore superiore, supremo, un'emozione negativa così intensa da mandarlo in cortocircuito. Sono uno dei primi a raggiungere Ale per abbracciarlo, la partita ormai è finita, i nostri tifosi sono scatenati, eppure ciò che mi resta dentro dopo tanti anni è quel silenzio impressionante. Perdere un Mondiale in casa è uno strazio indicibile.

14

Insonnia da finale

Il rientro nello spogliatoio è meno caotico di quanto si potrebbe pensare, perché se noi ovviamente siamo in modalità festa tutto ciò che ci circonda è avvolto in un silenzio tombale. L'abbiamo fatta grossa, ma sarei un bugiardo se dicessi che in quei momenti ci limitiamo per sensibilità verso i tedeschi... Temo piuttosto di aver rigirato il coltello nella piaga, ma senza malanimo. Semplicemente, siamo tutti ubriachi di entusiasmo e stanchezza, mix pericoloso perché ti toglie i freni inibitori. Vi racconto questa: esauriti un po' di canti e balli, e divorata tutta la frutta presente nello spogliatoio, mi tuffo nella vasca di acqua fredda per tonificarmi. Riemergo, e sopra di me si staglia l'ombra minacciosa di Peruzzi, nudo e "armato" di un lettino da massaggi sollevato sopra la testa. Cosa diavolo vuole farne? Il tempo di pormi la domanda, e Angelo lo tira nello spazio d'acqua tra me e il bordo. Per fortuna la mira è precisa, e il lettino si inabissa fra mille schizzi, perché se mi avesse colpito mi avrebbe mezzo sfasciato. Guardo Angelo sbigottito, ma quello se n'è già andato ridendo felice. Esco in fretta dalla vasca, prima che per l'entusiasmo gli venga in mente di tirarci dentro anche un armadietto.

Vestizione. Zona mista. Interviste. La routine delle partite internazionali è diversa quando si arriva a questi livelli, perché al di là della transenna i giornalisti italiani – quelli che conosci da sempre – sono in netta minoranza rispetto alle decine e decine degli altri Paesi. Ovviamente ciascuno di loro ti piazza il registratore o il telefono sotto la bocca per raccogliere una dichiarazione. Da qualche parte ti devi fermare, ed è in quei momenti che il dolore della Germania mi appare in tutta la sua reale grandezza, perché ci sono i volontari del Mondiale che come sempre ci scortano e ci dirigono, e sono ragazzi che per quella sera avevano sognato un esito diverso. Ricordo in particolare una ragazza che mentre mi conduce da un picchetto di giornalisti all'altro – anticipandomi per quanto possibile la loro nazionalità – trattiene a stento le lacrime, e quando la guardo gira furtivamente la testa per non farmi scorgere gli occhi arrossati. È stata una partita – vorrei dirle – e per questa sera siamo stati più bravi noi. Una sciocchezza, perché ovviamente non c'è nulla da spiegare né tantomeno di cui scusarsi. Però accanto a lei, accompagnato dalla sua tristezza fino al pullman, mi viene naturale un atteggiamento più composto. Sorrisi misurati anziché risate sguaiate. Pollici su anziché "cinque alti" e rumorosi. Mi congedo accarezzandole la testa, chissà se ha capito il mio imbarazzo.

Non vedo nessuno dei miei familiari. Sono venuti a Dortmund con un charter mordi e fuggi, di quelli aeroporto-stadio-aeroporto, a quest'ora saranno già in volo per l'Italia, occupati a pianificare la mega-spedizione per la finale. È strano a dirsi, perché sembra quasi un sentimento brutto, ma mi mancano poco perché in questi momenti la famiglia che senti è la tua squadra, sono i tuoi compagni, il gruppo col quale ti sei appena battuto fino allo stremo. E col quale hai vinto. Il bisogno quasi fisico della famiglia vera scatta un minuto dopo la sconfitta, dopo l'eliminazione, quando l'incanto agonistico si spezza e ti rendi conto di non stare un'ora con tua moglie e i tuoi figli da più di un mese, e il solo pensiero ti pare assurdo. Ma finché sei dentro il torneo, e magari hai guadagnato la finale passando per un'esperienza estrema come la vittoria sui padroni di casa, vivi in una bolla di esaltazione guerriera, dove c'è spazio soltanto per te e per i compagni. E, a proposito di esaltazione, sull'aereo di ritorno per Düsseldorf – e da lì a Duisburg – Lippi decide che meritiamo un premio e dà il via libera a tutte le schifezze vietate dal primo giorno di ritiro: pizzette, patatine, cioccolata, bibite gassate, è un assalto alle ceste. Probabile che le avessero caricate per lenire la delusione di un'eventuale eliminazione, e che il mister – esaltato dalla nostra impresa – abbia pensato di darcele ugualmente.

Sia come sia, è festa vera: che prosegue in albergo, alle due di notte, quando finalmente riusciamo a varcarne le porte. Ad aspettarci troviamo tifosi azzurri a perdita d'occhio, i giornali scriveranno diecimila: all'aeroporto, per le strade di Duisburg, fuori dall'hotel. Sono italiani in vacanza, ma anche e soprattutto italiani di qui, usciti dall'ombra per festeggiare la loro Nazionale, felici due volte perché abbiamo eliminato la Germania. Intuisci tante cose, guardando quella gioia che sfila fuori dal finestrino, quelle bandiere sventolate con frenesia al nostro passaggio, e un po' ti commuovi, e insomma ti senti bene, capisci di aver realizzato una cosa bella per tante persone. Bilanci il pensiero della ragazza tedesca quasi in lacrime con quello dei tuoi connazionali esultanti. Probabilmente hai dato loro una rivincita. Sì, dev'essere così. I camerieri dell'albergo finiscono di spiegarlo accogliendoci con un coro da stadio. Nella hall ci saranno quattrocento persone, la "famiglia allargata" con i nostri cari, gli amici di Gattuso, i parenti di Gilardino, gente che ti sei abituato a salutare con affetto e trasporto. Lippi è visibilmente esausto, sale in camera gridandoci di non fare troppo tardi, ma quella notte non dorme nessuno: nell'area a noi riservata – ristorante, bar e sala giochi – le luci restano accese fino all'alba. L'allenamento del giorno dopo, comunque riservato a chi non ha giocato, viene saggiamente fissato al pomeriggio.

Mercoledì. La giornata è libera, ma non esce praticamente nessuno. Impossibile: mezza Italia si sta riversando a Duisburg, per poi proseguire fino a Berlino. Una volta di più, non so come farei senza Vito: ci prendiamo mezz'ora per calcolare di quanti biglietti ho bisogno – ovviamente dopo aver sentito Ilary e mamma – e il risultato finale è spaventoso. Dopo aver tirato una riga su tutti i "non indispensabili", che è un brutto modo di dire ma non me ne vengono altri, resto con cento nomi. Cento biglietti, non uno di meno. Chiedo aiuto ad Antonello Valentini, e lui prima strabuzza gli occhi e poi mi promette che farà il massimo. Avviata assieme la pratica più complicata, Vito prende il controllo della situazione: «Da adesso me ne occupo io. Tu devi pensare soltanto alla finale». Non gliene sarò mai abbastanza grato.

La giornata vive di due lunghi momenti. Il primo, dopo colazione, consiste nella lettura al computer di siti e giornali che raccontano l'Italia riversatasi nelle strade a festeggiare la vittoria. Una sensazione bellissima. Assaporo fino in fondo, con la calma del giorno libero, la portata dell'impresa e i suoi effetti. Siamo in tanti ad avere dietro il portatile, e da una camera all'altra – sono tutte aperte – ci segnaliamo un sito, una galleria fotografica, una cronaca delle notti italiane appena scoperta. Siamo guerrieri che brevemente riposano, tanto già a sera si rientra nella modalità da combattimento: alla televisione c'è Francia-Portogallo, l'altra semifinale, e ci riuniamo tutti a cena davanti al megaschermo. Superfluo dire che tifiamo per i portoghesi: ottimi giocatori come Deco e Figo, la grande promessa Cristiano Ronaldo, ma quanto a peso specifico con la Francia non c'è paragone. Infatti vince, col minimo indispensabile:

un rigore di Zidane a fissare l'1-0. Di nuovo loro, quindi. Non ho paura. Penso che il destino abbia deciso di darci la rivincita.

Giovedì. Vito mi assicura che alla fine i biglietti salteranno fuori, e comunque parla lui con l'Italia per organizzare il traffico. Dovessi farlo io, non resterebbe il tempo per allenarmi. Quel giorno in pullman, andando al campo, chiacchiero un po' con Buffon, come mi capita spesso: se devo pensare al mio migliore amico in Nazionale, penso a lui, un uomo affidabile e sincero, molto schietto e discretamente pazzo, il che non guasta. Siamo quasi coetanei, compagni in tutte le rappresentative azzurre, da ragazzini dormivamo assieme in camera. E adesso, sempre assieme, stiamo marciando verso una finale mondiale. Il senso del dialogo di quel giorno è "Guarda quanta strada abbiamo fatto", ma non viene espresso in modo diretto. Sarebbe banale. Ci divertiamo piuttosto a ricordare episodi laterali rispetto alle partite, per esempio un torneo in Spagna con l'Under 18, quando una notte eravamo saltati dal terrazzino al primo piano per andare a ballare: detta così non sembra difficile, ma portatevi voi dietro Coco con le stampelle. S'era fatto male in partita, ma bastò accennare alla discoteca per trovarcelo a rimorchio. Gigi praticamente dovette "pararlo" per consentirgli un atterraggio senza ulteriori danni. Belle risate a ripensarci, un ottimo antidoto alla tensione che cresce.

Venerdì. I cento biglietti ci sono: venti me li regala la federazione, ottanta li pago io, e va benissimo così perché l'importante è che domenica ci sia tutta la mia banda. Festeggio giocando a scopa con Gattuso, seduti sul letto a gambe incrociate, quasi robotici ripetiamo sempre gli stessi gesti: credo che, da quando è cominciato il Mondiale, Rino e io ci siamo detti più punteggi che parole. Il bello è che entrambi sospettiamo che l'altro imbrogli, e quindi giù insulti a ogni mano. Uno spasso.

Venendo al campo, anche un mese dopo l'arrivo in Germania quello che continua a tirare il gruppo è Cannavaro, tanto simpatico e giocherellone fuori quanto determinato in allenamento: con lui non esiste la partitella leggera, entra su tutti come se fosse una gara vera e se non sei lesto a togliere la gamba rischi il pestone. C'è anche un altro, tra noi, che lavora a doppia intensità. È Daniele. Turno dopo turno, la sua squalifica si è rimpicciolita fino a esaurirsi: come gli dicevamo per fargli coraggio e convincerlo a non tornarsene in Italia, siamo arrivati alla finale per riaverlo nuovamente disponibile. Per dargli un'altra chance. Lui avverte fortissimo il debito d'onore, e dopo giorni di silenzio ha ripreso a parlare, a entrare nelle discussioni, a vivere col gruppo. Non so se Lippi abbia in serbo qualcosa per lui, ma nel caso lo troverà pronto di sicuro.

Sabato. L'allenamento della vigilia è di buon mattino, c'è un aereo da prendere per Berlino. L'eccitazione intorno a noi è massima, i camerieri che ci hanno servito per tutto il mese ci salutano come se stessimo andando in guerra. È commovente. Vito ha gestito come meglio non poteva il flusso degli arrivi dall'Italia, me ne sono giunti soltanto gli echi. Sul volo passo un po' di tempo con Nesta, che è rimasto malgrado l'infortunio l'abbia fatto fuori alla terza partita. Ecco, se Buffon è un fratello, Sandro è addirittura un gemello. Ci siamo sempre piaciuti perché siamo simili: tranquilli, molto riservati, non di rado nei momenti difficili dell'uno o dell'altro ci siamo chiamati di nascosto, per confidarci e scambiarci consigli senza che si sapesse in giro. Fra noi c'è sempre stata un'aria buona, un'atmosfera sana, ed è per questo che la sua assenza mi spiace il doppio: meriterebbe anche lui di vivere al cento per cento quest'attesa, ma Sandro in Nazionale è sempre stato sfortunato, s'era fatto male anche in altre occasioni importanti. Un destino pure questo.

L'albergo di Berlino è molto lussuoso, un vero risarcimento dopo la topaia di Dortmund. Il tempo di sistemarci ed è già pronto il pullman per lo stadio: ricognizione e breve corsetta, conferenze stampa di Lippi e Cannavaro, passaggio rapido e silenzioso in zona mista, desiderio di parlare vicino allo zero, non è il momento. Col passare delle ore il pensiero della finale penetra sempre più in profondità, qualcuno diventa più taciturno del solito, altri cercano la compagnia perché non vogliono rimanere soli. A cena si scherza come sempre, ma in realtà un po' meno di sempre. La tensione si tocca. Lippi rinvia ogni discorso tattico all'indomani, tanto c'è poco da scoprire, conosciamo a memoria la Francia anche se, rispetto a quella dannata finale dell'Europeo di sei anni prima, in squadra siamo rimasti soltanto Cannavaro, Del Piero, Zambrotta, Inzaghi, Nesta e io. Il mister si attarda nella hall qualche minuto più del solito, probabilmente avrà la famiglia già lì mentre io e molti dei compagni aspettiamo i nostri cari per il giorno dopo. Poi, prima di salire in camera, passa a darci la buonanotte con la solita formula... come dire... un po' maschile. In sostanza si raccomanda di non fare troppo tardi, qualsiasi divertimento fossimo riusciti a trovare nella serata. Anche se è evidente a tutti che è più un modo di dire che una reale possibilità, gli alberghi di un mondiale sono superblindati e ciascuno di noi aspetta soltanto di incontrare mogli e fidanzate. In realtà Lippi vuole farci arrivare un messaggio di fiducia, a differenza di altri tecnici evita ispezioni e controlli a sorpresa perché è certo di noi e della nostra professionalità.

Quella notte, però, è diversa: e se pure alle undici ci chiudiamo nelle varie camere spegnendo le luci, non passano molti minuti prima che un rumore di passi arrivi dal corridoio, e poi un altro, e poi sento una porta distante che viene aperta con scarsa delicatezza, e poi ancora a socchiudersi è la mia, e nella lama di luce intravedo la sagoma di Gattuso. «Che fai, dormi?»

«Macché, mica ci riesco.»

«Hai voglia di giocare? Una scopetta?»

Salto giù dal letto senza farmelo ripetere, accendo la luce. Rino ha il mazzo già pronto in mano. «Alza», e parte l'ennesimo giro di carte. Concilierà il sonno – mi dico –, mezz'ora e a nanna. Bastano due mani, però, perché faccia capolino anche Perrotta. «Che fate? Posso guardare?», e da lì in poi il piano a noi riservato comincia ad animarsi sul serio. Esco in perlustrazione, ormai è passata mezzanotte. La sera dopo dobbiamo giocare la finale del campionato del mondo, tengo a ricordare.

La porta della camera di Materazzi è chiusa, ma i rumori che provengono da dentro sono inconfondibili. La spalanco come se volessi prendere i presenti con le mani nel sacco, ma il gruppo all'interno manco se ne accorge. Ricordo Marco, De Rossi, Oddo, Pirlo, Barone e Iaquinta ma ce ne sono anche altri: giocano alla PlayStation, un torneo di Fifa due contro due, urla da stadio a ogni gol. Mi viene da ridere, ma gli dico di fare piano. Materazzi mi guarda come se fossi scemo. «Guarda che non sta dormendo nessuno» dice, e Pirlo annuisce come se fosse il notaio che deve confermare. Così torno in corridoio, dove ormai tutte le porte delle camere sono aperte. Buffon sta guardando una partita di Wimbledon registrata – il torneo si sta giocando negli stessi giorni – e siccome non conosce il risultato tifa senza risparmiarsi per uno dei due tennisti. Amelia, be'... Amelia è il numero uno, perché sta leggendo un libro. «Di che parla?» gli chiedo. «Filosofia. Un po' perché la sto studiando, un po' perché magari mi fa venire sonno.» In corridoio con me, secondo ispettore, c'è Inzaghi: anche lui passa di camera in camera ridacchiando. Ogni tanto qualcuno ricorda «Ma domani c'è la finale», e viene immediatamente zittito. Finita la mia ricognizione, torno alla mia scopetta, le ore passano, e l'unico al quale venga un po' di sonno – comunque dopo le due – è Del Piero. Passa a salutarci tutti con un sorriso ironico: «Sapete, io sono abituato alle finali, quindi la vigilia non mi fa tutto questo effetto...». Viene congedato da una serie di insulti e dal lancio di qualche ciabatta. Grandissimo Ale.

In media, tiriamo le sei. L'adrenalina della partita più importante della nostra vita scorre a fiumi, un po' di sonno arriva soltanto quando siamo esausti. Immagino che nel ritiro della Francia succeda la stessa cosa, e in ogni caso è evidente che le energie per un match del genere, il settimo e più emozionante in un mese, devi trovarle nella testa molto più che nei muscoli. Dormo circa tre ore, la colazione è fissata per le 8.30, mi sveglio non più di due minuti prima: al buffet siamo tanti fantasmi, praticamente nessuno apre bocca, soltanto sguardi stanchi e tesi. Cinque giorni prima, il mattino della semifinale con la Germania, eravamo molto più allegri e caciaroni, ma la notte avevamo dormito. Silenzio anche in pullman, venti minuti di strada per arrivare al campo riservato al risveglio muscolare e lì, complice il divertimento di un torello, qualcuno ricomincia a fare battute. In breve si ride della notte bianca appena trascorsa, «Pensa come stiamo» e cose così: ma durano soltanto cinque minuti perché, preceduti da un gran trambusto dello staff federale, scendono sul prato il ministro Melandri e soprattutto il presidente Napolitano. Lippi va a fare gli onori di casa, e in breve li scorta al centro del campo, dove siamo schierati a semicerchio, in attesa.

Il discorso del presidente è più o meno quello che ti aspetti in circostanze del genere. Si capisce che il calcio non è la sua principale occupazione, ma anche che il fatto che le nostre vittorie abbiano riunito il Paese, spingendolo a condividere l'entusiasmo in un clima fraterno, gli ha dato grande gioia. Le sue parole suonano molto sincere, e mi trovo a pensare che per un presidente della Repubblica non debba esserci amarezza più profonda del governare un'Italia divisa e rancorosa. Napolitano conclude dicendo che tutti si augurano la nostra vittoria, ma che comunque vada il Paese ci sarà grato per questo mese di passioni e per il risultato raggiunto... e qui – nella sorpresa generale, inizialmente imbarazzata e poi via via più divertita – interviene Lippi. Sarebbe esagerato dire che lo interrompe bruscamente, ma di certo utilizza la prima pausa di Napolitano per inserirsi: «Mi scusi presidente, ma non è ancora il tempo per i ringraziamenti. Questi ragazzi non hanno fatto niente, o almeno così li sto allenando a pensare perché stasera non voglio niente di meno della vittoria. Niente di meno del titolo mondiale. La gratitudine è un guanciale sul quale appoggiarsi dopo, finché siamo dentro è meglio non parlarne per evitare condizionamenti. Siamo arrivati in finale, ma se dovessimo perderla rovineremmo il lavoro svolto fin qui. Mi scusi ancora, i ragazzi queste cose le sanno ma era importante ribadirle». E tace, mentre gli sguardi ritornano sul presidente. Il quale raccoglie brevemente i pensieri, con un sorriso appena accennato a fior di labbra, e poi si rivolge direttamente a noi: «Avete sentito il vostro allenatore? Andate e vincete, abbiamo tutti fiducia in voi. Stasera sono certo che mi farete toccare la Coppa del Mondo». Stringe la mano a tutti, a Lippi un po' più a lungo. La sua precisazione dev'essergli piaciuta.

Il c.t. sorprende anche me, quel mattino, perché prima di rientrare in albergo mi ferma per dirmi che stasera non dovrò perdere di vista Makélélé. È una stranezza: in genere Lippi mi lascia ampia libertà in fase di non possesso, al massimo mi chiede di disturbare la partenza dell'azione avversaria quando se ne incaricano i difensori centrali: di marcare un centrocampista, oltretutto dinamico come Makélélé, non se n'era mai parlato. Non batto ciglio, comunque. Come ho già detto, il mister ha fatto troppo per me perché io possa mai discutere le sue scelte. Tornati in albergo troviamo apparecchiato per il pranzo e poi, alle 13.30, le porte del settore a noi riservato vengono aperte e possiamo incontrare i nostri familiari. Un'ora di tempo, segnalano gli addetti della Federcalcio mostrandoci gli orologi. L'ultima volta, prima della partita: li rivedremo da campioni del mondo, oppure da sconfitti.

È un'ora molto speciale, che infonde a tutti noi nuove energie perché, in fondo, quando dici «Gioco per l'Italia» è ai tuoi cari che pensi, familiari e amici. Sono innanzitutto loro l'Italia che vuoi far vincere. Non tutti i beneficiari dei miei cento biglietti partecipano all'incontro, non sarebbe possibile, ma comunque di gente ce n'è tanta, e indossano tutti una maglia azzurra, compreso Cristian che ha otto mesi e, in braccio a Ilary, mi guarda come se volesse catturare quei momenti per sempre. Mia moglie è dolcissima, mamma è un po' emozionata, papà è... papà. Niente baci e abbracci, non è nel nostro stile, ma ci guardiamo a lungo occhi negli occhi, e ci leggo tutta la sua soddisfazione, il suo affetto, la sua vicinanza. Un momento di intensità assoluta, del quale avevo bisogno per completare il pieno. Salutati tutti a fatica, salgo in camera e finalmente, come la maggior parte dei compagni, dormo: due ore di sonno pesante, senza sogni, col telefono in modalità silenziosa perché comunque c'è un mondo là fuori che ti sta inviando il suo in bocca al lupo. Ssst! Devo riposare.

La sveglia. La merenda. La doccia – lunga e fredda, tonificante – che faccio sempre prima di partire per lo stadio, che giochi la Roma oppure la Nazionale. La liturgia della divisa: questa sera, fra le altre cose, dobbiamo essere anche eleganti. Rumore di trolley che sbattono sui gradini, usciamo dalle camere diretti verso la sala conferenze. Lippi ha già parlato nei giorni scorsi, la riunione tattica finale serve soltanto a fissare gli ultimi punti. Attenzione multipla su Zidane, è per questo che devo occuparmi di Makélélé: per liberare in marcatura su Zizou un altro centrocampista. La Francia è una squadra piena di campioni, ma non c'è dubbio che il suo centro di gravità sia il fuoriclasse del Real Madrid. Fuoriclasse, certo, il miglior giocatore che abbia mai visto all'opera nel mio ruolo, anche se in realtà Zidane era una via di mezzo fra me e Pirlo: infatti non aveva la mia capacità in zona gol, pur segnando parecchio, ma vedeva il gioco da vero regista. In campo si avvertiva chiaramente la sicurezza che infondeva ai compagni. Detto questo, Zizou mi ha sempre affascinato anche per i tratti schizofrenici del suo carattere, i cartellini, le reazioni – certo non immaginavo che quella sera ne avrebbe avuta una, e pure la più grave della carriera – insomma per il fatto che nelle vene gli scorresse il sangue. Mi era capitato di parlarci un paio di volte, al termine di partite fra Roma e Juve, e avevo colto in lui una somiglianza: eravamo ancorati agli stessi valori, in qualche modo antichi. Candela, amico comune, me l'aveva confermato.

Prima della partita non ci incrociamo con i francesi. Gli ingressi per i pullman sono distinti, gli spogliatoi lontani, i riscaldamenti separati: loro sono usciti a vedere il campo prima, e quando tocca a noi lo stadio è già pieno. La coppa è lì, su un tavolino, la osservo incantato finché passano Gattuso e Vito Scala, che ripetono «Non la guardare, se la guardi porta iella» e corrono verso la zona in cui hanno trovato posto i familiari. Soltanto dopo la gara saprò del fatto che Cristian era senza biglietto – otto mesi! – e che i tedeschi non lo volevano far entrare per questo. Al rientro nello spogliatoio, per la vestizione, la tensione è evidente: esorcizzata finora per non arrivare alla partita sovreccitati, si è gradualmente impossessata di ciascuno di noi.

Com'è normale che sia, la finale mondiale è un singolo evento che non ha paragoni. Nel corso del tempo Lippi ha spiegato la nostra vittoria con la compattezza del gruppo, e sono d'accordo con lui al cento per cento: in certi momenti, l'incoraggiamento che ti dà di più è quello del compagno che non gioca. Ecco, la disponibilità della riserva a tifare per il titolare senza retropensieri è uno degli indicatori principali della salute di una squadra, e infatti capita spesso che in panchina qualcuno gufi, o si auguri che la squadra vinca ma che chi gioca al suo posto deluda. Nel nostro spogliatoio, invece, gli undici titolari vengono abbracciati e incoraggiati dai loro possibili rimpiazzi: ricordo la sincerità negli occhi di Del Piero quando mi dice «Vai fuori e spacca tutto, Francesco».

Suona la sirena, il tempo è sgocciolato via. Usciamo, percorriamo il corridoio, entriamo nella grande hall aperta sul campo, ancora qualche ripido gradino e ci siamo: i francesi arrivano dal corridoio opposto, ci salutiamo con leggerezza e cordialità – tutti conoscono tutti –, qualcuno riesce perfino a sdrammatizzare con una battuta.

L'arbitro argentino Elizondo e i suoi guardalinee sono gli ultimi, diamo tutti la mano ai bambini che ci guardano sognanti. Si va. Davanti a me qualcuno, passandoci accanto, non resiste alla tentazione di sfiorare la coppa: Materazzi, Camoranesi, lo stesso Cannavaro, pure alcuni francesi. Io evito. Penso che se la toccassi adesso non potrei farlo alla fine, scaramanzia pura ma – visto che ragiono così – antidoto a ogni negatività. Le due colonne di giocatori transitano in mezzo a due eserciti di fotografi, le squadre si schierano, dovunque volgo lo sguardo vedo gente che stringe il pugno, strizza l'occhio, manda un bacio. Coinvolgimento totale. Ascoltiamo l'inno con le braccia sulle spalle del nostro compagno vicino, in panchina fanno lo stesso. Cannavaro fa segno a me e a Toni di andare al centro del campo, perché il calcio d'inizio è nostro. Elizondo aspetta a lungo che ogni piccolo particolare sia a posto, poi fischia. Luca, che ha il piede sul pallone già da una trentina di secondi, lo tocca per farlo rotolare verso il mio destro: lo fermo, mi giro, vedo Pirlo in attesa fuori dal cerchio di centrocampo e glielo passo. La solita catena si è rimessa in funzione. Anche nella finale mondiale.

Non può mai essere una partita come le altre, e infatti ricordo solo una sequenza di episodi: non uno sviluppo logico – troppa tensione per organizzarlo – ma una serie di situazioni che si susseguono rapidissime. Dopo nemmeno sessanta secondi Henry va a sbattere su Cannavaro e resta a terra un paio di minuti, non c'è alcun fallo ma i francesi mettono su espressioni tipo "i soliti italiani", e l'arbitro scivola impercettibilmente dalla loro parte: infatti ammonisce subito Zambrotta per un'entrata a gamba tesa su Vieira, ma al limite della loro area, e appena Malouda entra nella nostra, vede un contatto con Materazzi che dal vivo sembra netto, ma che al rallentatore della tv lo è molto meno: rigore, e praticamente non s'è ancora giocato un pallone. Non penso di aver mai gufato così l'esecuzione di un avversario, e per un attimo intimamente esulto perché il cucchiaio di Zidane – leggermente alto – tocca la parte inferiore della traversa e rimbalza nei pressi della linea. Di qua o di là? Dopo una breve indecisione il guardalinee indica il centro del campo, Zizou esulta dopo aver atteso l'indicazione, il replay sul maxischermo toglie ogni dubbio: palla dentro, e pure di parecchio. Ripenso a una statistica che ho letto il giorno prima: non succede dal 1974, finale tra Germania Ovest e Olanda, che il titolo venga vinto dalla squadra andata per prima in svantaggio. Buona idea: siccome la Francia non bastava, battiamoci anche contro la storia. Torno a centrocampo rimuginando questi pensieri.

La partita ricomincia senza cambiamenti radicali, è troppo presto per cambiare spartito. Se si esclude il mio spostamento su Makélélé, del resto, il piano tattico è sempre lo stesso: l'importante è rimanere calmi, e non è facile perché i palloni mi sorvolano anziché arrivarmi sui piedi. Il vantaggio francese ha smosso un equilibrio, qualcuno dei nostri lì dietro si fa prendere dalla fretta e appena ha la visuale aperta lancia in avanti senza cercare il fraseggio, che sarebbe invece la nostra caratteristica. Per fortuna troviamo in fretta il pareggio, un grande colpo di testa di Materazzi su angolo di Pirlo. Io ero piazzato nella mia solita posizione sui corner, ovvero a cavallo dei sedici metri, pronto a calciare al volo una respinta corta della difesa. Da lì incrocio per primo lo sguardo alterato dall'incredulità di Marco, lo chiamo con un urlo ma lui neanche mi vede, prima di abbandonarsi agli abbracci dei compagni vuole dedicare il gol alla madre. Alza braccia e sguardo al cielo e si capisce – come per Grosso contro la Germania – che non pensava nemmeno lontanamente di segnare un gol nella finale mondiale. Poi, è soltanto un mazzo di braccia una dentro l'altra, e sono grida, e incoraggiamenti, e sollievo per il pareggio immediato. Gli tiro i capelli dalla contentezza, Marco non si accorge neppure di questo. Si riparte da zero per una gara di settanta minuti, o almeno così pensiamo tornando nella nostra metà del campo.

La partita è una guerra di trincea con due generali in evidenza. Zidane per loro, e infatti la Francia tenta di occupare stabilmente la nostra trequarti; Pirlo per noi, e infatti ripartiamo bassi confidando nella sua regia. Il mio problema è che le linee di passaggio sono intasate, e nel cercare nuovi spazi non devo allontanarmi troppo da Makélélé, che in effetti è l'uomo che riavvia regolarmente la loro azione, facendosi dare palla dalla difesa e cercando subito

Zidane. La Francia gioca di più, Henry detta continuamente passaggi verticali, se la riceve nei tempi giusti è molto pericoloso, se finisce in fuorigioco fa il ricciolo e rientra in un amen: pessimo cliente per i nostri difensori, il peggiore del torneo, e del resto questa è la finale, gente scarsa non ce n'è. Se siamo più coperti è anche perché per andare in vantaggio potrebbe bastarci un secondo calcio piazzato: dopo il pari di Materazzi un altro corner perfettamente battuto da Pirlo impatta con la fronte di Toni, che lo manda a colpire la traversa. Attorno alla mezz'ora si fa male Perrotta, che resta un paio di minuti a terra. Mi avvicino alla panchina per bere, e Lippi si rivolge a me con foga. Non per complimentarsi.

«Francesco, che ti succede? Stai facendo troppo poco, questa dev'essere la tua partita.» Provo a ribattere che il pallone mi sorvola, ma lui mima un movimento più continuo. «Devi farti vedere, sei sempre dietro a un francese.» Gli faccio il gesto dell'okay – pollice su – lancio a un massaggiatore la borraccia e torno verso il centro del campo. Lo so anch'io che non sto facendo niente di che, questa storia di Makélélé ha rotto un equilibrio ancora delicato, ho ripreso a giocare da appena un mese. Chiamo l'uno-due a Pirlo, provo a rifare con Zambrotta lo scambio che l'ha mandato in gol contro gli ucraini, cerco di restare meno distante da Toni, che ho un po' abbandonato al suo destino. Ma quando Elizondo fischia il riposo, non mi sento a posto con le aspettative personali che avevo. E Lippi è d'accordo. Una volta dentro lo spogliatoio, mi chiama da parte e mi porta in un bagno, accosta il battente e riesplode: «Devi dare di più Francesco, queste gare vengono risolte dai campioni e tu sei il nostro. Pensa a quello che hai fatto per esserci, pensa a quanto hai lavorato in questi mesi e butta sul campo tutto quello che ti rimane, perché la finale è una partita senza domani. Voglio il titolo Francesco, lo vogliono tutti i tuoi compagni, devi volerlo anche tu, con tutte le forze. Altrimenti dopo un po' ti cambio».

Discorso breve, nemmeno un minuto, ma molto intenso. A ripensarci adesso lo scenario fa sorridere, un bagno con tanto di sanitari, perché ovviamente non c'era tempo di cercare una sala riunioni. Trovo molto corretta la scelta di farlo in privato, e davvero richiamo tutte le mie energie: ma ne sono rimaste poche – è il momento in cui pago i tre mesi senza partite – e per metterle a frutto avrei bisogno di un altro contesto tattico. Irrealizzabile in quelle condizioni. Quando torniamo in campo, infatti, la Francia comincia a prendere il sopravvento e io continuo a correre a vuoto, sempre distante dal pallone. La scelta di Lippi di cambiarmi è giusta, come quella di irrobustire il centrocampo: già da qualche minuto avevo notato che Daniele si stava scaldando, non sono sorpreso dal fatto che sia lui a sostituirmi. Entra anche Iaquinta al posto di Perrotta, e dunque è un'intera catena di gioco a venire cambiata: in effetti, avrò toccato dieci palloni in tutto e nessuno di questi è diventato un passaggio profondo per Simone. Non c'era proprio lo spazio per farlo, e qui sospetto che Domenech – il loro c.t. – ci abbia messo lo zampino per limitare uno sviluppo che in precedenza aveva dato fastidio ai suoi colleghi.

Sostituito dopo un'ora nella finale mondiale, e sono consapevole che non ne giocherò altre. Dovrei essere almeno un po' arrabbiato, deluso, mortificato. Dovrei rosicare, anche perché vi ho già detto che il mio carattere andrebbe in quella direzione: invece lascio il campo senza sentimenti negativi, convinto che per come si sono messe le cose Daniele possa rendersi più utile. Ecco, sappiate che di tutto quanto ho raccontato fin qui questa è la cosa che più assomiglia a un miracolo: ho giocato un Mondiale da titolare elogiando lo spirito delle riserve, e nel momento in cui divento una riserva io tutto ciò che mi interessa è che i titolari vincano la partita. Non lo sto sottolineando per sentirmi dire bravo, ma per farvi capire cosa sia un gruppo vincente: il bravo va a tutti i ventitré, e di conseguenza all'allenatore, perché è il sapersi distanziare dal proprio interesse personale anche nei momenti più delicati a descrivere la bontà del lavoro collettivo. Piombo in panchina esausto, bevo una lunga sorsata d'acqua, e subito concentro la mia attenzione su Daniele, che è entrato in campo gravato da una pressione inimmaginabile: subentri in una finale mondiale dopo esserti perso quattro partite per squalifica, quindi non hai il ritmo-gara ma tutti, al caso, te lo rimprovereranno anziché concedertelo come alibi. In pratica è come giocare con dieci gorilla posati sulla schiena, e trattengo il fiato quando De Rossi riceve il primo pallone: lo controlla bene, alza la testa, lo spedisce in avanti facendogli percorrere una linea di passaggio non banale. D'ora in poi gli sarà tutto meno difficile.

La sofferenza in panchina è indicibile. Scattiamo tutti in piedi quando Toni infila in porta, ma con la coda dell'occhio avevo notato la bandierina alzata, quindi la delusione è contenuta. Torniamo a sedere. Sono fra Perrotta e Peruzzi, tifiamo senza ritegno, se qualcuno dei nostri ci passa davanti correndo sulla fascia lo sproniamo alzando i decibel.

Quando mancano pochi minuti Lippi richiama Del Piero dal riscaldamento, e allora aspetto che i nostri sguardi si incrocino per incoraggiarlo serrando i pugni. Sono contento che un pezzo di finale tocchi anche a lui. Un pezzo non breve: al 90' il punteggio è ancora fermo sull'1-1, si va ai supplementari. Al fischio di Elizondo scatto in piedi, prendo fra le mani un po' di borracce e le porto ai compagni che stanno arrivando nei pressi della panchina. Sorrido, incoraggio, rincuoro, e come me tutti gli altri che non giocano, o meglio che "giocano" in un altro modo: Lippi ha già speso i tre cambi, non c'è più bisogno che i panchinari si scaldino, gli undici rimarranno quelli, agli altri il compito di tifare. Il brusco calo di adrenalina seguito alla sostituzione è un lontano ricordo, sono nuovamente emozionato e "acceso", come se stessi giocando.

Anzi, mi viene da pensare che se i cambi del calcio fossero come quelli della pallacanestro, ora potrei rientrare. E mi piacerebbe.

I tempi supplementari "appartengono" a Zidane. Il primo per lo splendido colpo di testa che nessun portiere al mondo diverso da Gigi avrebbe parato, e quando ci ripenso mi tremano ancora oggi le ginocchia; il secondo per l'incredibile testata che assesta a Materazzi, e la conseguente espulsione. L'ultimo atto della sua carriera. In panchina nessuno si accorge di nulla, perché il pallone è stato rinviato e siamo tutti girati verso gli attaccanti; c'è Del Piero che sta andando verso la porta, ma commette fallo. I francesi ripartono, Wiltord riceve palla a metà campo ed è in quel momento che tutti si accorgono di Materazzi a terra: il gioco si ferma, Elizondo corre nella zona dell'accaduto – dove maglie azzurre e maglie bianche si stanno affrontando in una situazione di nervosismo crescente – io capisco che deve trattarsi di qualcosa di grave dalla faccia di Buffon, che evidentemente ha visto tutto e si muove senza sosta tra arbitro e guardalinee, facendo a quest'ultimo ampi gesti toccandosi l'occhio, come a dire che non può non aver visto. Anche Gattuso è molto deciso nel suggerire a Elizondo di farsi aiutare da qualcuno che abbia un monitor davanti a sé, ed è quel che succede, con il cartellino rosso mostrato a Zidane e la rabbia dei francesi che ammutolisce quando il maxischermo dello stadio manda le immagini della testata. Si sente un compatto «Oh» di meraviglia, perché tutti avevano immaginato una spinta o al più una gomitata, certo non quel gesto folle.

Zidane lascia il campo passandoci davanti, e nessuno si azzarda a dirgli nulla. Parliamoci chiaro: in quel preciso momento sono contento che la Francia perda quello che è indiscutibilmente il suo uomo migliore, la stella che a dieci minuti dalla fine dei supplementari continuava a farci paura. Però una cosa è provare sollievo per una gara importantissima che diventa meno difficile, un'altra dimenticare chi è l'uomo che sta uscendo, quanto amara possa essere quella camminata verso il suo ultimo spogliatoio, sfiorando una coppa che non sarà sua, quanto sia ingiusto che un simile campione concluda con un'espulsione così umiliante una carriera fantastica. Mancherebbero dieci minuti ma praticamente non si gioca più, l'episodio di Zidane ha talmente impressionato tutti che il resto della partita diventa semplice attesa dei calci di rigore.

Ed eccoli, infine. Stavolta Lippi non ha intimato alla squadra di chiudere la partita, com'era successo in semifinale. Il motivo è intuibile: la Germania ci era inferiore, i rigori le avrebbero dato un'opportunità che non meritava. Con la Francia, invece, siamo alla pari: forzare la situazione ci avrebbe esposto al rischio di subire un gol. La verità è che, in un contesto così drammatico, ci sentiamo relativamente tranquilli: in squadra ci sono molti rigoristi nei rispettivi club, e per quanto la situazione emotiva non sia paragonabile, l'abitudine a calciarli vorrà pur dire qualcosa. Buffon non riesce a stare fermo, perché lui che è il miglior portiere del mondo sa che i rigori non sono il suo punto di forza: mi incarico io di tenerlo su, ricordandogli che si chiama Buffon e che qualsiasi tiratore sarà terrorizzato all'idea di trovarselo davanti. Evidentemente esagero perché Gigi, ridendo, dice appunto «Esagera un po' di più, dai», ma intanto gli ho restituito il sorriso e questo era il mio obiettivo. Lippi ha una strategia precisa, subito un esecutore "sicuro" per avviare al meglio la serie: cominciamo noi, la situazione migliore, come nel tennis iniziare il quinto set al servizio.

Pirlo si avvia verso il dischetto con apparente freddezza. Io entro nel cerchio di centrocampo, non ce la faccio più a stare in panchina. Rimango in seconda fila rispetto ai tiratori, non riesco a dire nulla. L'intensità del momento è troppo alta, nessuno ha la forza di pronunciare mezza parola. Tiro centrale, ma Barthez si è tuffato in anticipo. Gol. Andrea si bacia la fede e torna a centrocampo con la stessa espressione neutra dipinta sul volto. Quella non cambia mai. Ha giocato un Mondiale strepitoso, è stato il fulcro della squadra, il direttore dell'orchestra azzurra; in campo io e lui ci siamo sempre trovati d'istinto, perché la classe riconosce la classe, e mi ha fatto piacere che quando gli ho portato il pallone del gol al Ghana – merito tutto suo, la mia era stata solo una "consegna" – mi abbia detto che ero stato un corriere Federal Express. Non si scompone nemmeno dopo aver segnato un rigore in una finale mondiale, rientra nel cerchio annuendo brevemente ai complimenti di tutti. Il tempo di girarsi e Wiltord, il solito Wiltord, ha pareggiato.

Materazzi parte rapido come se volesse abbreviare l'agonia. Quindici minuti prima il settore francese dello stadio e la panchina – Domenech in testa – l'hanno subissato di insulti pensando che avesse simulato, o in ogni caso provocato l'espulsione di Zidane. Il maxischermo ha fatto giustizia, ma la corrente di antipatia è rimasta. Serve un carattere fortissimo per reggerla, e a Marco non manca. Mentre sembra che le strutture dello stadio tremino dall'intensità dei fischi, lui calcia forte nell'angolino, oltre il braccio proteso di Barthez. Fantastico. Rientra al centro del campo sfiorandosi l'orecchio con una mano, un messaggio ai francesi che continuano a dirgliene di tutti i colori. Da quel Mondiale gli voglio un gran bene, e sì che in campionato ha continuato a menarmi come se nulla fosse: ma la persona è molto più dolce del calciatore, e dopo averla conosciuta a fondo non puoi fare a meno di volergliene.

Tocca a Trezeguet, per tanti anni compagno di squadra di Buffon alla Juve. Il fatto che portiere e tiratore si conoscano benissimo può incidere in modo determinante sugli equilibri psicologici del duello. Infatti il francese cerca un'esecuzione troppo difficile, alta e all'incrocio, e colpisce la traversa. La scarica di adrenalina data dall'errore di un avversario ha una potenza tripla rispetto alla trasformazione riuscita di un compagno, perché è lì che senti avvicinarsi la vittoria. Adesso dipende tantissimo dal nostro terzo tiratore e io, che non ricordo la successione definita da Lippi, guardo con apprensione la fila dei papabili, pochi metri davanti a me. Provo un tuffo al cuore quando vedo che a staccarsi è Daniele.

La scelta è logica, alla Roma lui è la seconda opzione dopo di me, e il suo destro è assieme potente e preciso. Ugualmente mi fa impressione, anche per un senso di protezione, il rischio che De Rossi accetta di correre. E quando vedo la palla infilarsi all'incrocio, una sorta di bella copia del tiro di Trezeguet, intimamente esulto come per nessun altro rigore. Sono stato a lungo un modello e un punto di riferimento per Daniele, e per me è ovvio sentirmi il suo fratello maggiore. È uno dei tanti momenti – probabilmente il più famoso – nel quale sono stato fiero di lui. Lo accolgo di ritorno con un abbraccio mentre sul dischetto va Abidal, che non sbaglia. I francesi ci restano addosso. Leggermente staccati, ma addosso. Del Piero batte le mani e si avvia. È il suo turno.

Non può sbagliare. Primo perché Ale non sbaglia mai – quante volte l'ho gufato inutilmente nella Juve… –, secondo perché è ora che ci dia una mano, nel 2000 Zoff l'aveva lasciato per ultimo e gli errori dell'Olanda ci avevano fatto fare festa prima. È per questo che Lippi l'ha messo quarto, per non correre il rischio di sprecare il nostro tiratore principe. E infatti Ale non tradisce, spiazzando Barthez e stringendo forte i pugni all'indirizzo di noi del cerchio di centrocampo.

Pirlo ormai assiste ai rigori abbracciato a Cannavaro, mentre il più entusiasta della trasformazione di Del Piero è Grosso, e il perché è presto detto: da questo momento ogni rigore è un match point, se Buffon parasse il prossimo sarebbe finita e Fabio si risparmierebbe l'ultimo, pesantissimo tiro. Il quinto in lista infatti è lui. Parte Sagnol, un terzino, e penso che probabilmente è l'uomo che ha sostituito Zidane nel quintetto di rigoristi. Vuoi vedere che... No, non c'è niente da vedere: Sagnol trasforma con sicurezza, e tutti gli sguardi si posano inevitabilmente su Fabio Grosso.

Sua moglie, in tribuna, è incinta all'ottavo mese. Ilary mi racconterà che in tre o quattro di loro l'hanno circondata per sostenerla – era molto emozionata – e lei s'è girata per la paura, non ha voluto vederlo calciare. Fabio, invece, non aveva battuto ciglio quando Lippi gli aveva chiesto se se la sarebbe sentita di tirare il quinto rigore. Un soldato. E adesso che è diventato decisivo, guarda come cammina diritto, senza deviare di un centimetro dal percorso più breve, guarda come prende in mano il pallone e lo deposita con attenzione sul dischetto, guarda come arretra per la rincorsa, si ferma e osserva l'arbitro con la coda dell'occhio in attesa del fischio, evitando accuratamente di incrociare lo sguardo di Barthez, che vorrebbe fargli pesare il suo status di campione del mondo. Grosso ha già procurato il mezzo rigore contro l'Australia e ha segnato il primo gol alla Germania. Le sue spalle possono reggere anche il rigore decisivo per il titolo?

A inizio torneo, sinceramente, avrei detto di no. Via via però che le responsabilità gli sono finite addosso, e lui le ha gestite sempre meglio, è cresciuta in noi compagni la sensazione che Fabio fosse l'uomo del destino. Infatti. Rincorsa. Sinistro. Gol.

La testa mi esplode. Non ricordo con chi mi abbraccio per primo, ricordo soltanto Pirlo che mi passa davanti, inseguito dal cameraman della Fifa che ci era stato accanto per filmarci, discreto e silenzioso, durante l'esecuzione dei rigori. Nelle immagini, che avrò rivisto un milione di volte, compaio avvinghiato a Daniele e a Vito, e quella festa tutta romanista – Perrotta vi si unisce un attimo dopo – resterà scolpita per sempre. Indimenticabile. Vincere un Mondiale è un evento troppo grande per essere definito, ci provi ma ti resta sempre fuori qualcosa: fai parte della storia del calcio, ecco, questo è il pensiero che mi balla in testa mentre aspetto che Cannavaro alzi la coppa. Ma è tutto molto confuso, e ogni volta che rivedo i filmati mi accorgo di un particolare nuovo: Lippi col sigaro alla premiazione, per esempio, è stata una scoperta recente. Della famosa assenza di Blatter, di cui tanto si è parlato, non se ne accorge nessuno; figurati se in quei momenti uno va a chiedersi come mai non si veda Blatter…

Negli spogliatoi c'è il mondo. Un disastro di gente. E non si schioda nessuno nemmeno quando cominciano a volare secchiate d'acqua gelida: immagino che essere lì in quel momento costituisca uno status symbol di eccezionale importanza. Il problema è che un po' di schizzi se li prende anche Napolitano al suo ingresso, mentre la Melandri – che è pure una bella donna – viene scientificamente annaffiata dai suoi estimatori... Per fortuna hanno entrambi il giusto spirito, e poi penso che anche per loro figurare in quelle foto sia una soddisfazione. Vito, che tiene sempre gli occhi aperti, zompa addosso a un agente della scorta presidenziale che si stava imboscando un paio di magliette.

Poi si corre all'aeroporto, perché prima di tornare in Italia occorre passare da Duisburg: lo dobbiamo ai ragazzi dell'albergo, che ci accolgono con la faccia ancora gonfia di lacrime. Fuori dall'hotel ci sono italiani a perdita d'occhio, una follia. Tiriamo l'alba in piccoli gruppetti, io passo quella notte dolcissima con Ilary, Cristian che sonnecchia, Vito e sua moglie Cristina. Parliamo, ridiamo, abbiamo tutti la sensazione che dopo questa vittoria niente sarà più come prima. Nessuno me lo chiede, ma all'aurora – quando il cielo comincia a colorarsi – mi viene un pensiero: ho giocato la mia ultima partita in Nazionale. Sì, è stato così. Se avessi ancora avuto qualche dubbio, l'opportunità di chiudere al vertice mi alletta, perché è sempre meglio lasciare quando c'è ancora qualcuno che ti rimpiangerà.

L'aereo del pomeriggio da Düsseldorf è diretto a Pratica di Mare. Sono pulito e sbarbato, ci aspettano prima a Palazzo Chigi e poi al Circo Massimo, per la grande festa popolare. Viaggio accanto a Ilary e con Cristian in braccio, il Mondiale è finito e non voglio più restare separato da loro neanche un minuto. Durante il volo noi romani spieghiamo agli altri che cosa voglia dire festeggiare nella nostra città, consapevoli che l'impatto sarà impressionante soprattutto per gli juventini, abituati – è una presa in giro che dura da sempre, una scherzosa e alquanto magra consolazione per la loro quantità di successi – a celebrare lo scudetto una ventina di minuti. Al massimo. Buffon ride di gusto ogni volta che tocchiamo l'argomento. Venti minuti prima dell'atterraggio, le Frecce Tricolori si affiancano all'aereo per scortarci fino a terra: il comandante spiega che si tratta di un onore riservato a pochissimi. L'emozione cresce.

I militari che ci aspettano sulla pista danno subito la misura di cosa ci attende. Sembrano impazziti. Voglio dire: dovrebbe essere un cerimoniale, invece appena tocchiamo terra parte la caccia alle foto e agli autografi. Andiamo bene, penso. Il primo appuntamento è nel centro di Roma, il presidente del Consiglio Romano Prodi ci attende al palazzo del governo, in piazza Colonna. Saranno dieci anni che non vado in via del Corso, e la cosa un po' mi emoziona: ho l'occasione di rivedere qualche scorcio della mia Roma tanto amata, e che per ovvi motivi mi è negata. Un'ulteriore, piccola aggiunta al pieno di gioia che mi esplode in petto. Il viaggio sulla Pontina e poi sulla Cristoforo Colombo è di una bellezza disarmante, perché lungo la strada ci sono migliaia e migliaia di persone in festa, ciascuna con una bandiera, alcuni srotolano uno striscione al nostro passaggio, tutti sono visibilmente provati dalla stanchezza – quella notte non ha dormito nessuno nemmeno in Italia – e da una felicità senza mediazioni. Ben presto l'autobus è costretto a rallentare, perché davanti a noi viaggiano centinaia di motorini e il tragitto verso Palazzo Chigi è diventato un corteo. Lungo via dei Fori Imperiali procediamo a passo d'uomo, tanta gente per strada l'avevo vista soltanto per lo scudetto. Arriviamo in piazza Colonna alle nove, con un bel ritardo rispetto al programma. Prodi è sceso in strada per accoglierci, dietro di lui c'è una fila di ministri, e so già che a Gigi Riva sta venendo l'orticaria. I politici non gli piacciono, specie quelli che, prima dell'inizio del Mondiale, rilasciavano interviste nelle quali si chiedevano se dopo Calciopoli non sarebbe stato meglio restare a casa. Il ricevimento a Palazzo Chigi è comunque piacevole, piazza Colonna brulica di tifosi in festa, a un certo punto prendo la coppa e mi affaccio a una finestra per mostrarla alla gente: il boato che ne deriva vale quello di un gol nel derby.

Malgrado il clima di festa assoluta, percepisco che qualcosa non va. Chiedo a Vito se ha orecchiato niente, e lui mi dice che ci sono dei problemi con Riva: quando ha sentito che sul grande pullman scoperto diretto al Circo Massimo non saliranno soltanto la squadra e lo staff che l'ha assistita al Mondiale, ma anche altri addetti federali e soprattutto qualche uomo politico, ha fatto una piazzata. Lo vedo in fondo alla sala, scuro in volto: cercano di trattenerlo, ma lui ha deciso. Scende rapidamente la scalinata interna, sbuca nella piazza accanto al pullman parcheggiato, si fa aprire il vano bagagli dall'autista sbigottito, prende il suo trolley e se ne va, immagino alla ricerca di un taxi. Se già lo ammiravo prima, per il suo passato di campione e per quella disponibilità unica a mettersi sempre dalla parte dei giocatori – anche quando è difficile, com'era stato per me dopo lo sputo a Poulsen –, adesso sento di amarlo proprio. Trovo preziosa la sua capacità di non perdonare, di non lasciarsi scivolare addosso tutto come invece facciamo noi, che in quell'atmosfera di festa fingiamo per quieto vivere di non ricordare cosa aveva detto Tizio, cosa aveva proposto Caio, quanto ci aveva insultato Sempronio. Gigi, invece, aveva chiarito di essere disposto ad andare a stringere qualche mano, non a far salire tutti sul pullman dei vincitori. E con totale coerenza, una volta appreso che anche chi ci aveva osteggiato sarebbe entrato nelle foto, se ne va.

Il viaggio da piazza Colonna al Circo Massimo è un'altra lenta processione lungo strade bloccate, tanto che alcuni compagni, quelli che devono prendere ancora un aereo per tornare a casa, vorrebbero chiuderla lì. Riesco a convincerli promettendo una festa come non ne hanno mai viste, e a darmi una mano arrivano le provviste caricate sul pullman, tra le quali abbonda lo spumante: prima di arrivare a destinazione siamo tutti mezzi sbronzi, e il solito trio – io, Daniele e Vito – ne architetta un'altra per provare a portare Buffon a Roma. «Guarda quanta gente, guarda quanta gioia» lo tormentiamo. «Immagina uno scudetto qui, festeggeresti per un mese filato.» Per usare un eufemismo, Gigi non si è risparmiato nel brindare, e infatti ride come uno scemo per tutta la serata annuendo vigorosamente alle nostre astute considerazioni. «Sì, sì, devo proprio venire alla Roma, non posso perdermi un ambiente del genere...», e giù altre risate. Noi tre ci guardiamo basiti: siamo finalmente riusciti a convincerlo, o ci sta prendendo per i fondelli? La seconda opzione, ovviamente: dopo la festa al Circo Massimo e il buffet finale al Parco dei Principi, Gigi ci abbraccia augurandoci buone vacanze. E basta, purtroppo. Io non dormo per la seconda notte consecutiva, ed è una buona cosa perché il giorno dopo, in volo per Bora Bora, faccio bei sogni tenendomi Cristian al petto. Mai più senza.

Quando sono uscito dopo un'ora di finale mondiale, sostituito da De Rossi, non ho abbandonato soltanto una grande partita. Ho chiuso – per fortuna in gloria – la mia storia con la Nazionale. Non ho nemmeno trent'anni, ma avverto il bisogno di trascorrere più tempo con la mia famiglia: con Ilary, con Cristian, con le sue sorelline che sarebbero venute, e che già all'epoca desideravamo con tutto il cuore. D'ora in poi mi sarei diviso tra la Roma e la famiglia, sfrondando dalla mia vita i ritiri, le amichevoli, le gare di qualificazione e i grandi tornei in maglia azzurra: molto tempo guadagnato a un'età in cui comincia a non sembrarti più infinito. Già sul volo di ritorno dalla Germania ho informato i dirigenti della mia decisione, peraltro presa prima del Mondiale: e quando a settembre Roberto Donadoni, il nuovo commissario tecnico, viene a trovarmi nell'albergo di Milano in cui mi trovo prima di una gara di campionato, gli ribadisco il mio no. Dispiaciuto, perché non è semplice negarsi a un tecnico che ti fa capire quanto gli piacerebbe poterti allenare. Donadoni è una brava persona, peccato non aver percorso un tratto di strada assieme. Ma in quel momento non ne avevo più.

In altre occasioni si è parlato di un possibile ritorno in Nazionale. L'hanno pensato tutti due anni dopo, quando Lippi è tornato c.t.: considerato il nostro rapporto, immaginarlo aveva un senso. Proprio per questo, non gli ho mai dato l'opportunità di andare oltre un paio di pourparler: se gli avessi permesso di chiedermelo esplicitamente, sarebbe stato complicato negarsi ancora. Infine, qualche mese prima del Mondiale 2014 Prandelli telefonò a Vito per chiedergli se qualcosa fosse cambiato: l'idea di giocare in Brasile in effetti mi piaceva – e in giro si sapeva –, se il c.t. fosse venuto a parlarmene di persona forse avremmo combinato. Ma non successe: Prandelli non chiamò una seconda volta, ed è stato meglio così. Mi sarei sentito a disagio entrando in extremis in un gruppo che si era sobbarcato le fatiche della qualificazione, anche perché avrei tolto il posto in rosa a uno che s'era fatto il mazzo per esserci.

Ho lasciato da campione del mondo, il massimo possibile. È stata una scelta molto criticata, perché decidendo di privilegiare la Roma ho marcato la mia appartenenza cittadina in un modo che non ammetteva dubbi: ancora oggi molti si sorprendono quando dico che per me lo scudetto ha un valore lievemente superiore al titolo mondiale. Mi danno del matto e non riescono ad accettarlo, perché ovviamente la Coppa del Mondo è l'apice di ogni carriera: ma lo è più per chi vince ogni anno, come gli juventini per esempio, che per chi non vince quasi mai. Per noi il massimo è lo scudetto, e il mio grande cruccio è non averne vinto almeno un secondo. La Nazionale, be'... Ogni volta che c'è un grande torneo, l'istinto mi vorrebbe lì: suonano gli inni, la telecamera percorre la fila di giocatori dell'Italia, io chiamo Cristian e ci piazziamo sul divano a guardare la partita. Dentro ho un po' di magone, ma non se ne accorge nessuno.

15

Core de 'sta città

La scelta di abbandonare la Nazionale a trent'anni per dedicarmi interamente alla Roma descrive bene il mio rapporto con il club e con la città. Viscerale, potrebbe essere la parola giusta. Simbiotico, mi suggerisce un amico che la sa lunga. Sì, l'idea di simbiosi fra me e il mio habitat naturale coglie la realtà delle cose. Roma è universalmente riconosciuta come la città più bella del mondo, ma il mio desiderio di lei nasce in gran parte da una rinuncia. Io non posso percorrerla come vorrei. È da quando fui costretto al trasloco da via Vetulonia a Casal Palocco perché i tifosi feticisti si fregavano i tappetini del condominio che la mia libertà di movimento è pesantemente condizionata. Non me ne lamento, è il prezzo da pagare per tutto l'amore che ho ricevuto e continuo a ricevere, ed è tantissimo. Però la simbiosi tra me e Roma viaggia a due velocità: la città si nutre di me fino a sazietà – le partite, le interviste, gli incontri pubblici – mentre a me è consentito al massimo un morso alla mela, poi devo sparire. Magari scappando di notte attraverso un convento di frati, come successe dopo lo scudetto.

C'è un Natale – quello del 2011 – nel quale realizzo all'ultimo momento di non aver preso niente per Ilary. Panico, ai regali sotto l'albero lei ci tiene... Telefono da Hermès, in via Condotti, dove lei fa spesso acquisti, e concordo per un foulard. Ma è il pomeriggio del 24 dicembre e non me lo possono più recapitare a casa. Devo mandare qualcuno, oppure andare io. Ma sì, facciamo la pazzia. Prendo Cristian con me, mi copro bene con berretto e cappuccio, salgo sulla Smart e andiamo. Unica precauzione: telefono a un amico che ha un negozio in via del Corso, più o meno all'altezza di via Condotti, e gli chiedo se posso lasciare la Smart lì davanti, con le quattro frecce, per cinque minuti. Il tempo di andare da Hermès, ritirare, pagare, e tornare. Un blitz da teste di cuoio.

Alle 17.30 della vigilia di Natale sono in via del Corso. Parcheggio la macchina davanti al negozio del mio amico, che resta lì a controllarla, e mi avvio di buon passo lungo via Condotti. Sono molto ben mimetizzato e ormai è buio, ma non ho pensato a Cristian, che ha la testa scoperta. Vabbe', facciamo in fretta: entro da Hermès, il pacco è già pronto, consegno la carta di credito e aspetto che la macchinetta si colleghi alla banca. Sbircio fuori dalla vetrina, e noto che si sta formando un piccolo assembramento. Avanti, quanto ci vuole per questo pagamento... La macchinetta stampa le due ricevute, firmo la prima e saluto tutti i commessi con un sorriso cumulativo: dobbiamo sbrigarci.

Esco in strada e c'è il boato. Un centinaio di persone si è radunato lì fuori, immagino nel solito modo: uno avrà detto di avermi visto, due si saranno fermati per curiosità, un quarto perché non aveva niente da fare, e man mano che il gruppo cresceva altri lo ingrossavano dopo aver chiesto «Come mai siete qui?». Conosco queste dinamiche, ma mi illudevo di dribblarle almeno la vigilia di Natale. Deve avermi fregato Cristian, pure lui dai tifosi è ampiamente riconosciuto. Stringo forte la sua manina – ha appena sei anni – e mi lancio a capofitto lungo via Condotti, fendendo con decisione la folla. Che mi lascia passare, ma poi si mette in coda e mi segue, sembra la scena di *Forrest Gump* quando lui corre nel deserto col codazzo crescente di gente dietro. Se i primi cinquanta metri li faccio camminando velocemente, da lì in poi mi metto a correre, badando a stringere ancora più forte la mano di Cristian, che per fortuna è già un piccolo atleta e regge il mio passo senza fatica. Quando siamo su via del Corso, la sorpresa: la Smart è completamente sommersa dalla gente. Anche in questo caso qualcuno deve averci visto uscire dalla macchina, e invece di seguirci ha aspettato lì, consapevole che saremmo dovuti tornare. Inciso: alcune delle persone che ci circondano vorrebbero un selfie, ma farne anche uno soltanto sarebbe la fine, perché dovrei fermarmi e verrei travolto. E il mio terrore, in quel momento, è perdere la mano di Cristian. Tutti gli altri si limitano a filmare la scena con lo smartphone perché desiderano semplicemente quello: la prova video di aver incrociato Totti nel centro di Roma il 24 dicembre.

Accanto alla macchina, oltre al mio amico ci sono due vigili. Appena ci vedono si mettono a fare ampi gesti, devo guadagnare la portiera, far entrare prima Cristian, poi montare io e partire. Loro mi aiuteranno. Mi muovo in quella direzione ed effettivamente i tre cercano con coraggio di creare un cordone sanitario, ma l'impresa non è semplice. Manca lo spazio per aprire la portiera, c'è troppa gente ammassata contro l'auto. Spingo centimetro per centimetro, alla fine riesco a far entrare Cristian, con l'aiuto dei vigili scivolo dentro anch'io, ma dopo cinque minuti buoni. Metto in moto e parto, con grande cautela perché il rischio di travolgere qualcuno è altissimo. Quando siamo finalmente fuori da via del Corso e posso rifugiarmi sul Lungotevere, dico a Cristian «Mai più». Lui, però, mi guarda come se si fosse divertito.

Da bambino, quando la domenica si andava dai parenti a Testaccio o a Trastevere, chiedevo sempre di passare per la Bocca della Verità, perché mi piaceva un sacco il brivido di infilarci la mano nella speranza che non me la tagliasse. San Pietro l'ho visitata da bimbo, quella volta del bacio del papa, ma non mi ricordo quasi nulla. Un mese prima di sposarmi, per ammirare dall'alto la basilica dell'Aracoeli dove si sarebbe svolta la cerimonia, salii in cima all'Altare della Patria, godendo di un piccolo privilegio, quello di seguire un percorso protetto che mi evitò l'assedio dei turisti. Ecco, ho pronunciato la parola magica.

Per un giorno vorrei essere proprio un turista invisibile, per girare Roma in lungo e in largo senza assembramenti e senza selfie. Oppure il protagonista della *Grande bellezza*, quando rincasa molto tardi la notte dopo le sue conquiste, e attraversa i luoghi più affascinanti della città completamente deserti. Un giorno magari lo faccio, all'alba come lui. Vado a correre sulla sponda del Tevere.

Dallo scudetto in poi ho capito una realtà bella perché lusinghiera, ma anche pericolosa: quello che dico e faccio può influenzare l'opinione di parecchie persone, perché di me tendono a fidarsi. Ho detto che sarei rimasto per sempre e sono rimasto: questa è la cosa che più di qualsiasi altra ha cementato il rapporto d'amore fra me e i tifosi. Amore e appunto fiducia. Perciò sono sempre stato attento a tenermi distante dalla politica – un campo in cui ritengo di non dover orientare nessuno – e vicino semmai agli amministratori. Quando un sindaco di Roma, di qualsiasi partito fosse, mi ha chiesto una mano per pubblicizzare una raccolta fondi o un'altra iniziativa benefica, non mi sono mai tirato indietro. Poi, anche in quell'ambito esistono i rapporti personali: non ho mai nascosto, per esempio, la mia amicizia con Walter Veltroni. Durante il suo mandato da sindaco abbiamo fatto molte cose assieme, ma delle quali nessuno ha mai saputo nulla. Iniziative lontane dalle telecamere. Walter chiamava al mattino e me le proponeva: un padiglione di bambini malati a cui dedicare un sorriso prima che si operassero, l'inaugurazione di una nuova scuola elementare, un campo di calcetto aperto a tutti in un quartiere difficile. Ecco, con Veltroni ho visto un po' di Roma periferica, ed è stato molto istruttivo.

Ho conosciuto anche la Roma dei quartieri alti, ovviamente. Il vero privilegio del fatto di essere il campione di una squadra così amata è l'accesso a un sacco di persone interessanti. Venendo a parlare dei tifosi della Roma un po' speciali, quelli che nel loro lavoro sono professionisti di riconosciuta serietà ma che appena entrano all'Olimpico perdono la testa, il primo da citare è un altro caro amico: Carlo Verdone. Lui è esattamente come appare al cinema: simpatico, socievole, ipocondriaco. Mai dirgli che lo trovi un po' pallido: passerà la giornata a farsi tutti gli esami possibili. Diversi anni fa Carlo mi fece vivere un'esperienza allora molto esclusiva: mi portò a visitare la villa di Alberto Sordi alle Terme di Caracalla. Oggi sta per trasformarsi in un museo, com'è giusto che sia, e fra l'altro lui dovrebbe esserne uno dei curatori. All'epoca della nostra visita, invece, soltanto la sorella di Sordi aveva le chiavi, e a Carlo le prestava volentieri perché sapeva che il fratello lo aveva in simpatia. La villa è stupenda, gli aneddoti che Carlo racconta su Albertone ancora di più.

C'è sempre molto cinema, in tribuna all'Olimpico. Delle prese in giro a Sabrina Ferilli per lo spogliarello sostanzialmente mancato della festa-scudetto vi ho raccontato. Claudio Amendola e Pierfrancesco Favino sono altri tifosi veri, di quelli che non vanno allo stadio per farsi fotografare ma perché soffrono come bestie, eppure non possono mancare. Ho passato molte belle serate a casa dei fratelli Vanzina, e ora che Carlo è mancato vorrei ricordare la bellezza della persona, la classe e la capacità di mettere gli ospiti a loro agio. Sono molto legato anche a Enrico, che rispetto al fratello allo stadio è più fumantino, ma sempre per il bene della Roma. Maria De Filippi e Maurizio Costanzo sono amici da anni, dalla prima volta in cui venni invitato a *C'è Posta per Te*. Maurizio, poi, ebbe la geniale idea dei libri di barzellette con i quali superai la retorica del Pupone, un soprannome nato con intenti affettuosi (me lo diede Mimmo Ferretti, un giornalista del «Messaggero» che mi vuole bene), ma che fuori Roma era diventato sinonimo di immaturità.

La prima vacanza con Ilary, tra la fine del campionato 2002 e la partenza per il Mondiale asiatico, fu una settimana a Sharm el-Sheikh. Immaginate la sorpresa quando scoprimmo che nel bungalow accanto al nostro c'erano Claudio Baglioni e la sua compagna. Ho un ricordo splendido di quei giorni, passati assieme a fare snorkeling tra i fondali del Mar Rosso. Ma il vero privilegio fu che Claudio accettò di cantare solo per noi alcune canzoni, solo voce, tanto la sua vale un'orchestra. Ilary si emozionò a tal punto da chiedergli pure un brano non suo, *L'emozione non ha voce* di Celentano. E Claudio, di buon grado, lo eseguì senza nemmeno bisogno di cercare su Google le parole. Che fenomeno. Ci si vede ancora, ogni tanto a cena, ed è sempre una festa.

Un'altra persona famosa e di qualità con la quale mi piace passare del tempo, specie in estate, è Giovanni Malagò: andiamo assieme in barca partendo da Sabaudia, dove abbiamo casa entrambi, per spingerci fino a Ponza, Ventotene e magari anche Ischia. Con Giovanni gioco a calcetto all'Aniene, e ogni volta che riesco a servirgli un assist così perfetto da richiedergli solo una leggera spinta alla palla per fare gol, annuncio nuovamente il mio addio al calcio. Dopo aver fatto segnare lui, non ho più nulla da chiedere alla mia carriera.

Ma quanto sia formidabile il potere del pallone e della Roma in questa città l'ho capito fino in fondo soltanto al ricevimento per il mio matrimonio a Villa Miani. Intendo il primo ricevimento, quello riservato ai vip e tenutosi un paio di giorni prima della cerimonia; il secondo, per amici e parenti, fu il vero pranzo di nozze. Vi dicevo del primo: pur senza conoscerlo, mi venne suggerito di invitare Giulio Andreotti in quanto simbolo internazionale di Roma come Alberto Sordi e… ehm… come me. Be', lo invitai e lui venne, ringraziandomi per la sensibilità e augurando a Ilary molti figli e a me molti scudetti, aggiungendo che quelli li augurava anche a se stesso perché della Roma era assai tifoso. Poi andò a sedere nell'area del ricevimento riservata agli uomini politici – ricordo che si trovava fra Veltroni e D'Alema – e se ne rimase lì, tutto contento, fino a tardi. All'epoca aveva ottantasei anni.

Chiuso il capitolo dedicato agli amici, è giusto ricordare che a Roma vive anche una grande nemica: la Lazio. È tutta la vita che l'affronto, dal primo derby a tredici anni – ero appena arrivato alla Roma dalla Lodigiani – categoria Giovanissimi regionali, fino all'ultimo della carriera, la sconfitta dell'aprile 2017, quando giocai senza incidere i venti minuti finali. Da bambino i sentimenti non sono schermati, ciò che provi ti brucia sulla pelle, e io odiavo la Lazio al punto da attaccare sull'album Panini le figurine dei suoi giocatori a testa in giù. Rovesciati, non li volevo nemmeno vedere in faccia. Tanta foga la portavi in campo ovviamente, ci tenevamo tutti da matti a prevalere, noi e loro, in ogni categoria. Però questo non mi ha mai impedito di riconoscere i giusti meriti e la bravura degli avversari; la mia generazione romanista ha avuto come contraltare laziale Nesta, Di Vaio e Franceschini, e dopo ogni battaglia, oltre a stringerci la mano con malcelata simpatia, pensavo fra me e me a quanto fossero forti. Sandro Nesta, in particolare, è stato il più bel difensore che abbia mai visto. Ricordo uno dei primi derby in cui ci siamo affrontati. Campo impossibile e spogliatoi tre volte peggiori, allagati sotto il tetto in eternit, una pioggia infame e a fine gara la sensazione di essere il ragazzo più inzaccherato del pianeta. Ecco, in quel panorama di fango e sporcizia ricordo Sandro come un principe, pulito, elegante, mai un fallo brutto, non ne aveva bisogno. Fu naturale salutarci e sorriderci, anche nel contesto di una rivalità molto sentita, perché lui sapeva che io ero il prodigio del vivaio romanista e io sapevo che lui era il prodigio del vivaio laziale. Di lì a poco sarebbero arrivate le prime convocazioni per le varie nazionali, e le nostre carriere parallele sarebbero decollate. A partire dall'Under 15, infatti, nell'ambiente di Coverciano siamo stati per tutti "i due romani". E a dispetto delle rispettive provenienze, l'amicizia si consolidò subito.

Sono stato molto odiato dai tifosi della Lazio, com'è normale che sia, ma la situazione si è particolarmente inacidita quando Sandro è passato al Milan. Lì ho avvertito proprio l'ondata di ritorno di una pesante frustrazione, perché in base a una grammatica sentimentale Nesta e io ci saremmo dovuti stringere la mano al centro del campo prima di ogni derby sino a fine carriera. Sino a consunzione fisica di due simboli così nobili. Ma mentre Sensi, a prezzo di indubbi sacrifici, è sempre riuscito a trattenermi, Cragnotti a un certo punto ha ceduto. Sandro andò via molto malvolentieri, e il fatto che al Milan abbia poi vissuto delle stagioni meravigliose, vincendo da protagonista tutto ciò che c'era da vincere, è soltanto la conferma del suo enorme talento. Ma per la Lazio fu una mutilazione, e allargherei il rimpianto alla città intera: godersi per anni e anni un derby con due capitani romani, fortissimi e leali sarebbe stato un privilegio. E quindi un certo odio laziale nei miei confronti si è accentuato per frustrazione da perdita del loro simbolo.

La forza viscerale delle emozioni nate quando sei un ragazzo rimane per sempre: vincere un derby ti fa stare benissimo, quando lo perdi rosichi più che in qualsiasi altra occasione. Da professionista, però, certe cose cambiano: la rivalità in campo, anche feroce, al 90' finisce, te la lavi via con la doccia. Mi è successo più volte di incrociare in discoteca gente che la domenica mi aveva menato di brutto: parlo di Couto, di Radu, difensori fedeli al motto del derby "Se perdi, almeno fagli male" (ce n'erano anche nella mia squadra, sia chiaro). Be', mica ci si dà i calci anche in discoteca. Ci si saluta, si beve anche qualcosa assieme, si scherza pure sulle pedate ricevute e date. Accadeva anche con Materazzi, o con Montero… Tra noi c'è rispetto, ecco. La parola chiave è questa. E non c'è domanda di giornalista più ridicola di quella che ti fanno quando magari stai lottando per lo scudetto con la Juve o con l'Inter, e la tua rivale affronta i cugini. «Riesci a tifare per la Lazio?» Se ci riesco? Ma pure con tutte le forze, se c'è il titolo in ballo…

Ciò non toglie che un derby perso faccia molto male. Quello del gol di Di Canio – bellissimo, fra l'altro – non lo scorderò finché campo, per quanto ho rosicato. Lui che festeggia sotto alla Sud, mamma mia… Ancora più dolorosa fu la sconfitta nella finale di Coppa Italia, con il gol di Lulić, perché ci tenevo ad alzare il trofeo all'Olimpico dopo un derby, e c'era in ballo la conferma di Andreazzoli, una brava persona alla quale avrei dato volentieri una mano.

Poi, per fortuna, ci sono i derby felici. Molti li ho calati nei capitoli di questa mia storia, perché centrali per la narrazione. Quello dell'autogol di Negro, fondamentale nella corsa allo scudetto; quello del 5-1, con la prima dedica alla donna che sarebbe diventata mia moglie; quello – lo vedrete – nel quale Ranieri tolse me e De Rossi in quanto troppo romani, e alla fine ebbe ragione. Ma ce ne sono altri da ricordare, con le storie connesse. Per esempio quello che vincemmo nel '99, bloccando la fuga verso il titolo della Lazio: 3-1 con mio gol al 90' ed esposizione della maglietta "Vi ho purgato ancora" che i tifosi mi avevano regalato. La gente della Lazio si arrabbiò molto e la capisco, ma quella era l'epoca degli sfottò e delle prese in giro urticanti, una volta a me e una volta a te, in fondo era divertente. Comunque, ammetto che quella maglietta fosse pesante; invece nego una volta di più, a questo punto spero per sempre, che la famosa battuta pronunciata nel 2017 sul palco di Sanremo avesse intenti denigratori nei confronti dell'aquila laziale. Semplicemente, nessuno mi aveva detto che Carlo Conti e Maria De Filippi, i conduttori, mi avrebbero chiesto la mia canzone preferita del Festival. Io per i titoli sono negato, mi sono dovuto inventare qualcosa sul momento, e il primo che mi è venuto è stato *Il piccione* di Povia. Che poi non era neanche il titolo della canzone, pensa come mi ero preparato. La polemica che hanno montato non aveva senso.

In molti sostengono che l'enorme rivalità che divide le tifoserie faccia di Roma-Lazio la partita più cattiva del campionato italiano, e ascoltando i racconti di colleghi che hanno vissuto gli altri derby la sensazione è che sia davvero così. C'è stata, però, un'occasione nella quale le ali estreme delle due tifoserie sono sembrate allearsi, con effetti decisamente inquietanti. Parlo del derby interrotto, quello del 21 marzo 2004, quando all'inizio della ripresa si diffuse tra i tifosi la notizia che nel caos degli scontri prima della partita un blindato della polizia avesse travolto e ucciso un bambino. La notizia è totalmente falsa – una classica *fake news*, si direbbe oggi – ma nessuno in campo ha gli elementi per esserne certo. Così, quando alcuni tifosi si calano dalle curve per venire a parlare con i due capitani, li ascoltiamo. Fra l'altro ne conosco uno, o meglio conoscevo suo fratello, era di Porta Metronia come me, andavamo a scuola assieme. «Dovete bloccare la partita, la polizia ha ammazzato un tifoso della Roma, un bambino» questo è ciò che mi dice, con voce alterata, mentre arrivano (e sentono) anche Mihajlović, capitano della Lazio, e l'arbitro Rosetti. Ci guardiamo in faccia. La polizia ovviamente non ammazza i bambini, ma la sensazione che un incidente ci sia stato davvero c'è tutta. «Voi non dovete giocare» ribadiscono i tifosi scesi in campo, e gli stessi uomini della Digos propendono per la sospensione, perché all'interno dello stadio il clima peggiora minuto dopo minuto. A prendere la decisione – comunicata telefonicamente a Rosetti – è Adriano Galliani, presidente della Lega, che decreta lo stop. Noi calciatori gliene siamo grati, perché sono venute meno le condizioni psicologiche minime per giocare. Nel frattempo crescono le evidenze che si tratti di una colossale balla, lo dice la polizia e mentre la gente defluisce dall'Olimpico vengono diffusi numerosi appelli – uno anche mio – affinché fuori dallo stadio non accada nulla di violento. Ma sono parole al vento, perché invece si scatena la guerriglia contro la polizia e quella notte, malgrado sia ormai chiaro a tutti che non c'è alcun bambino morto (per fortuna), vengono addirittura assaltate un paio di caserme. Il processo ha poi escluso che si trattasse di un piano coordinato delle due tifoserie contro le forze dell'ordine. Un semplice caso di psicosi collettiva? Boh. A me quel che successe quella sera continua a sembrare molto strano.

Tornando all'aspetto sportivo, voglio ricordare ancora due derby. Il primo risale al 2011, vinciamo 2-0 con una mia doppietta, e un commentatore inglese proclama: «The king of Rome is not dead». Una sentenza che piace moltissimo ai tifosi e anche a me: qualche settimana dopo, quando una doppietta a Bari mi permette di superare Roberto Baggio nella classifica all time dei marcatori di serie A, espongo una maglietta con questa scritta. Inciso, perché immagino che a qualcuno la curiosità sia venuta: non esistono t-shirt "non viste", ovvero non è mai successo che abbia preparato una maglietta con dedica e non l'abbia potuta mostrare perché il risultato della partita è andato in un'altra direzione. Forse è stata fortuna, forse motivazione supplementare, di certo le magliette speciali sono state viste tutte.

Chiudo con l'ultima soddisfazione, l'intensa gioia crepuscolare del selfie davanti alla Sud dopo la doppietta che riaggiusta il derby dell'11 gennaio 2015. In panchina c'è Garcia, gioco malissimo il primo tempo come tutti i compagni e la conseguenza è che la Lazio conduce 2-0. Se il tecnico mi cambiasse, non direi mezza parola. Invece Garcia viene con Fred, il suo assistente, e insieme mi mostrano una lavagna dove il numero 10 è l'unico senza frecce accanto. «Non ti muovere più dall'area di rigore, Francesco» dice il tecnico, «non hai l'energia per giocare a tutto campo, ma in area quello che non trema sei tu. Lascia che la squadra ti porti il pallone, non andarlo a cercare. Ti sfianchi.» È una richiesta di aiuto, e insieme la consegna di una responsabilità. Esco dallo spogliatoio facendo segno a Guido Nanni, il preparatore dei portieri, che il nostro piano è confermato.

Segno subito il 2-1, un cross di Strootman che la difesa laziale lascia sfilare senza accorgersi che sto arrivando da destra, alle spalle di Radu. Una vera sorpresa, che un quarto d'ora dopo sostanzialmente ripeto: stavolta il cross è di Holebas, un po' lungo, e per inserirmi fra Radu e Cana sono costretto a un'acrobazia, quella di gettarmi in avanti colpendo a mezz'aria di destro. Non è un gol facile. Anzi, diciamola tutta, è un gol difficilissimo, occorre una coordinazione che la scuola calcio può eventualmente perfezionare, non creare: quella, o ce l'hai o non ce l'hai. Se la prima rete mi ha portato in testa nella classifica dei marcatori del derby di campionato, con questa lascio nella retina collettiva un addio di gran classe. Sì, è il mio ultimo gol in un derby. Cerco Guido con lo sguardo, mi sta venendo incontro con lo smartphone in mano, è già in modalità foto. La Sud è così impazzita di gioia che pare traboccare sulla pista d'atletica. La inquadro, mi metto in posa per il selfie, chiedere di sorridere non occorre. Clic.

16

Il primo magico Spalletti

Nel corso della mia carriera ho avuto a che fare con due versioni di Luciano Spalletti, e malgrado gli enormi problemi con la seconda – che racconterò nei capitoli finali – non sarebbe giusto minimizzare quanto invece abbia apprezzato la prima, anche al di là delle visite notturne a Villa Stuart. Spalletti è un grande allenatore, forse il migliore che abbia avuto, e questo vale per entrambi i suoi periodi alla Roma. Ma nel primo fu qualcosa di più, specie nei miei confronti, perché era il tecnico col quale andare a cena e parlare liberamente, senza doversi preoccupare di tacere un'opinione, temendola inopportuna. Un tipo matto e divertente. Matto perché ogni mattina piantava sul piano della scrivania del suo ufficio un coltellino svizzero, e faceva impressione la perizia con cui lo maneggiava; divertente perché ogni tanto s'inventava scenette assurde, tipo mettersi a correre nudo nel corridoio degli spogliatoi, e questa non è esattamente un'abitudine da tecnico. Insomma era un personaggio molto distante dall'immagine convenzionale dell'allenatore. Per questo piacque subito a tutti.

Spalletti è la scelta di Rosella Sensi per la stagione 2005/2006, dopo quella drammatica dei quattro allenatori. Ormai in plancia c'è lei, perché suo padre non può più permettersi strapazzi e la gestione di un club come la Roma richiede energie che non possiede più. Conti e Pradè ovviamente la spalleggiano, e Rosella mi fa sapere tutto in anteprima, ma – sia chiaro – nel senso che mi "comunica" la soluzione, non che me la "propone". Intendo dire che io, spesso considerato una figura condizionante per la società, non ho mai chiesto né tantomeno imposto nulla: ho sempre risposto a chi sollecitava il mio parere, questo sì, ma restando al mio posto con i dirigenti che desideravano fare di testa loro.

Con Rosella siamo cresciuti assieme. Ai tempi di Mazzone d'estate saliva col padre nel ritiro di Kapfenberg, in Austria, per assistere ai nostri allenamenti, e per ovvie questioni di età aveva legato soprattutto con me e con Daniele Berretta, due tra i convocati più giovani. Rosella e io abbiamo caratteri simili, determinati ma timidi, e infatti la ricordo emozionata quando si trattava di parlare con l'allenatore o con qualche giocatore già "adulto". Con noi era diverso, si poteva chiacchierare delle canzoni del momento, quelle che piacevano a noi ragazzi, magari prendendo in giro di nascosto gli "anziani".

È così che si diventa amici, ed è così che arriviamo al momento più triste che abbiamo condiviso, ma che ci unirà per sempre: il funerale di suo padre, nel 2008. Franco mi ha sempre trattato come il figlio maschio che non aveva, e quindi Rosella era praticamente mia sorella. Aveva saputo da poco di essere incinta, e il mix di emozioni – seppellisci tuo padre, porti in grembo tuo figlio – l'aveva sconvolta: così, nel momento in cui il feretro viene chiuso nel carro funebre, e tutti i presenti vanno a porgerle le condoglianze, Rosella ha un mancamento ed è sul punto di afflosciarsi sul sagrato della chiesa di San Lorenzo al Verano. Suo marito è all'altro lato della macchina, intento anche lui a salutare parenti e amici, e non può accorgersi di quanto gli accade alle spalle. Rosella scivola lanciandomi uno sguardo implorante, e prima di cadere a terra trova le mie braccia a sorreggerla: le stavo accanto, in prima fila per le condoglianze, mi sono accorto prima degli altri di ciò che stava accadendo e i miei sono sempre stati ottimi riflessi. Una volta trattenuta saldamente, Rosella si rianima, e nel suo sguardo c'è il ringraziamento della ragazzina con la quale andavo a mangiare il gelato a Kapfenberg. Penso che la scena sarebbe piaciuta a Franco Sensi come commuove Maria, la moglie: "fratello" e "sorella" uniti nel suo nome.

Riavvolgiamo il nastro all'estate del 2005. Dico brava a Rosella quando mi comunica che il nostro nuovo allenatore sarà Spalletti, perché è l'uomo che raccoglie i maggiori consensi fra i leader dello spogliatoio. Siamo in tre – io, De Rossi e Panucci – e nei momenti più difficili della stagione appena conclusa ci dicevamo che l'Udinese giocava proprio bene, e che sarebbe stato bello provare a trapiantare in una grande piazza quel tipo di calcio. Rosella ce ne dà l'opportunità.

Se devo essere sincero sino in fondo, finché non vedo Spalletti a Trigoria non credo del tutto al fatto che si riesca a strapparlo all'Udinese. Okay, è ovvio che la Roma abbia un altro fascino rispetto al pur ottimo club friulano. Però quello è il periodo societario più buio, perché per vincere lo scudetto e provare poi a difenderlo la famiglia Sensi ha speso un patrimonio, e mese dopo mese le economie dei primi tempi sono diventati veri tagli al budget. Batistuta, Samuel e Cassano sono costati tantissimo, e l'unico dal quale è stata ripresa una certa cifra è Walter. Bati addirittura è andato via a zero, all'Inter, perché occorreva liberarsi in ogni modo del suo pesante ingaggio, a costo anche di regalarlo. In questa situazione, che si incrocia con la malattia del presidente, più che acquistare giocatori nuovi il grande impegno del club è rivolto a pagare gli stipendi regolarmente. Quando si parla di professionisti arrivati da altri campionati, non è nemmeno giusto pretendere particolare comprensione: Kuffour, per fare un nome, giocava soltanto se era stato pagato, e venendo dal Bayern sapevi come era abituato. In ogni caso, nessuno ci rimette mezzo euro. La famiglia Sensi onora fino in fondo i suoi impegni, anche nel periodo in cui la ricerca di un acquirente per la società diviene scoperta.

È logico però che con queste premesse il mercato diventi un esercizio ai confini dell'impossibile, da cui la mia incredulità sul fatto che un tecnico rampante come Spalletti accetti di staccarsi da un club altrettanto rampante come l'Udinese di allora, qualificatasi con merito ai preliminari di Champions (e li passerà pure, arrivando alla fase a gironi). In pratica Pradè può pescare soltanto fra gli svincolati, e lo fa anche bene visto che quell'estate porta a casa Rodrigo Taddei, uno che conterà molto negli anni successivi. Ma Spalletti non è venuto per assemblare una rosa a basso costo. Il suo sogno, quello che coltivava da anni, era lavorare con me, e lo dice in modo esplicito sostenendo da una parte che potrei giocare anche con una gamba sola tanto sono forte, e dall'altra che vorrebbe vedermi allenare di più perché, a suo avviso, durante la settimana l'intensità della mia preparazione non supera il trenta per cento. In parte ha ragione – e il tema si porrà in modo molto più drammatico nella sua seconda esperienza – ma qui occorre spiegare.

In ogni partita io prendo una gran quantità di calci. Colpi da dietro sulle caviglie di diversa violenza – e l'inasprimento delle sanzioni su questo tipo di scorrettezza non ha migliorato granché la situazione –, tacchettate sugli stinchi, botte laterali sulle cosce; insomma, il normale campionario che tocca a un numero 10 di valore. Non me ne sono mai lamentato troppo, perlomeno finché il trattamento restava entro certi limiti. È da quando ero ragazzino che mi sento ripetere dagli allenatori «Sei il migliore, il prezzo è questo». Per assorbire questi calci, però, ho bisogno di tempo: due giorni per la precisione, e se uno di questi solitamente è quello libero – diciamo il lunedì – ho sempre dedicato ai massaggi e al lavoro a secco in palestra il martedì, tornando in campo il mercoledì. Da lì in poi, mi alleno al settanta per cento di intensità, non al trenta. In molti dicono «Come ti alleni, giochi». Batistuta, per esempio, quando stava bene faceva la guerra anche nei torelli. Per me non è così, perché si tratta di due situazioni profondamente diverse. La partita è un evento troppo speciale, ogni volta differente e in ogni caso ad altissima intensità, per poter essere replicato durante la settimana.

Sia come sia, Spalletti viene a Roma perché convinto che alla squadra, riorganizzata in un certo modo, per vincere possa bastare la qualità che già possiede, e dall'approccio che mi dedica è evidente che sono larga parte di questo discorso. Il lavoro del primo anno parte da uno schema 4-2-3-1 (è uno dei primi ad applicarlo in Italia) che mi vede alle spalle di un centravanti – si alternano Montella, Nonda e un paio di volte Cassano, che è ormai vicino alla separazione: difatti a gennaio se ne andrà a Madrid – ma a dicembre, complice una serie di infortuni, Spalletti mi chiede di provare da attaccante centrale. Succede a Genova, contro la Sampdoria: finisce 1-1 e le sensazioni sono tutte buone, sia perché segno il nostro gol con una deviazione nell'area piccola (più centravanti di così...), sia perché i miei movimenti in uscita risucchiano i difensori centrali doriani aprendo lo spazio agli inserimenti di Perrotta e Tommasi. Dopo quel pareggio la Roma infila undici vittorie consecutive, e nelle prime otto segno altrettanti gol, a dimostrazione che il nuovo ruolo mi piace. Purtroppo la decima partita della striscia è Roma-Empoli, dove sapete già cosa succede. Da lì a fine campionato Spalletti si arrangia, prima con Montella e poi, perso anche lui per infortunio, inventandosi una squadra senza attaccanti. Chiudiamo quinti, risalendo al secondo posto dopo le sentenze di Calciopoli.

La vittoria mondiale cambia molte cose. Continuo a essere picchiato, ma con maggiore rispetto; inoltre, la posizione di centravanti – sia pure di manovra – mi porta a passare più tempo nell'area avversaria, e quella per le caviglie è una zona franca, i difensori stanno più attenti. Un bel vivere, ricordando i calcioni di prima. Ed è un bel vivere anche perché c'è un buon clima nello spogliatoio, l'atmosfera è sempre positiva e il gioco che pratichiamo ci diverte. Spostandomi davanti – soluzione ormai stabile – Spalletti mi ha restituito la gioia per il gol che avevo da ragazzino: in serie A ho sempre giocato trequartista, al massimo attaccante esterno con Zeman, e ho imparato a trarre maggiore soddisfazione da un assist piuttosto che da una rete. Però nasco punta, e dunque il fatto di non trovare più nessun compagno fra me e la porta mi riporta all'infanzia calcistica. E mi piace. Altroché se mi piace.

Ne viene fuori una grande stagione personale, con la conquista del tutto inattesa della Scarpa d'Oro:

segno ventisei gol, uno in più di Van Nistelrooij, e in classifica – oltre al brasiliano Alves che gioca in Olanda – metto in fila Diego Milito, Ronaldinho e Drogba, non proprio gli ultimi arrivati. Il campionato è anomalo, vista l'assenza della Juve retrocessa in B e le penalizzazioni di Milan, Fiorentina e Lazio: finiamo secondi, ma a grande distanza dall'Inter.

Quell'anno comunque la Roma gioca partite splendide per intensità e capacità di andare in gol. Pensate soltanto al trittico di novembre Milan-Catania-Sampdoria. A San Siro – sponda rossonera – non vincevamo da diciannove anni, eppure quella è una partita che dominiamo: io segno subito con una bella girata al volo, più avanti pareggia Brocchi e nel finale realizzo il gol della vittoria in coda a un'azione che rappresenta perfettamente la prima Roma di Spalletti. Tonetto recupera palla altissimo perché ha il coraggio di aggredire l'avversario in fase di ricezione: la passa ad Aquilani che, anziché aggiustarsela, guadagna un tempo di gioco con una rabona che lascia tutti di stucco ma non Mancini, tatticamente puntualissimo nell'inserimento a sinistra. Il suo cross al bacio è per il vostro centravanti preferito – si chiama Francesco – che di testa batte Dida senza pietà.

Nella categoria "gol di squadra" è il più bello dell'anno, e mi fa piacere che l'elemento centrale di questa catena di gioco sia Alberto Aquilani, perché così ho la scusa per parlarne. Alberto è un altro romano che, come me e De Rossi, sognava da bambino di diventare un giocatore giallorosso, e per riuscirci si è fatto largo nelle giovanili del club. Ha fatto una discreta carriera – Liverpool, Juve, Milan, Sporting Lisbona, pure la Nazionale – ma le sue potenzialità erano anche superiori: a differenza di Cassano però non ha nulla da rimproverarsi, se non la fragilità fisica che l'ha tenuto fuori dal campo per lunghissimi periodi. Una vera sfortuna, perché aveva tutto: tecnica, visione di gioco, tiro, anche leadership. Nelle non molte occasioni in cui siamo riusciti a giocare assieme, il triangolo tutto romano e romanista composto da Alberto e Daniele in mezzo al campo e da me più avanti, in area, ha prodotto calcio di qualità sopraffina. Dai, trovatemi un terzetto di "nativi e tifosi" che abbia fatto meglio nel calcio moderno…

La rabona di Aquilani finisce in prima pagina sui giornali sportivi spagnoli, perché si dice che anche Alberto – dopo Cassano – potrebbe ricevere la chiamata del Real. Il problema, frequente purtroppo nella sua carriera, è che qualche giorno dopo in allenamento un contrasto gli fa partire il ginocchio: sei mesi fuori, e nel suo momento migliore. Mi dispiace sinceramente, perché oltre a essere bravo in campo Alberto è un compagno cresciuto come piace a me: è stato il capitano della Primavera, ha passato un anno formativo a Trieste, è tornato pensando prima a dimostrare il suo valore mettendosi al servizio della squadra e soltanto poi, eventualmente, a chiedere qualcosa. Sì, meritava molto di più.

Avevo detto di un trittico di gare. La seconda è

uno dei successi più rotondi di questi anni: 7-0 al Catania. Un massacro spiegabile anche con la loro difficoltà a leggere i miei movimenti al centro dell'attacco. Inoltre, Mascara nel primo tempo e Baiocco negli ultimi minuti vengono espulsi, trasformando il tabellino finale in un disastro per i poveri catanesi. In questa situazione – piuttosto tesa – Spalletti a fine gara ha la bella idea di scendere le scalette che portano al corridoio degli spogliatoi, e fermarsi lì per stringere la mano a ogni giocatore del Catania. Non so quali siano le sue reali intenzioni, non gliel'ho mai chiesto, ma di certo quelli la prendono malissimo, pensando a una presa in giro. Qualche minuto dopo vedo Pulvirenti e Lo Monaco – presidente e direttore generale – risalire il corridoio furenti come belve. E siccome se c'è una cosa che Spalletti ama fare è litigare (credo si diverta da pazzi), solo o in tandem col suo monumentale collaboratore Daniele Baldini, le parole che volano – solo quelle, per fortuna – non sono da portare nelle scuole. «Sciacquati la bocca» è la formula (riferibile) più citata da entrambe le coppie. Il problema è che di lì in poi ogni gara con loro diventa una guerra, e la stagione successiva Catania-Roma sarà una partita importantissima…

Ma andiamo con ordine, perché il trittico non è finito. Manca la Samp. Quando mi chiedono quale sia il gol più bello della mia carriera oscillo sempre fra due opzioni: la prima è il cucchiaio di San Siro a Júlio César, nel 2005, la seconda il diagonale al volo di sinistro a Marassi di quel novembre 2006. Il valore di quest'ultima rete, disegnata con tecnica e coordinazione perfette, consiste ovviamente nel fatto che la segno col mio piede "debole". È il gol del 4-1, la Roma corre ma l'Inter vola, e si mette presto fuori portata.

In quella stagione accade anche un episodio che mi costa molto imbarazzo, un po' di vergogna e tante critiche acide da parte dei soliti che non riescono proprio a digerirmi. Prima giornata di ritorno: giochiamo a Livorno dopo essere stati a Parma a metà settimana per la Coppa Italia. Partita brutta e nervosa, andiamo sotto, riesco a pareggiare quando ormai non manca molto alla fine, e nei minuti di recupero succede il patatrac. Galante mi contende un pallone aiutandosi col gomito, non c'è cattiveria ma mi prende in pieno. Credo che se l'arbitro fischiasse non succederebbe nulla, perché Fabio è un amico, gli direi soltanto di stare più attento. A farmi perdere la calma è il fatto che Ayroldi non intervenga: spingo via con forza Galante, senza usare il gomito, ma il cartellino rosso arriva ugualmente perché il gesto è plateale. Così vengo espulso io, che non ho fatto (quasi) niente, mentre lui che ha innescato tutto resta in campo. E meno male che siamo in fondo al recupero. Esco dal campo furioso, e a Vito che cerca di portarmi via dalla zona calda assesto un'altra spinta, mandandolo gambe all'aria. Lasciando lo stadio immagino già i commenti del giorno dopo, e li indovino tutti: sono un immaturo capace di maltrattare anche chi mi vuole bene.

Assodato che mi comporto male, vorrei spiegare il

perché. Occorre tornare a mercoledì, nell'albergo di Parma sede del ritiro per la partita di Coppa, quando Vito mi avvisa che mio cugino Angelo – l'avete già incontrato, è quello cui sono legatissimo – ha avuto un incidente stradale e si è rotto una gamba. «Brutta seccatura ma niente di tragico. Però il cellulare non prende nell'ospedale in cui l'hanno ricoverato, ha detto che ti chiama lui.» Sul momento non sospetto nulla, anche perché sento mia madre e lei conferma che non c'è da preoccuparsi. Arriva la partita, che fra l'altro non gioco perché Spalletti sceglie il turnover, e alla fine, uscito dallo spogliatoio, Vito mi prende sottobraccio. Intuisco subito che qualcosa non va. «Questa mattina ti ho nascosto la verità per lasciarti tranquillo prima della partita, ma adesso devo dirtelo. Angelo è in coma, ieri sera l'hanno operato al cranio. Ha fatto uno scontro frontale sull'Ostiense, non sappiamo come sia successo: l'avevano ricoverato a Ostia, ma il dottor Brozzi ha subito disposto di trasferirlo al San Camillo.»

Dire che mi arrabbio è poco: la verità è che travolgo di male parole prima Vito e poi, al telefono, mia madre. Capisco tutte le precauzioni del caso, ma nascondermi il vero stato di salute di Angelo è una scelta che non esiste. Non c'è partita che tenga di fronte al tuo migliore amico in coma. Rientrato a Roma corro subito al San Camillo, nel reparto Rianimazione: i medici acconsentono a lasciare entrare mia zia, la fidanzata di Angelo e me. Tre minuti, non un secondo di più. Silenzio assoluto, vietate anche le lacrime. Lo vedo, e il sangue mi si ghiaccia. Angelo è irriconoscibile, ha il tubo dell'ossigeno in bocca e il viso gonfio come se gli fosse esploso qualcosa dentro. Zia sta per piangere, la abbraccio per girarla verso il mio petto e soffocare così i suoi singhiozzi. Tre minuti sono anche troppi. Dopo un po' faccio segno all'infermiera di aprire la porta. Il dottore che ha operato Angelo ci aspetta fuori: «Quel che potevamo fare l'abbiamo fatto, adesso tocca a lui. Garanzie non ve ne do, ma un po' di speranza sì. Può cavarsela». È poco, ma per un mese ce lo dovremo far bastare perché tanto resterà in Rianimazione.

Per quanto privilegiato, il calciatore è un lavoratore come gli altri, e quindi come gli altri deve essere in grado di gestire le proprie emozioni, specie quelle negative. Ha anche un attenuante, però, il calciatore: nello svolgimento del suo mestiere, che è tra i più competitivi, il contatto fisico è continuo. E mantenere la calma dopo essersi messi i gomiti in faccia è molto più complicato che in una normale discussione in ufficio. Quel pomeriggio a Livorno sono un altro Francesco, turbato oltre ogni limite, diciamo pure sconvolto, dal rischio che sta correndo una persona a me carissima. E qui vorrei non tanto che mi comprendeste – l'incidente di Angelo non è un alibi – quanto che capiste la capacità umana di Vito di leggere le situazioni che mi riguardano e di intervenire. Nel momento in cui l'arbitro mi mostra il cartellino rosso potrei avere qualsiasi reazione, anche la più estrema, perché su una base di profonda inquietudine s'inserisce la furia per l'ingiusta espulsione. Vito intende al volo che stavolta l'arrabbiatura è diversa dal solito, potenzialmente pericolosa, e in pratica si frappone tra me e il resto del mondo, beccandosi addirittura la spinta che lo manda per terra. Quel pomeriggio va direttamente lui in sala stampa per assicurare che non si è fatto niente, e per spiegare a tutti il motivo del mio stato d'animo, pregando ovviamente di non scriverlo. Infine, il lato grottesco di questa storia è che dopo aver rivisto la scena in tv mi sono talmente vergognato da non trovare nemmeno il coraggio per chiedergli scusa, e da non sfiorare mai più l'argomento. E quindi lo faccio qui, ora. Perdonami, amico.

Con Spalletti si ricomincia anche a vincere e non succedeva da sei anni, dalla Supercoppa 2001. Al termine della sua seconda stagione portiamo a casa la Coppa Italia grazie a una portentosa finale d'andata, 6-2 all'Inter che ha vinto lo scudetto con largo anticipo. Parte della spiegazione di un successo così rotondo sta nella premessa: quel giorno l'Inter non c'è con la testa, ha passato un paio di settimane a festeggiare ed è evidente che non è riuscita a riattaccare la spina. Noi, al contrario, a un certo punto abbiamo mollato in campionato – troppo distanti – per concentrarci sulla Coppa. L'incrocio fra due condizioni psicologiche così diverse porta a un trionfo, anche perché ci metto soltanto cinquanta secondi per battere una prima volta Toldo – girata di destro da un cross dalla linea di fondo – e al quarto d'ora siamo avanti 3-0. Non per questo togliamo il piede dall'acceleratore: l'estate precedente, in Supercoppa, l'Inter era risalita esattamente da 0-3 per batterci 4-3 ai supplementari, suscitando in Spalletti una delle arrabbiature (giustificata, peraltro) più fragorose che ricordi. Una sconfitta vergognosa, per fortuna indimenticabile: nel senso che ce ne ricordiamo quando Crespo segna il 3-1, e poi il 5-2. C'è una finale di ritorno, il 6-2 è una buona garanzia. L'ultimo gol nasce tra l'altro da un calcio di punizione che da qualche tempo mi diverto a tirare con una nuova tecnica, vicina alle "tre dita" dei brasiliani: la differenza è che al momento dell'impatto tengo l'esterno duro anziché morbido. La palla cambia sì direzione, ma restando molto veloce. Toldo non riesce a leggere bene la traiettoria, e sulla sua ribattuta il più rapido a entrare è Panucci, che sigla così una doppietta personale. Christian è un giocatore speciale perché innanzitutto è speciale come persona: sa farsi rispettare, nello spogliatoio è tra quelli che s'impongono, a volte perfino un po' dittatore. Insomma, ha polso; ed è un gran calciatore, il che gli conferisce il carisma di cui ha bisogno per comandare. Tanto carattere lo porta a essere spesso fumantino, una volta a Udine si mandò al diavolo in campo con Doni, che era buono e caro ma nei litigi si trasformava. La discussione non terminò neppure a fine partita, anzi, i due andarono avanti usando toni sempre più aspri, finché per separarli dovemmo metterci in dieci. Doni lo avrebbe squartato, quando perdeva la testa faceva realmente paura: non per questo Christian era indietreggiato di un passo.

Una settimana dopo saliamo a San Siro per la finale di ritorno, e dopo un primo tempo sonnolento l'Inter, in avvio di ripresa, ci piazza l'uno-due Crespo-Cruz che riapre improvvisamente i giochi. È un momento difficile, nel quale rischiamo seriamente il crac: a un quarto d'ora dalla fine Recoba si trova sul piede una grande occasione, complice anche uno scivolone di Doni. E sbaglia. Avesse infilato il 3-0, sarebbe finita: nel tempo che mancava, non breve, l'Inter trascinata dall'entusiasmo avrebbe sicuramente trovato il quarto gol su di noi, depressi da far spavento. Il pericolo scampato ha invece il potere di riequilibrare un po' gli stati psicologici delle due squadre, e a una manciata di minuti dalla fine, quando ormai abbiamo ripreso il controllo, un mio pallone a centroarea viene deviato in porta da Perrotta.

È fatta, e non mi sembra vero. Abbiamo portato a San Siro dodicimila tifosi e adesso sono tutti lì, dietro la porta dove Simone ha appena fatto gol, a cantare e ballare e chiamarci sotto la curva e mandarci baci con le mani protese, come se tirandoli forte potessero raggiungerci. La partita praticamente finisce su quella rete, l'attesa del 90' è una formalità di sorrisi, abbracci, pacche e battute, la stessa Inter ha esaurito la voglia di provarci, d'un tratto è tempo di vacanze per tutti. La festa in campo è grande e dolcissima, vedo negli occhi di Daniele l'eccitazione della prima volta con la "sua" maglia, e nemmeno Spalletti si risparmia: ha appena vinto il primo trofeo con la Roma, si rende conto che è una soddisfazione differente. A Fiumicino, la presa d'atto definitiva: nel cuore della notte, ventimila persone si sono sentite in dovere di venirci ad accogliere. In quei giorni le battute maligne sulla Coppa Italia si sprecano, chi non la vince la chiama portaombrelli per sottolinearne una dimensione minore. Lo so che non è la Champions, ragazzi; ma adesso lasciate che la festeggi con i ventimila amici che sono venuti a prenderci all'aeroporto…

È la notte fra il 17 e il 18 maggio. Circa cinque settimane prima, l'11 aprile, ci era stato dedicato un altro tipo di accoglienza. Feroce nelle intenzioni, malinconica nel suo effetto. Molto malinconica. Al ritorno da Manchester, dove avevamo perso 7-1 con lo United nei quarti di Champions, avevamo trovato davanti a Trigoria pile di cassette da fruttivendolo contenenti carote. Il cibo dei conigli. Ora io dico: 7-1 è un punteggio umiliante, distante dalle abitudini italiane dell'epoca, quando spesso sul 3-0 rallentavi (oggi non è più così, si gioca fino alla fine come nel resto d'Europa). Ma non l'abbiamo subito per paura di Old Trafford. Non siamo conigli. Abbiamo perso così male perché il Manchester è fortissimo, perché ha indovinato una di quelle serate in cui ogni tiro finisce all'incrocio dei pali, e perché la nostra vittoria dell'andata – 2-1 all'Olimpico – ci aveva illuso. Ma era un quarto di finale di Champions: ci siamo arrivati e ce lo siamo giocato. Puoi dirci che siamo scarsi, se ti fa sentire meglio. Conigli no.

Era stato un bel cammino in Europa, fino al disastro di Old Trafford. Secondi nel girone dietro al Valencia (e davanti a Shakhtar e Olympiakos), agli ottavi avevamo fatto fuori il Lione con la partita più bella in assoluto della gestione Spalletti. Una sinfonia ricordata oggi per lo strepitoso gol di Mancini – la sequenza di doppi passi capace di ubriacare Réveillère – ma che meriterebbe di essere conservata nella videoteca di ogni tifoso. Avevo già segnato io, un colpo di testa piazzato al millimetro visto che a centroarea non avevo l'uomo addosso, e prima ancora era stato annullato un gol regolare a De Rossi. Nessuno può dirlo più di me, che era valido: viene fischiata infatti una mia spinta a Cris che è davvero un tocco innocente. Insomma, dominio totale della Roma su un campo da tempo imbattuto. Il top, e meno di un mese dopo sarebbero arrivate le carote... No, non le ho ancora dimenticate. Dite che si capisce?

La festa per la Coppa Italia non dura quanto quella per lo scudetto, ma colora comunque per un bel pezzo la città di giallo e rosso. Sono giorni di miele. La stagione è ormai agli sgoccioli, e l'ultimo obiettivo è personale: nella gara all'Olimpico contro il Messina, da tempo retrocesso matematicamente, devo segnare i due gol che mi mancano per vincere la Scarpa d'Oro. Ci tengo molto, ma mi sento altrettanto sicuro di farcela perché l'impegno è facile e perché sono arrivato a fine stagione in spettacolari condizioni di forma. Così, approfittando del fatto che il ritiro prima dell'ultima partita è facoltativo – in sostanza siamo già oltre il classico rompete le righe – sabato sera noi giocatori andiamo a cena da Checco per stare ancora una volta assieme. Nulla che non si potesse fare. Ma quanto accade si rivelerà un trailer del secondo periodo Spalletti, quello per me così amaro.

Alla Roma siamo sempre stati malati di carte, ma quell'anno in modo particolare: tornei di scopa e briscola, sfide, rivalità, insomma il classico menu dell'epoca in cui gli smartphone ancora non esistevano, e non tutti si presentavano in ritiro con un computer portatile. C'era rimasto in canna un finale di stagione a scopa, perché non tutta la "classifica" annuale era definita: così, a fine cena, propongo a chi ci sta di andare a dormire a Trigoria per saldare gli ultimi conti. La truppa accetta in modo quasi unanime: a mezzanotte siamo tutti in camera mia, e comincia il torneo. La situazione generale, molto rilassata, ci fa dimenticare l'orologio: così, quando qualcuno bussa alla porta, in molti si accorgono improvvisamente che sono le 5.30, impallidiscono e cercano in qualche modo di nascondersi.

«Chi è?»

«Non fare il furbino, Francesco.»

Apro lentamente la porta, trovo Spalletti con l'indice puntato sull'orologio.

«Ma avete visto che ore sono?»

«Mister, domani vinciamo lo stesso, ci penso io.»

Ma Spalletti non si lascia intortare. Mi sposta delicatamente con una mano ed entra, vede subito che dietro al letto ci sono Aquilani, Okaka e Rosi che – beccati – escono dal nascondiglio con lo sguardo basso, e intuisce dalle risate soffocate che gli altri si sono rifugiati nel bagno. Alla fine ci conta, e siamo in dodici. Io riprovo ad addolcirlo, garantendogli la Scarpa d'Oro, ma lui non si toglie dalla faccia quell'espressione a metà fra il sorpreso e il disgustato.

«Ma vi pare normale, alla vigilia di una partita?»

Non attende risposta, e torna a dormire con la smorfia del professore alla prese con una scolaresca di asini. Il giorno dopo – meglio sarebbe dire il giorno stesso – battiamo il Messina 4-3 al termine di una partita leggera e divertente: io sbaglio il mio quinto rigore stagionale – è in assoluto l'anno in cui ne ho mancati di più – ma segno ugualmente le due reti che, portandomi a quota ventisei, mi fanno vincere la classifica cannonieri di serie A e la Scarpa d'Oro di miglior realizzatore europeo. Tutto è bene quel che finisce bene? Quasi. L'episodio della partita a scopa non si conclude lì, so che Spalletti ne parla a Rosella sollecitando qualche cessione punitiva. Forse la sua fobia per le carte, che avrà una parte nelle polemiche legate al mio ritiro, nasce proprio lì.

La stagione successiva si apre con un altro trofeo alzato a San Siro, che è sempre una bella soddisfazione: la Supercoppa italiana è nostra al termine dell'ormai consueta sfida con l'Inter (nella fase post-Calciopoli siamo come Federer e Nadal, ci contendiamo tutto noi). Giochiamo un'altra partita di grande spessore, la squadra ha perso Chivu – andato proprio all'Inter –

ma il telaio costruito da Spalletti funziona ugualmente a pieno regime, specie all'inizio della stagione, quando può godersi i frutti della sua preparazione light. Io gioco malgrado una contrattura al flessore, perché ci tengo troppo. Dominiamo la prima parte di gara, ma senza segnare; l'Inter sfiora un paio di volte il gol in contropiede, il finale è equilibrato e viene risolto da un calcio di rigore. Lo forzo un po', nel senso che tocco il pallone oltre Burdisso, che allunga la gamba dove sto cercando di passare: fallo ingenuo, strano per un difensore sudamericano, di solito sono i migliori a colpirti senza lasciare tracce. La botta mi fa subito "sentire" il flessore, dovrei calciare il rigore con molta prudenza. Il tempo di farci mente locale, e capisco che non sarebbe serio: faccio segno a Daniele, e mi metto in disparte a seguirne l'esecuzione. Sono tranquillo, soltanto un anno prima ha segnato dal dischetto nella finale mondiale; non che sia una garanzia assoluta, ma aiuta a pensare positivo. Infatti lo realizza, e un quarto d'ora dopo tocca a me ricevere la coppa e alzarla al cielo.

Ci sono diversi rimpianti, nella terza stagione di Spalletti, perché a differenza dell'anno precedente stavolta lottiamo per lo scudetto fino all'ultima giornata. Ma l'Inter è ancora forte, nel periodo in cui sta meno bene qualche decisione arbitrale va nella sua direzione sostenendone la fuga, e al dunque ci manca sempre qualcosa. Prendiamo lo scontro diretto di San Siro della venticinquesima giornata: lo dominiamo in lungo e in largo, passiamo in vantaggio grazie a una mia girata, sfioriamo più volte il gol del k.o. Dovremmo trovarci almeno due reti avanti nel momento in cui Rosetti esagera con i cartellini, mostrando il secondo giallo a Mexès per un'entrata veniale, una spinta fallosa ma senza calcione. E dovremmo trovarci almeno due reti avanti negli ultimi minuti, quando Zanetti – uno che non segna mai! – indovina un diagonale da fuori area che s'infila nell'angolino. Pazzesco pareggiare così. Fra l'altro io sono lì in zona, e quando vedo la palla sul destro di Zanetti non affondo il contrasto per non commettere fallo, convinto che una punizione dal limite sarebbe molto più pericolosa di quel tiro. Ma quando ci si mette il destino, non hai chance.

È una stagione che non finisco, perché alla trentaquattresima mi capita il secondo grave infortunio della carriera: nella partita casalinga contro il Livorno – che non mi porta esattamente fortuna, considerata l'espulsione dell'anno prima – si rompe il legamento crociato del ginocchio destro. Ero già dolorante, ma la finestra di tiro che mi si spalanca davanti è troppo ghiotta: calcio, e appena appoggio il piede a terra avverto che qualcosa non va. Almeno segnassi. Macché, la deviazione di Amelia è superlativa, uscendo dal campo gli andrei a fare i complimenti… se potessi alzarmi dalla barella. In quel momento abbiamo quattro punti di svantaggio dall'Inter, che gioca il giorno dopo; non possiamo proprio permetterci di non vincere. Il sospirato gol arriva nella ripresa con Vučinić, uno degli attaccanti più forti con i quali abbia giocato. Mirko ha molte doti: tecnica, velocità, scatto, e poi si fa benvolere in quanto generoso e simpatico. Per essere un campione gli manca soltanto l'ultimo tassello, la determinazione. È troppo rilassato, quasi moscio in certi momenti. Non sempre morde. Quel giorno sì, ma non basta: a pochi minuti dalla fine una spettacolare punizione di Alino Diamanti fissa l'1-1 che per noi è una catastrofe. Il Livorno retrocederà da ultimo, ma il suo colpo di coda ci tiene a tre punti dall'Inter, che il giorno dopo torna a più sei vincendo sul campo del Torino.

Io esco di scena, maledicendo quella che pensavo essere stata una mano santa. La settimana precedente, a Udine, ne ho infatti combinata una delle mie: l'arbitro Rizzoli non è abbastanza veloce nel togliersi di torno quando un assist mi mette in condizione di tirare a botta quasi sicura, e per non colpirlo con un calcio sono costretto a piegarmi, mandando altissimo. Il momento è di forte nervosismo, l'Udinese è appena passata in vantaggio e la terra comincia a mancarci sotto i piedi. Così, perduta l'occasione, mi rivolgo a Rizzoli con un sonoro "vaffa", bissato un istante dopo in risposta alla sua espressione sbigottita. Cartellino giallo, e mi va ancora bene. Anzi, benissimo, perché in realtà alla comparsa dell'ammonizione esplodo un terzo "vaffa" all'arbitro. Il quale però, un po' perché si sente in colpa e un po' perché comprende il senso della mia rabbia – che è mirata contro la circostanza e non contro la persona –, non estrae il rosso come prescriverebbe il regolamento. Insomma, mi perdona.

In undici contro undici finiamo per vincere 3-1, e le polemiche sull'espulsione mancata riempiono i giornali per tutta la settimana. Rizzoli passa un brutto quarto d'ora perché viene criticato e sospeso. Anni dopo si saprà che in quei giorni arrivò a una telefonata dalle dimissioni, e sarebbe stata una vera sciocchezza visto ciò cui era destinato: Nicola Rizzoli ha diretto al Maracanã la finale del Mondiale 2014. Il paradosso che mi riguarda è che se quel giorno a Udine mi avesse espulso, la conseguente squalifica mi avrebbe probabilmente preservato dalla rottura del crociato. E chissà come sarebbe finita: l'Inter è esausta, negli ultimi turni perde il derby e pareggia in casa col Siena, presentandosi alla partita finale, a Parma, con un solo punto di margine su di noi.

Il calendario non ci è amico, visto che dobbiamo giocare a Catania contro una squadra – ricordate il 7-0 e la litigata per i saluti di Spalletti – che ci detesta apertamente. Inoltre, se non fanno almeno un punto non si salvano. Malgrado la sfavorevole situazione ambientale – e sto usando tutti gli eufemismi di cui sono capace – andiamo rapidamente in vantaggio con Vučinić, scavalcando l'Inter nella classifica virtuale. Dura oltre un'ora, il grande sogno: poi a Parma sotto il diluvio entra Ibrahimović, che era andato in panchina per ogni evenienza pur essendo acciaccato, e risolve da fuoriclasse qual è. Appreso del 2-0 nerazzurro, psicologicamente veniamo giù di schianto. Il Catania pareggia, e dobbiamo accontentarci di un altro secondo posto. Anche stavolta in coda alla stagione c'è la consolazione della Coppa Italia, che vinciamo nella finale unica dell'Olimpico, ovviamente contro l'Inter. Alzo la coppa in ciabatte, da capitano non giocatore. Dopo l'operazione al ginocchio, la ripresa è prevista nel ritiro estivo.

In realtà un recupero così rapido è una pia illusione. Torno effettivamente in campo ad agosto, in tempo per sbagliare il rigore che ci avrebbe dato un'altra Supercoppa e che invece diventa il primo titolo di José Mourinho all'Inter. Ma di continuità non è il caso di parlare almeno fino all'anno nuovo: gioco una gara, ne salto tre, faccio uno spezzone, poi un altro mese ai box, insomma un'autentica disperazione. Le patologie sono diverse, non tutte connesse al ginocchio, ma è evidente che il mio fisico ha perso un po' della sua leggendaria (nel senso che tutti i medici ne hanno sempre parlato in toni favolistici) capacità di guarigione rapida. A trentadue anni invece ci metto il tempo che ci mettono gli altri, e se rientro troppo presto il rischio di ricaduta è altissimo. Bentornato sulla terra, Francesco. Peccato che la squadra prenda malissimo questa mia altalena, confezionando una partenza da zona retrocessione. Dopo una decina di giornate cominciamo a rimetterci in linea di galleggiamento, ma ormai ogni ambizione è andata.

Di quella stagione disastrata ricordo tredici gol

– una miseria per una recente Scarpa d'Oro –, nervosismi assortiti, persino una lite con Daniele Conti, col necessario chiarimento perché Bruno è un padre per entrambi, e un clima nello spogliatoio che comincia a deteriorarsi. Ogni gruppo trova sempre il modo per prendere in giro l'allenatore: un particolare fisico, un modo di dire che ripete spesso, la camminata, un tic. È una cosa che prescinde dalla maggiore o minore stima, o dal timore reverenziale, o da qualsiasi aspetto professionale. Come la scolaresca prende in giro il professore, così lo spogliatoio sorride dell'allenatore. Ovviamente in sua assenza. Trattandosi in massima parte di cose innocenti, è importante che non filtrino, anche perché a volte, tolte dal loro contesto, potrebbero sembrare cattive. Quell'anno a molti viene il sospetto che qualcuno riferisca a Spalletti le battute, perché lo sentiamo distaccarsi progressivamente da noi. I sospetti cadono su Daniele Baldini: proprio perché le prese in giro sono innocue, non ci siamo mai preoccupati di nasconderle, nemmeno in sua presenza. Il dubbio mi resterà per sempre, immagino. Di certo la quarta stagione di Spalletti è la peggiore, anche perché lui rende abbastanza palese la sensazione di essere già arrivato al punto più alto della nostra parabola, e teme che la squadra non riesca a salire ulteriormente di livello. Specie in un periodo di vacche magre, nel quale risulta difficile aiutarsi con il mercato.

Spalletti comincia anche la quinta stagione, 2009/2010, ma l'aria attorno a lui si fa subito pesante. Due sconfitte nelle prime due giornate, la prima a Genova e la seconda all'Olimpico con la Juve, e decide di dimettersi. È una scelta che denota grande correttezza, perché il club non ha la forza economica per esonerarlo; ma visto quel che è emerso dopo – il suo rimpianto per un mio mancato intervento – forse è anche una provocazione. In ogni caso, per due giorni dopo le dimissioni fa perdere le sue tracce: nessuno riesce a parlargli, gira anche un filo di preoccupazione. Poi, alla ripresa degli allenamenti – la pausa nazionali ha diluito i tempi – Pradè entra nello spogliatoio per comunicarci ufficialmente che Spalletti non è più il nostro tecnico, e che seguiranno comunicazioni sul successore. Detto ciò esce, e pochi secondi dopo entra Luciano.

È un congedo impressionante. Ne ho visti parecchi in questi anni e li ho sempre patiti – persino in caso di nemici conclamati come Carlos Bianchi – perché di fronte alla tristezza mi sento disarmato. Però Spalletti ci stende senza pronunciare una sola parola. O meglio, ci stende proprio per quello. Entra nel silenzio generale, guarda a terra per un tempo lunghissimo, poi improvvisamente esce, come se la commozione gli impedisse di restare con noi un secondo di più. Passano un paio di minuti, nei quali ci guardiamo l'un l'altro perplessi, e Spalletti rientra nello spogliatoio. Stavolta cerca di tenere alto lo sguardo, per due o tre volte sembra sul punto di iniziare un discorso, ma le lacrime glielo ricacciano in gola. Finisce che fa il giro dei saluti stringendo la mano a tutti, ma senza dire una parola. Io sono l'ultimo, il capitano, e ricevo un abbraccio fortissimo, di quelli spezzaossa. Un abbraccio che ricambio con la stessa intensità, perché anch'io ho gli occhi umidi. Di tutti gli addii ai quali ho assistito, questo è il più coinvolgente dal punto di vista umano.

17

Facce da scudetti sognati

La convocazione arriva a metà pomeriggio: Rosella aspetta a Villa Pacelli gli anziani della squadra. Con me salgono De Rossi, Pizarro e Perrotta, e troviamo lì Conti e Pradè già seduti accanto alla presidente. Dopo le dimissioni di Spalletti ci dicono di essere indecisi fra Mancini e Ranieri, e vorrebbero il nostro parere: senza neppure bisogno di consultarci "votiamo" tutti per Mancini, che ha vinto da poco gli scudetti con l'Inter e ha un profilo evidentemente più internazionale. Sarebbe una scelta di spessore, ha la stima di tutti. I dirigenti ringraziano, lasciamo la villa sull'Aurelia convinti che il club abbia in mano entrambi gli allenatori e che la nostra indicazione sia servita a rompere l'equilibrio. Torno a casa, gioco un po' con Cristian, all'ora di cena accendo la tv: «La Roma ha ufficializzato l'ingaggio di Claudio Ranieri come nuovo allenatore. Il tecnico di Testaccio ha firmato un contratto per due stagioni». Resto allibito per un lungo attimo, poi cominciano a girarmi le scatole: allora che me lo chiedi a fare?

Telefono a Bruno Conti, ma prima di riuscire ad

aprir bocca quello mi investe: «Voi giocatori siete matti. Ma non li leggete i giornali? Non abbiamo un euro da spendere, il club è in vendita e voi scegliete un allenatore famoso per farsi comprare sul mercato i giocatori più costosi… Ranieri non ci ha chiesto nessuno, e quindi per noi, in questo momento, è la soluzione perfetta».

Niente contro di lui, ma perché coinvolgerci, allora? «Perché la società è in una situazione che richiede la massima responsabilità da parte di tutti. Volevamo la vostra condivisione, siete figure fondamentali per la piazza. Pensavamo aveste capito. È mancato poco che ci prendesse un colpo, quando avete risposto Mancini…»

Inutile proseguire, comunque la giri alla fine ha ragione Bruno. Oggi mi viene ancora da ridere nel ripensare a certe polemiche dichiarazioni successive di Spalletti, quando disse che eravamo andati all'aeroporto ad accogliere Ranieri… Sì, certo. Lo spogliatoio era così entusiasta del suo arrivo che appena poche ore prima aveva indicato un altro nome.

A distanza di tempo (ma in realtà lo ammisi già alla fine di quella stagione) mi fa piacere dare atto a Ranieri che lavorare con lui è stata invece una bella esperienza, e se non l'avessi fatta mi sarebbe mancato qualcosa. Claudio è innanzitutto una persona perbene, definizione che in questo mondo impazzito suona ormai come un limite, e invece è un punto di forza perché "costringe" le altre figure pulite dello spogliatoio – e in quegli anni alla Roma ce ne sono tante – a dare l'anima per aiutarlo. Poi è romano, e questo è un altro jolly che sa giocarsi al meglio: capisce al volo le battute, le fa a sua volta, mantiene la giusta distanza ma in un clima ironico e rilassato, e quando arriva ce n'è davvero bisogno perché la squadra stenta comunque a ripartire. Vinciamo un paio di gare, poi rallentiamo nuovamente, io mi faccio male al ginocchio operato l'anno prima; succede durante la gara col Napoli – due gol al mio amico Morgan De Sanctis, il secondo è un diagonale da incorniciare –, resto fuori per un mese, al rientro siamo quattordici punti dietro l'Inter di Mourinho, e ovviamente fra loro e noi ci sono mille squadre. Prima che ci torni la paranoia da zona retrocessione, però, riusciamo a riavviare la macchina, e stavolta sul serio.

È un campionato sfortunato per me, entro ed esco di formazione perché ne ho sempre una; ma lì davanti Vučinić ormai è una stella, Júlio Baptista gli dà una mano e soprattutto a gennaio arriva Toni in prestito dal Bayern, un'aggiunta preziosissima. A Luca sono molto legato dall'esperienza mondiale. Lo chiamo Cammellone per via dell'altezza e lo apprezzo come persona perché ha un buon carattere e non sbava per apparire, esattamente come me. In campo si fa sentire perché col suo senso del gol ti fa vincere le partite – questo è ovvio – ma riesce a rendersi utile anche quando dietro stai soffrendo. Basta lanciarla in avanti per respirare un minuto: lui sa trattenere la palla, è abbastanza malizioso per tenere a bada il marcatore, io lo definisco "un difensore in attacco" perché sa utilizzare a suo vantaggio tutti i mezzucci che sono propri degli stopper. Toni è una delle figure chiave della nostra lunga rimonta, basta ricordare la rete del 2-1 all'Inter che, a sette turni dalla fine, ci riporta sotto a meno uno. Il sorpasso avviene alla trentatreesima, quando battiamo l'Atalanta il giorno dopo il pareggio dell'Inter a Firenze, il controsorpasso è della trentacinquesima, l'allucinante sconfitta casalinga con la Samp che ho già raccontato nel capitolo su Cassano, non fatemi soffrire di nuovo. In mezzo a queste due gare, il derby più controverso dei tanti che ho giocato, e la Lazio c'entra poco. Vale la pena riassumerlo.

Quel pomeriggio – 18 aprile 2010 – la Roma entra in campo da fresca capolista e la Lazio è appena sopra la zona retrocessione: tra noi ci sono trentuno punti, un'enormità, il che spiega a chiunque conosca la mistica di un derby quanto sia apparecchiata la trappola ai nostri danni. Infatti scatta puntualissima: Rocchi segna in apertura di gara, noi non ci capiamo più niente. Primo tempo bruttissimo, andremmo cambiati tutti. Ma questo è un modo di dire, mentre nello spogliatoio ci aspetta la realtà. Forse la decisione più scioccante che ricordi in un intervallo.

«Escono Francesco e Daniele.» La voce di Ranieri, che non è alta ma molto secca, ha il potere di imporre il silenzio assoluto. Un effetto incredibile: quando si rientra dal primo tempo generalmente c'è una gran caciara, qualcuno esulta se è il caso, un paio sono arrabbiati con un compagno, uno sacramenta perché ha preso una botta e sente dolore, uno corre in bagno perché gli scappa e così via, e se l'allenatore ha qualcosa da dire attende che l'adrenalina in circolo sia un po' scesa. Stavolta, invece, il mister comunica subito la sua scelta, accolta da un silenzio glaciale. Sento che lo sguardo di tutti ci sta cercando: i due romani sostituiti, quelli che più insistono sull'importanza di vincere il derby. Ranieri si prende un rischio mai visto. Noi due non muoviamo un muscolo, paralizzati prima dalla sorpresa e poi dalla delusione. Credo che per dieci secondi la vita in quello spogliatoio si cristallizzi, tutti fermi come statue, al cinema ogni tanto s'inventano scene del genere, nei film di fantascienza. Ma dopo un po' – visto che da parte nostra non c'è alcuna reazione – la vita riprende a scorrere, i compagni si tolgono la maglietta sudata per indossare quella nuova, chi ha una fasciatura la riavvolge, chi è stravolto dalla sete e beve, e io e Daniele siamo improvvisamente due corpi estranei, seduti sulla panca addossata alla parete, spettatori impotenti di quanto andrà in scena d'ora in poi. Guadagniamo le docce quando gli altri ormai stanno tornando in campo, e lì finalmente apriamo bocca per dirci rabbiosi che Ranieri è pazzo, perché se non si dovesse ribaltare il risultato gli resterà per sempre appiccicata addosso l'etichetta dello scemo che nell'intervallo di un derby ha tolto Totti e De Rossi. Rosichiamo, inutile negarlo, tanto da essere entrambi restii a tornare in campo per vedere come va a finire, e nel rivestirci facciamo tutto molto lentamente, quasi avessimo bisogno di un alibi. Però nel frattempo succede che alla Lazio venga concesso il rigore che chiuderebbe la partita, e che Júlio Sérgio lo pari a Floccari: poco dopo, invece, è il nostro turno di tirare dal dischetto, e Vučinić non sbaglia fissando l'1-1. Non basta ancora, ma metà dell'opera è compiuta. E con lo scudetto in ballo alla fine io e De Rossi acceleriamo per correre a vedere il secondo gol di Vučinić, una splendida punizione, e ad assistere senza rancore al trionfo di Ranieri.

Ha avuto le palle, poco da eccepire. Nel primo tempo eravamo andati male tutti, ma il suo giudizio – i romani sentono troppo questa partita – si è rivelato esatto. Non solo. In seguito Rosella mi racconterà di essere scesa all'intervallo nel corridoio degli spogliatoi e, una volta appresa la notizia della nostra sostituzione, di aver incrociato Ranieri mentre usciva dalla stanza. «Non mi dire niente» l'aveva ammonita, in tono educato ma fermo. «Ma io sono il presidente» aveva fatto notare lei, senza ottenere altra risposta che un dito sulle labbra. Naturalmente Rosella non avrebbe mai chiesto il nostro reintegro in formazione, e se anche avessimo perso non avrebbe toccato Ranieri malgrado il suo rifiuto di ascoltarla: anche lei è una persona perbene, e il tecnico lo sa. Ciò non toglie che Claudio abbia agito con grande carattere su tutti i fronti, in difesa di una chance scudetto che aveva inseguito per l'intera carriera, e che dopo la vittoria nel derby sembrava sul punto di concretizzarsi.

Ho sofferto per me e ho sofferto per lui, nella successiva gara con la Samp che ci è costata il titolo. E non solo. Per farvi capire l'affetto che ho per Ranieri, credo di non aver mai tifato per una squadra straniera come per il suo Leicester qualche anno dopo: un messaggino prima di ogni partita e, nel giorno del trionfo, il suo riconoscimento: «Grazie Francesco, mi hai portato fortuna». Almeno lì.

Quella stagione contiene anche il fallo più brutto che abbia mai commesso, il calcione da dietro a Mario Balotelli nella finale di Coppa Italia. Non è un raptus. Già molto innervosito per l'esclusione – Ranieri mi ha spiegato che vuole preservarmi per le ultime due giornate di campionato, ma una finale è una finale – seguo dalla panchina l'evolversi di una gara durissima nella quale Balotelli è ancora meno sopportabile del solito. Premessa: stiamo parlando di un giocatore forte, ma al quale nessuno ha insegnato l'educazione sportiva. Qualcosa di simile a Cassano, se vogliamo, ma con una differenza che imputo un po' agli anziani dell'Inter: io ho cercato in tutti i modi di spiegare ad Antonio come si sta in campo – parlo di rapporti fra giocatori, c'è un galateo anche all'interno delle partite piene di botte – e pur mantenendo un'indole ribelle, lui molte cose le ha capite. Con Mario, evidentemente, i riferimenti dell'Inter devono essersi stancati presto, o magari un certo comportamento viene ispirato da Mino Raiola, visto che un altro suo celebre assistito, Zlatan Ibrahimović, si muove allo stesso modo. Dichiarare ai quattro venti che sono il più forte non fa parte del mio carattere, ma capisco che non siamo tutti uguali: però dimostralo, prima di proclamarlo, e fallo con continuità, non solo quando pare a te. Inoltre, il campione rispetta i compagni e gli avversari: non si lamenta con i primi per un passaggio fuori misura, e non irride i secondi dopo una giocata riuscita.

Con Balotelli c'erano già dei precedenti. Quella sera insulta di nuovo i romani, De Rossi è lì lì per colpirlo, viene ripreso persino dai suoi compagni. Dico ai miei vicini di panchina «Se entro, lo sfondo», e davvero mi prudono le mani. Ranieri mi butta dentro all'inizio della ripresa, siamo sotto di un gol – ha segnato Milito nel finale del primo tempo –, provo a organizzare la rimonta ma non è cosa, stavolta l'Inter è più forte. Questo ovviamente aggiunge frustrazione. Così, a tre minuti dalla fine, non ci vedo più. Mi batto lungo una linea laterale con Balotelli, che a gioco fermo mormora qualcosa tipo «Quando mi prendi?», condito da un insulto. La misura è colma. Il gioco riprende: lui parte palla al piede verso la linea di fondo, io lo inseguo determinato non solo a colpirlo, ma a fargli proprio male. Mi apro uno spazio fra Taddei e Marco Motta, che devono controllarlo mentre io lì non c'entro niente, e gli assesto da dietro un calcio terribile. La palla non so nemmeno dove sia, miro alla caviglia, e lui si accartoccia a terra urlando di dolore. Un fallo bruttissimo.

Mi avvicino, allungo una mano, poi la ritiro perché, a giudicare dalla forza del calcio, prima di un minuto non si rialzerà. E io so di non avere tutto quel tempo: non aspetto il cartellino rosso di Rizzoli, è del tutto scontato, e quindi mi avvio verso lo spogliatoio. Incrocio Maicon, col quale ci diamo il cinque. Mi rispetta come io rispetto lui, è ovvio, ma a ben guardare l'assenza di reazione interista è generale, e questa è la peggiore delle condanne per Balotelli: il mio non è stato un fallo di gioco, è stato un fallo da rissa che dovrebbe portare i suoi compagni ad assalirmi, a parole e spintoni, e i miei a difendermi. Insomma, quel che succede dopo il fischio finale per un altro tackle, di Taddei su Muntari, a ribadire quanto il clima della serata sia tesissimo. Invece il mio fallaccio non provoca conseguenze. Esco con la sensazione che pure i compagni vorrebbero menarlo, mentre l'Olimpico viene giù dagli applausi.

Anni dopo sono in visita al ritiro della Nazionale per salutare qualche vecchio amico quando Balotelli mi si avvicina. Realizzo che non ci siamo mai spiegati, dopo quell'intervento, e provo un filo di imbarazzo: avrei potuto almeno chiamarlo. Porgendogli la mano vorrei dirgli qualcosa, ma lui non me ne dà il tempo: mi abbraccia sorridente, dice «Come stai Francesco?» con un bel tono e si ferma qualche minuto a chiacchierare. Un'altra persona. Più avanti arriveranno messaggi sui social, dialoghi a distanza, il tutto in modo piacevole e mai forzato. I giovani che arrivano adesso in serie A spesso non possiedono il tatto della mia generazione, quando addirittura ci si vergognava di fare la doccia con i “grandi”, ed era un pudore esagerato nell’altro senso. Ma se non sono fuochi di paglia e durano ad alti livelli, a un certo punto capiscono. La legge lì fuori è sempre quella: rispettare, dimostrare e poi parlare. E non cambierà mai, perché è una legge giusta.

La stagione successiva, 2010/2011, partiamo talmente male che, pur avendo battuto l’Inter fresca di Triplete – gol di Vučinić al 92’ –, dopo sei giornate siamo penultimi. Il rendimento poi si stabilizza e si risale, ma senza mai vedere la luce dell’alta classifica; va meglio in Champions, perché passiamo la fase a gironi togliendoci lo sfizio di battere all’Olimpico il Bayern dopo averlo rimontato di due gol, e il rigore del 3-2 è un bellissimo ricordo (anche perché il loro portiere, Kraft, quasi lo prende). Però a febbraio perdiamo in casa l’andata degli ottavi con lo Shakhtar e infiliamo una serie nera in campionato. Addirittura a Genova, contro il Genoa, andiamo avanti 3-0 e finiamo per perdere 4-3. Una vergogna, cui Ranieri non resiste. Presenta dimissioni irrevocabili, e per l’ultima volta il gruppetto dei veterani viene convocato da Rosella Sensi per un consulto sul nome del prossimo tecnico. Ho specificato “l’ultima volta” perché Vincenzo Montella, indicato sia dallo staff dirigenziale sia da noi giocatori, è l’ultimo allenatore della Roma dei Sensi. La cessione del club è ormai imminente, e la prima cosa che la nuova proprietà metterà in chiaro sarà la titolarità esclusiva nella scelta del tecnico.

Montella, quindi. È già in società visto che allena i Giovanissimi, è un ex compagno e soprattutto è un amico, il che fa funzionare le cose in modo opposto rispetto a quanto comunemente si pensi. Un amico in panchina implica maggiore intensità negli allenamenti e massima cura nei comportamenti, perché anche dal punto di vista inconscio vuoi evitare che qualcuno possa dire «Se ne approfitta». Inoltre, un ex compagno al debutto a chi si può affidare, se non a quelli che giocavano con lui? Vincenzo mostra subito di essere capace, perché ha le idee chiare e pur restando il solito permaloso sa trattare con i giocatori. Mi rimette punta e ricomincio a segnare tanto – Ranieri mi aveva spostato più indietro per fare spazio a Borriello –, la Roma comunque conclude sesta perché nel finale del torneo, vinto dal Milan, le prime si mettono a correre. Speriamo tutti che Vincenzo rimanga, lo spogliatoio ritiene che si sia guadagnato la conferma. Ma il club è stato venduto, e la nuova proprietà vuole mandare un segnale di discontinuità. Qual è l'allenatore migliore in circolazione? Molti risponderebbero Pep Guardiola, gli americani portano Luis Enrique, che è stato il suo erede alla guida della seconda squadra del Barcellona. Sul momento non so se sia buona, ma di certo è un'idea.

Nello specifico, la persona che ingaggia il tecnico spagnolo è Franco Baldini, il dirigente che – tra una pausa e l'altra – ha accompagnato gli ultimi vent'anni di storia della Roma. Baldini è stato direttore sportivo ai tempi di Franco Sensi e direttore generale all'arrivo della proprietà americana, oggi è il consulente più ascoltato da Pallotta. I rapporti fra noi sono sempre stati sinceri ma allo stesso tempo complicati, soprattutto dopo la fuga di Capello, cui lui era molto legato. Nell'estate del 2011 non lavora ancora ufficialmente per la Roma, perché si sta esaurendo il suo contratto con la federazione inglese; ma lo sanno anche i sassi che in realtà il nuovo direttore è lui. Così, un giorno in cui siamo a pranzo con i fisioterapisti da Checco, Vito mi passa il telefono: è Baldini, vuole parlarmi. «Ciao Fra', allora sei tornato...» gli dico, disponibile perché penso sia ora di riallacciare i rapporti, scordando le ruggini del passato. E anche lui, inizialmente, risponde in tono affabile. Quando però il discorso entra nello specifico, sgancia la bomba.

«Guarda Francesco, se fosse per me io ti venderei.»

Così. Papale papale. Resto interdetto, non capisco se è una battuta o se parla sul serio. Lui lo ripete, e allora io, di getto, gli rispondo.

«Trovami una squadra, io non ho problemi.»

«Non posso. Ogni allenatore che contatto comincia la trattativa con la stessa domanda: "Ma Totti resta, vero?". Ti vogliono tutti, quindi non ti vendo.»

La telefonata finisce qui, non si può dire che il rapporto sia ripartito su nuove basi: Baldini mi considera il male della Roma perché, a suo parere, condiziono troppo l'ambiente. Però i tecnici, prima di accettare il club, vogliono assicurarsi che io ci sia, e mi sembra pure normale. Per dare un'ulteriore chance a Baldini arrivo a pensare che magari ha detto questa cosa per farmi entrare subito in sintonia con Luis Enrique. Avrebbe un senso: il rapporto con lui resta gelido come prima, ma so che il tecnico ha preteso la mia conferma e quindi mi schiero dalla sua parte. Mah.

Qualche giorno dopo – siamo già in ritiro a Brunico – arriva la seconda botta: in un'intervista alla «Repubblica» Baldini mi accusa di pigrizia. Non è il tipo di critica pubblica che ti aspetti dai tuoi dirigenti: i giornalisti provano a intercettarmi al mattino, prima che inizi l'allenamento, ma io non ho ancora visto nulla e quindi rimando ogni commento. Quando leggo (e rileggo) l'intervista, che in realtà non è così tragica come mi era stata dipinta, mi arrabbio comunque. Ma decido di non replicare. Non voglio che la partenza del nuovo corso sia polemica: mi sfogo con Mauro Baldissoni e Walter Sabatini, dirigenti arrivati anche loro da poco ma con i quali mi vedo ogni giorno. E la chiudo lì, innervosito e dispiaciuto.

Luis Enrique prende casa ai Parioli e ogni giorno va e viene da Trigoria in bicicletta. Fanno quaranta chilometri all'andata e quaranta al ritorno, quattrocento alla settimana: quanto basta per descrivere un patito dell'atletismo, e ovviamente le parole di Baldini sulla mia pigrizia mi risuonano in testa nel primo periodo di lavoro. Chi sottopone il proprio fisico a una quotidianità così impegnativa, difficilmente ha una buona opinione di chi ha fama di risparmiarsi. Infatti il primo segnale tecnico che Luis Enrique mi manda non è positivo: nel preliminare d'andata di Europa League contro lo Slovan Bratislava, che perdiamo 1-0, io non gioco. Nella gara di ritorno andiamo presto in vantaggio con un gol di Perrotta, ma a un quarto d'ora dalla fine mi toglie per inserire Okaka. Ma come? Stiamo facendo bene, la sfida non è ancora ribaltata, e tu mi togli? Il cambio è fischiato da tutto lo stadio, e come spesso succede in queste circostanze a pochi minuti dalla fine lo Slovan pareggia, eliminandoci. Siamo fuori dall'Europa prima ancora che la stagione sia iniziata. La gente quasi scavalca le reti per la rabbia, io stesso in quel momento non posso dirmi un concentrato di pensieri ottimisti. Non è che Luis Enrique mi fa giocare a spizzichi perché mi considera pigro anche lui? E sì che dovrei essere io quello offeso: diversi anni prima, al Camp Nou contro il Barcellona, ce ne eravamo dette di tutti i colori e alla fine lui mi aveva aperto un polpaccio con una scarpata.

In realtà tutti questi timori vengono spazzati via molto presto dal comportamento di un allenatore e soprattutto di un uomo pulito. Ci innamoriamo in parecchi di Luis Enrique, a partire da me e Daniele, perché porta idee nuove e le spiega con la passione di un profeta. La prima cosa da sottolineare è che stravolge tutto ciò che c'era: dei principi tattici degli anni precedenti non se ne fa nulla, imposta un 4-3-3 con la famosa *salida lavolpiana* (da Ricardo La Volpe, il tecnico argentino che l'ha inventata): i due terzini salgono contemporaneamente e i due centrali si allargano per accogliere l'arretramento di un centrocampista, passando in questo modo dalla difesa a quattro a quella a tre. Così, Luis Enrique pretende che la nostra azione riparta sempre dal basso. Niente più lanci lunghi ma tanto, tanto fraseggio. Fatichiamo un po' i primi tempi, nei quali la difesa resta spesso a due, e i tifosi rumoreggiano perché la palla viaggia parecchio all'indietro. Ma è un lavoro necessario per migliorare il nostro palleggio e, quindi, il nostro possesso.

La stagione è un lungo giro sulle montagne russe: al debutto perdiamo 2-1 in casa con il Cagliari, poi pareggiamo con l'Inter a San Siro, per la prima vittoria occorre attendere la quarta partita. La squadra gioca sprazzi di ottimo calcio, ma non riesce mai a prendere velocità, dopo ogni buon risultato arriva inesorabilmente il passo falso. Un problema è che gli acquisti arrivati dalla Liga, che in estate parevano fortissimi, all'Olimpico non riescono a sfondare. José Ángel sembrava Maldini, a Brunico, ma in campionato non si vede proprio; Bojan, che Luis Enrique aveva allenato nelle giovanili del Barcellona, è un altro giocatore rispetto a quello che ammiravamo in tv. Lui poi è davvero un gran ragazzo: soffre i fischi e le critiche, e noi soffriamo con lui, perché è triste convivere con le paure e le frustrazioni di un ventunenne spaesato.

Fuori dal campo Luis Enrique le prova tutte per farci ingranare: i ritiri prima delle partite in casa erano già stati tolti da Spalletti, lui cancella pure quelli in trasferta, se località e orario lo consentono si parte in pullman da Trigoria la domenica mattina. È sempre dalla nostra parte, qualsiasi cosa accada. Ci massacra in allenamento – questo va detto – ma il preparatore atletico e il mental coach, gli uomini del suo staff, sono simpatici: in questo modo possiamo maledirli a ogni esercizio, perché sono tutti durissimi, ma almeno col sorriso sulle labbra. Poi ci sono i gesti e le liturgie che accrescono lo spirito di squadra: siamo abituati dai tempi di Spalletti all'urlo tutti assieme nello spogliatoio, lo spagnolo vuole spostarlo al centro del campo, proposta che un po' ci intimidisce. Qui troviamo un compromesso: si urla davanti alla panchina, prima del fischio d'inizio. Insomma, Luis Enrique è davvero una rivoluzione. Solo che non viene capita.

La gente fischia il gioco intermittente, la stampa critica la classifica che non decolla, le labbra di Luis si increspano sempre più spesso nei suoi rabbiosi «Puta madre». Ma è solo un problema di inesperienza: non vuole dare l'impressione di non sentirsi sicuro, e quindi non cambia metodo anche se sia io sia De Rossi lo imploriamo, una volta andati in vantaggio, di coprirsi un po'. Niente da fare, si gioca sempre alla stessa maniera, il risultato è un'illusione ottica. Più noi gli ricordiamo che Roma è una piazza difficile, dove proprio i risultati mancano da troppo tempo per potersene fregare, più lui replica che le vittorie arriveranno soltanto quando il suo sistema di gioco sarà interpretato al meglio da ognuno di noi. Un vicolo cieco.

Luis Enrique tratta veramente tutti allo stesso modo, e la prova arriva il famoso pomeriggio di Bergamo, quando decide di lasciare fuori De Rossi contro l'Atalanta perché ha tardato di un minuto alla riunione prima della partita. Io non ci sono, devo scontare un turno di squalifica. Sto pranzando a casa quando mi arriva il messaggino di Daniele: «Vuoi sapere l'ultima? Vado in tribuna per punizione». La riunione delle 12.45 dura un quarto d'ora e precede la partenza in pullman per lo stadio: il mister dà la formazione e mostra l'ultimo video sugli schemi da palla inattiva degli avversari. È giusto arrivare puntuali per rispetto dei compagni e perché a quel punto i tempi sono davvero stretti, ma un minuto, dai... Però va sottolineato come Daniele sia arrabbiato (il secondo messaggino è molto esplicito: «Quanto me rode er culo, nun poi capi'!»), ma non con l'allenatore. Perché gli riconosce appunto il diritto/dovere di trattare tutti allo stesso modo. E un tipo che si comporta così lo entusiasma.

Una mattina di maggio, sul campo principale di Trigoria, lo staff della prima squadra affronta i giornalisti di Roma Tv in una partitella di fine stagione. Noi giocatori siamo tutti sulla tribunetta, a prendere in giro i vari protagonisti dell'amichevole, ma dopo soli tre minuti Luis Enrique – che peraltro si allena spesso con noi, e dunque è in forma – si stira un polpaccio e rientra negli spogliatoi. Lascio passare qualche minuto e poi scendo anch'io, per vedere come sta. Lo trovo seduto, con lo sguardo fisso nel vuoto.

Avverte la mia presenza, alza gli occhi. Sorride con infinita lentezza.

«Capitano, è finita.»

«Come finita? Per uno stiramento?» Ho capito dove vuole andare a parare, ma voglio ritardare il momento il più possibile. Perché mi dispiacerà.

«È finita la mia storia con Roma. Sto invecchiando, guarda, dopo tre minuti mi faccio male. Sto invecchiando, e sono i pensieri che mi dà questa città meravigliosa e impossibile. Non ce la faccio più, ho deciso di andarmene.»

Provo un dolore lancinante. Quello che spesso mi ha colto in carriera davanti a un congedo, ma un po' più forte perché Luis Enrique mi lascia qualcosa dentro. Il ricordo di una persona vera. Lo abbraccio, e abbiamo entrambi gli occhi umidi.

«Allenarti è stata una grande gioia, capitano. Non dire ancora niente agli altri, devono saperlo da me, domani. È l'ultimo favore che ti chiedo.»

Torno a casa senza ripassare dalla tribuna, non saprei spiegare la mia faccia triste. Il giorno dopo Luis Enrique ci riunisce al centro del campo e comunica a voce molto bassa e sofferta la sua decisione. Siamo quasi tutti commossi, e parecchi lo pregano di ripensarci, gli assicurano che rispetto al primo, di solito, il secondo anno è uno scherzo. Risolini amari, qualcuno sente il bisogno di abbracciarlo, se potessi dargli un po' della mia capacità di vivere in questa città lo farei subito. Non si può dire che sia stata una buona stagione: settimi in campionato e dunque fuori dall'Europa, eliminati ai quarti in Coppa Italia, addirittura ai preliminari in Europa League. Eppure sentiamo tutti che, perdendo Luis Enrique, bruciamo un capitale che l'anno dopo avrebbe fruttato.

Qualche giorno dopo incrocio Baldini in piscina a Trigoria. Mi chiede chi preferirei in panchina la prossima stagione fra Montella e Zeman, e dalla polemica sulla pigrizia dell'estate precedente è la prima volta che affronta con me un argomento serio. La scelta fra i due ex è il grande dibattito in corso a Roma. Entrambi vengono da un'ottima stagione: Montella ha guidato il Catania a un eccellente undicesimo posto in A, Zeman ha vinto il campionato di B con il Pescara. Io non ci metto molto a dire Vincenzo, e so che molti qui si sorprenderanno, perché il mio affetto per il boemo è proverbiale. Lo confermo: nessuno tocchi Zeman, altrimenti gli salto addosso. Nell'estate del 2012, però, sto per compiere trentasei anni, e siccome lo conosco non mi faccio illusioni sulla possibilità che cambi il suo approccio, nonostante in rosa non sia l'unico pezzo stagionato. L'idea di tornare alle ripetute e ai gradoni mi spaventa. Montella ha una conoscenza del gruppo molto più fresca, grazie all'esperienza dell'anno precedente, e a Catania ha confermato le buone doti tattiche fatte intravedere con noi. Sarebbe la scelta migliore.

Invece torna Zeman. Capisco la scelta della società, perché il voto della piazza è pressoché plebiscitario: diciamo che novanta tifosi su cento vogliono lui, ed è una pressione difficile da ignorare. La gente della

Roma ama soprattutto il personaggio, quel suo essere ribelle e polemico, l'impressione molto netta che si batta per te e soltanto per te, bruciandosi i ponti alle spalle per non venire mai tentato dalla ritirata. Sono le sensazioni che ha sempre comunicato anche a me, e che hanno cementato un rapporto d'affetto unico. Però la gestione di uno spogliatoio come il nostro è un'altra cosa, occorrerebbe un approccio personalizzato e invece lui è il solito martello, su tutto e con tutti. Uno dei primi giorni prendo il coraggio a due mani e glielo dico: «Mister, ma è proprio sicuro che ripetute e gradoni mi siano ancora indispensabili?». Lui non ha mai smesso di chiamarmi Stella, ma la sua predilezione si esaurisce qui. «Non li vuoi fare, Stella? Non li fare. Però allora non giochi.» Come non detto.

Il problema è che non siamo più giovani come una volta, e il fascino del professore inflessibile ma giusto non attacca più. Zeman lo avverte, e aumenta la vigilanza su quanti si fermano a parlare con i medici o i fisioterapisti, lasciando fuori chi poi non si allena al cento per cento. Non è una situazione che possa durare, anche perché il rendimento della squadra – che non è certo da titolo, ma da Europa sì – vive alti e bassi paurosi. Per dire: alla seconda giornata vinciamo in casa dell'Inter, un bel 3-1 contro una delle favorite, alla terza perdiamo in casa 3-2 col Bologna quando al 70' siamo ancora avanti 2-0. Roba da prendere a testate le pareti dello spogliatoio. La squadra davanti è ben armata, come sempre con Zeman il gol non è un problema; però finiamo spesso per spararci nei piedi, perché la fase difensiva vanifica il rendimento offensivo. È un problema di mancate coperture, e ne parlo più volte al tecnico implorandolo di cambiare qualcosa, perché così andremo tutti a sbattere. Inutile, parole al vento. Anzi, siccome il mio impegno è comunque massimo non di rado lui mi segnala agli altri durante l'allenamento – «La Stella corre più di tutti, e questo non è normale» – sottintendendo che in tanti, più giovani, non svolgono appieno il loro dovere. E quando la squadra non gira, questi paragoni hanno effetti micidiali: se già è convinzione diffusa che sia io il suo grande elettore – e come abbiamo visto, avrei preferito Montella – certe frasi convincono anche lo spogliatoio che sia così.

La nave fila verso il naufragio a gran velocità. Perdiamo male in casa della Juve, perdiamo il derby, l'andamento è sempre da montagne russe ma nelle gare chiave la squadra non regge. Zeman esclude De Rossi, reo di non verticalizzare come Tachtsidīs, dicendomi che gli gioca contro: una sciocchezza che non sta né in cielo né in terra, Daniele è un puro che mette sempre il bene della Roma sopra ogni altra cosa. Poi toglie Pjanić, e perdiamo il centrocampista di maggior classe. Infine, quando ormai gli manca la terra sotto i piedi, arriva il patatrac in casa col Cagliari: 4-2 per loro, con la seconda rete che è un autogol grottesco del nostro portiere Goicoechea. Stekelenburg è da tempo in panchina, ritroverà il suo posto tra i pali la domenica successiva perché Zeman non ci sarà più. Per chi gli vuole bene, come me, si conclude un percorso realmente doloroso, perché s'era capito da tempo come sarebbe finita eppure nessuno – lui per primo – ci ha messo una pezza. Viene cacciato nella notte dopo la sconfitta col Cagliari, il giorno dopo si congeda da noi senza grandi discorsi, ammettendo alcuni errori ma in fondo niente di che. Siamo a febbraio, la società non vuole legarsi le mani per il futuro e promuove allenatore Aurelio Andreazzoli, che da anni fa parte dello staff tecnico della prima squadra. Una buona scelta, perché a quel punto della stagione cominciare un percorso nuovo sarebbe controproducente.

La sera stessa Andreazzoli mi chiama per chiedermi di raggiungere Trigoria, il giorno dopo, un'ora prima degli altri: «Ti devo parlare». Quello che mi fa, chiedendomi un appoggio che ovviamente avrà, è un discorso molto umano: a sessant'anni gli è arrivata la grande chance, e lui vuole provare a giocarsela alla faccia di tutti i giornali che lo chiamano "traghettatore". Mi piace questa determinazione, e mi piace anche il modo in cui ridisegna la squadra. I risultati arrivano in fretta. Dopo una sconfitta in casa Samp, figlia della ristrutturazione rapida, ospitiamo all'Olimpico la Juventus capolista. Noi siamo noni e ben staccati, se la partita non fosse una classica il pronostico sarebbe a senso unico. Eppure quella sera l'orgoglio di essere la Roma, stimolato ovviamente dall'avversaria più sentita, compie il miracolo: giochiamo una partita memorabile, a cominciare da quelli che hanno ritrovato il loro posto come De Rossi e Stekelenburg, e al minuto 58 mi arriva poco oltre il limite dell'area un pallone perfetto per il mio collo destro. Ne esce un siluro che non dà scampo a Buffon e s'infila sotto l'incrocio.

Pausa. È l'ultimo gol su azione che segno a Gigi. Due stagioni dopo lo batterò ancora una volta, ma con un rigore che alla fine non inciderà su una partita piena di polemiche. Questo del 2013, invece, è un gol su azione che fissa il definitivo 1-0, un gol che conta e che costringe a inchinarsi uno dei miei amici più cari, incidentalmente il miglior portiere del mondo e uomo immagine del club contro cui mi sono sempre battuto, ovviamente in senso sportivo. Insomma, in quel violento destro sotto la traversa c'è davvero un groviglio di emozioni. A fine gara con Gigi ci abbracciamo come sempre, e forse in qualche modo mi piacerebbe sapere che quello resterà l'ultimo grande gol che gli ho fatto, perché allora lo festeggerei diversamente, magari gli chiederei di cenare assieme, torni a casa domani, tanto è sabato. Siamo entrambi vecchietti ormai, certi momenti andrebbero prolungati e non tagliati via così, «Ciao ciao, saluta a casa». Il mio ultimo grande gol a Buffon (e alla Juve). Felicità. Orgoglio. Anche un'ombra di tristezza, sono le nostre storie sportive che si avviano verso l'uscita.

La Roma di Andreazzoli funziona discretamente, anche perché vittorie così prestigiose ti accendono i retrorazzi, e per un po' approfitti di una grande spinta. Da noni che eravamo, rimontiamo fino al quinto posto, e in Coppa Italia ribadiamo la nostra superiorità sull'Inter vincendo 3-2 a San Siro la semifinale di ritorno, in aprile. Quella d'andata l'avevamo vinta 2-1 in casa a gennaio, c'era ancora Zeman. Nell'aria romana c'è una certa sorpresa per quello che sta facendo Andreazzoli, e la parola "traghettatore" non compare più in tutti gli articoli come succedeva prima, pareva fosse un obbligo. Non che sia un insulto, però uno dovrebbe pensare al significato delle parole che utilizza, chiedendosi magari se non corre il rischio di ferire una persona. Non il professionista, la persona. Il traghettatore è colui che trasporta la squadra da un fallimento a un nuovo inizio, due situazioni gestite da altri. Ma perché negargli la possibilità, a metà del percorso, di girare il timone e navigare verso il mare aperto? Specie se si è scoperto in grado di portare la barca senza farla schiantare sugli scogli, malgrado il momento di bassa marea?

Se Andreazzoli vincesse la Coppa Italia, probabilmente verrebbe confermato: alla fine è sempre un risultato a decidere tutto, puoi fare tutti i discorsi che vuoi sui principi di gioco e la loro applicazione, ma se non ti fanno vincere la gente ti abbandona. Nel momento più delicato della sua avventura il tecnico sbaglia un paio di scelte, soprattutto quella di reinserire Destro – reduce da una lunga convalescenza – al posto di Osvaldo, che in primavera aveva segnato come una mitragliatrice. Finisce male, con il gol di

Lulić che dà alla Lazio non soltanto la coppa ma anche la qualificazione all'Europa League che era in ballo. Osvaldo, furente per l'esclusione, esagera dando del laziale ad Andreazzoli sui social. Il mister ci ringrazia e rientra nei ranghi degli assistenti, consapevole che quanto ha fatto non può bastare. È stato bello vederlo riconquistare la serie A sulla panchina dell'Empoli, al termine della scorsa stagione.

Rudi Garcia è il terzo allenatore scelto dalla proprietà americana dopo Luis Enrique e Zeman. In primavera s'era diffusa a Trigoria la voce che fosse stato contattato Allegri, stanco di un Milan che anno dopo anno continua a ridimensionare: l'indiscrezione era certamente vera, ma poi lui aveva preferito rimanere a Milano e così Sabatini aveva virato sul tecnico francese che un paio d'anni prima aveva vinto la Ligue 1 con il Lille, scoprendo e valorizzando il grande talento di Eden Hazard. La piazza mugugna, perché dopo le ultime delusioni ha paura di una nuova scommessa, e io stesso sono perplesso: gli anni passano e il sogno di vincere un altro scudetto, pur essendo ancora vivo, mi pare sempre meno realizzabile. Perché succeda occorrerebbe uno specialista in panchina e qualche giocatore sicuro dal mercato: non riesco a non pensare, infatti, che il mio unico titolo sia legato all'arrivo di Capello come allenatore e di Batistuta come grande cannoniere. In questo senso, confesso di non conoscere nulla di Garcia, se non quella vittoria in Francia che ovviamente non può essere paragonata per difficoltà a una serie A. Sono titubante. Mi riferiscono, poi, di un suo primo sopralluogo al centro sportivo nel quale Sabatini e Tarantino, il nuovo responsabile del settore giovanile, gli avrebbero detto che sono finito, e che dovrei smettere al più presto. Non sono cose piacevoli da sentire, l'atmosfera a Trigoria sta diventando pesante. Il giorno del raduno stringo per la prima volta la mano al mister incerto su cosa aspettarmi, e sulle prospettive della squadra.

Le prime nebbie a diradarsi sono quelle relative alla persona. Rudi Garcia è un uomo squisito, bravissimo nella gestione del gruppo. È anche furbo, perché impostando una preparazione molto light – tanto pallone e poco fondo – si circonda di sorrisi: i calciatori d'estate sono sempre felici di lavorare senza troppa intensità, perché fa caldo e si fatica. Quel che succederà quando arriverà il conto da pagare – come io e De Rossi temiamo – al momento non fa parte delle preoccupazioni del gruppo. Con la palla, poi, Garcia e i suoi assistenti – Fred e Claude, molto simpatici – tirano fuori esercizi nuovi, divertenti e competitivi, nel senso che ci si gioca con piacere il caffè. Il clima complessivo risulta gradevole e soprattutto sereno, cosa che viene percepita dai tifosi, molti dei quali sono ancora furiosi con noi per la sconfitta nel derby di Coppa Italia. Garcia è bravo anche con loro perché sa usare bene le parole, dedica del tempo alla ricerca di quelle migliori, esprime come nessuno prima di lui l'orgoglio e la gioia di essere della Roma. È un professionista anche nella comunicazione. E la gente comincia a calmarsi, ad ascoltarlo, addirittura ad aspettare le sue conferenze perché arriva sempre la battuta o l'immagine che ti porta a gonfiare il petto. Dopo la vittoria nel derby, primo grande successo della sua gestione, la frase «Abbiamo rimesso la chiesa al centro del villaggio» avrà un effetto moltiplicatore sull'autostima dei tifosi e anche sulla nostra, perché illustrerà al meglio il ruolo del club in città. Roma è della Roma. In tanti anni questa è in assoluto la mia metafora preferita, quella che mi ha fatto sentire più fiero di essere il capitano giallorosso.

Devo dire che quell'anno anche la società lavora al meglio, perché il mercato estivo porta a Trigoria giocatori di alto livello: De Sanctis in porta, Benatia in difesa, Strootman a centrocampo, Ljajić e Gervinho in attacco, con la fondamentale aggiunta a gennaio di Nainggolan. Io lavoro "contro" le cessioni: siccome mi spiace che Osvaldo sia in discussione, perché è un ottimo attaccante, gli lascio un rigore nell'amichevole col Bursaspor. La mossa è un messaggio ai tifosi, che lo fischiano da quando – la prima partita di Andreazzoli, in casa della Samp – senza chiedermi nulla si impossessò del pallone dopo essersi guadagnato un penalty, e lo tirò incurante del fatto che da quasi vent'anni il rigorista della Roma fossi io. Sbagliandolo pure, cosa che finì per scatenare la gente contro di lui. Un "furto" che sul momento mi fece arrabbiare, ma sul quale poi ci chiarimmo. Il rigore "regalato" contro i turchi vuole così essere una specie di riabilitazione pubblica, che però serve a poco: se gli acquisti sono di qualità, arrivano anche le cessioni dolorose di Osvaldo appunto, di Marquinhos, di Lamela che mi aveva scongiurato di aiutarlo a restare, perché alla Roma si trovava benissimo. Anzi, la prima domenica vinciamo 2-0 a Livorno con gol iniziale di De Rossi, che così blinda la sua permanenza: senza una prestazione "rumorosa" la trattativa avviata da Sabatini col Chelsea sarebbe proseguita.

Sia come sia, la partenza di Garcia è sbalorditiva: dieci vittorie consecutive, nuovo record di miglior avvio. Giochiamo senza centravanti di ruolo, il riferimento davanti torno a essere io perché il mio movimento a uscire risucchia i difensori centrali aprendo gli spazi agli inserimenti in velocità di Gervinho, espressamente richiesto dal tecnico che l'aveva avuto al Lille. Segno meno del solito – ormai ho trentasette anni, non dimenticatelo – ma da regista offensivo sento di essere nuovamente l'uomo chiave della squadra. Lo stesso Garcia, quando gli viene chiesto delle mie condizioni atletiche, replica con sorpresa naturalezza: «Totti è quello che sta meglio di tutti». È anche merito della sua gestione, ovvero di allenamenti personalizzati – che non vuol dire blandi, ma mirati a ciò che devo fare in campo – e di un uso intelligente delle mie risorse: non gioco sempre, d'accordo con lui vado serenamente in panchina riservandomi per le gare più importanti. In quella striscia iniziale ce ne sono due, il derby alla quarta e l'Inter in trasferta alla settima, e sono due prestazioni personali degne degli anni migliori. Lavoro ai fianchi la Lazio cambiando spesso posizione e servendo a Balzaretti l'assist dell'1-0 come se fossi un'ala destra; contribuisco con un gran gol e un rigore alla distruzione dell'Inter, che va all'intervallo sotto 0-3 e non riemergerà più. Tutto troppo bello perché duri, purtroppo.

Mi faccio male all'ottava giornata, contro il Napoli. Un infortunio strano, il tendine del gluteo esce dal muscolo, posso soltanto riposare aspettando che trovi da solo il punto migliore in cui riattaccarsi. È un processo naturale che il professor Mariani – ovviamente subito interpellato – esclude di poter accelerare per via chirurgica: «Se ti opero, probabilmente poi devi smettere». Non resta che aspettare, ed è un'attesa lunga e sofferta perché rientro una prima volta a metà dicembre, dopo meno di due mesi, ma la gamba non va come dovrebbe. Tengo duro sino a metà febbraio, ma lì devo fermarmi un altro mese finché una radiografia non conferma che il tendine si è riattaccato sei centimetri sotto la posizione di prima. Intanto, però, la lotta per il vertice se n'è andata.

Qualche dettaglio: le prime dieci vittorie consecutive ci danno soltanto cinque punti di vantaggio sulla Juve e sul Napoli. Troppo poco per durare una volta finita la benzina, perché è quello che succede, come temevo fin da luglio: esaurita la brillantezza fisica – e priva anche del suo capitano, lo dico senza arroganza ma anche senza falsa modestia – la Roma frena vistosamente rimediando qualche pareggio di troppo, fino al secco 3-0 per la Juve dello scontro diretto. Quella è la Juve dei centodue punti, a scudetto già abbondantemente festeggiato vince perfino all'Olimpico con gol di Osvaldo, prelevato a gennaio dal Southampton, al quale l'avevamo venduto noi: una sorta di nemesi, accentuata dal fatto che è il suo unico gol in bianconero. Roba da non credere. Il bilancio finale della stagione, comunque, è più che positivo: siamo tornati al secondo posto dopo tre anni addirittura fuori dall'Europa (Luis Enrique era durato solo un preliminare), si è cementato un rapporto di ferro tra squadra e staff tecnico, la gente dell'Olimpico si è riappacificata con noi dopo le arrabbiature delle stagioni precedenti. Ce n'è a sufficienza per pianificare con fiducia e ambizione il campionato 2014/2015.

Nel frattempo, Rudi Garcia si è innamorato. Racconto questa storia perché descrive molto bene quanto sia difficile lavorare a Roma, una città in cui le voci e il tam-tam mediatico non si spengono mai, nemmeno di notte. Fate una prova: procuratevi la foto di un allenatore appena arrivato a Roma, e confrontatela con quella dello stesso allenatore qualche mese dopo. Nella prima vedrete un uomo in piena forma, nella seconda un tizio precocemente invecchiato, con i capelli imbiancati e la schiena curva. Dunque, dicevamo del fidanzamento di Garcia. Lo seguo praticamente in diretta, perché Rudi mangia spesso con noi "anziani", e quando intravede al buffet Francesca, una bella ragazza di Roma Tv, resta invariabilmente con la forchetta a mezz'aria. «Com'è elegante, che bel sorriso.»

Noi lo prendiamo pure in giro, senza eccedere perché un po' di distanza fra allenatore e giocatori è necessaria, ma con molta dolcezza e – diciamolo – anche partecipazione. In un mondo che la gente pensa votato al sesso sfrenato, Garcia palesa tutti i sintomi della cotta da liceale, e mi piace che non ce lo nasconda, è una dimostrazione di fiducia. Rudi è separato e libero, nulla osta al fatto che corteggi Francesca, e quando i due si mettono assieme ne siamo tutti contenti. Una storia del genere, ovviamente, diventa in fretta di dominio pubblico, e così loro postano sui social il famoso selfie al Colosseo, ufficializzando la loro unione. Romanticismo puro, ma appena la squadra comincia a zoppicare il tam-tam riprende incessante, «Ormai il mister se ne frega», «È lei a fare la formazione», «Lasciala perdere che ti distrae» e così via. È il grande limite di Roma, e probabilmente non solo: appena qualcosa non funziona se ne cerca la ragione fuori dal contesto tecnico, direttamente nella vita privata dei protagonisti. O vinci o sei un nottambulo scansafatiche. È un modo di pensare ridicolo, ma purtroppo molto diffuso.

La nostra stagione gira attorno ad alcune partite ben precise. In campionato partiamo a tutta come la Juve e arriviamo entrambe a punteggio pieno allo scontro diretto della sesta giornata. Si gioca allo Stadium, arbitra Rocchi, la partita è piena di decisioni complicate e sinceramente trovo che la Roma ne esca danneggiata. Perdiamo 3-2, vengono fischiati due rigori per loro e uno per noi – come dicevo prima, l'ultimo gol in assoluto che segno a Buffon –, la rete decisiva la firma Bonucci con Vidal in fuorigioco, attivo per noi e passivo per loro, e non la finiamo più di discutere. Garcia mima il gesto del violino a intendere la sudditanza psicologica dell'arbitro, ma alla fine non è questa partita a indirizzare la stagione, perché qualche settimana dopo, grazie alla sconfitta della Juve a Genova, siamo nuovamente affiancati. Come l'anno precedente, il duello dura in sostanza il girone d'andata, che chiudiamo a cinque punti di distanza. Da lì in avanti cominciamo a perderci in una sequela di pareggi che finiscono per asfissiarci: chiudiamo anche questo torneo al secondo posto – ed è sempre un buon risultato – ma senza aver ridotto di un'unghia il divario dalla Juve, diciassette punti come la stagione precedente. Però abbiamo raccolto entrambe quindici punti in meno. Difatti ne abbiamo solo uno di margine sulla Lazio, che non ci scavalca solo perché nei derby facciamo quattro punti.

Nella seconda stagione di Garcia c'è anche l'Europa, ed è il percorso di una grande illusione che una sera di ottobre si trasforma in totale depressione. Ma andiamo con ordine. Il debutto nel girone di Champions è un sogno, perché in un Olimpico impazzito battiamo 5-1 il CSKA Mosca. La seconda gara è in programma a Manchester, sul campo del City, e siccome in campionato siamo imbattuti e giochiamo alla grande, Garcia è convinto di vincere pure lì. Difatti, dopo essere andata sotto dopo pochi minuti per un calcio di rigore, la Roma si riorganizza e ne esce con stile. Anche grazie a me: a metà del primo tempo Nainggolan prolunga al volo un rilancio della difesa spalancandomi davanti un bel corridoio, io lo percorro con grande calma, perché ho visto che il portiere sta uscendo e che per i suoi difensori sono fuori portata. Ci vuole un tocco sotto, morbido e sorprendente, per scavalcare di quel tanto che basta il corpo proteso di Hart; ho la palla sull'esterno destro, malgrado l'età è un gioco da ragazzi, durante la corsa mi sono ripetuto due volte dove intendo metterla e proprio lì la piazzo, nell'angolo basso opposto, un vero tocco di classe. Teniamo il pareggio dominando la partita e rischiando qualcosa soltanto nel finale, che seguo dalla panchina perché negli ultimi venti minuti Garcia immette la freschezza di Iturbe. Due partite, quattro punti, e negli spogliatoi mi aspetta la sorpresa dei complimenti dei funzionari Uefa e poi di tutti, perché a trentotto anni e tre giorni sono diventato il marcatore più anziano nella storia della Champions League. Tra l'altro un record che ritoccherò quasi due mesi dopo a Mosca, siglando il gol del momentaneo vantaggio contro il CSKA.

C'è molta differenza fra i primati che stabilisci da giovane e quelli che raccogli da giocatore più vecchio. Entrambi dicono che sei un tipo speciale: ma se i primi aumentano le aspettative su di te perché sei bravo e hai tutta la vita davanti, i secondi contengono sempre un pizzico di rimpianto. Quante volte mi sono sentito ripetere, in tono inutilmente severo, che andando al Real Madrid avrei fatto incetta di Palloni d'Oro... Ma è proprio per non avere rimpianti che continuo a giocare a un'età in cui la gran parte dei miei coetanei è già seduta dietro un banco al corso allenatori. Reti come quella di Manchester mi dicono che sono ancora in grado di indirizzare le partite – avreste dovuto leggere i titoli dei giornali inglesi il mattino dopo – e finché in me c'è una goccia di energia voglio sognare un altro scudetto, o quella Champions che completerebbe il trittico delle vittorie più importanti.

La partita che segna la stagione, e fa svoltare in negativo l'esperienza di Garcia a Roma, è la terza del girone. Arriva all'Olimpico il Bayern di Guardiola, e la città è percorsa da un'impressionante febbre di vittoria. Sono tutti convinti che ce la faremo. I tedeschi sono a punteggio pieno, due anni prima hanno vinto il torneo e all'epoca non erano ancora allenati dal grande Pep, in molti li considerano i veri favoriti della Champions: eppure non c'è tifoso che incrociandoti fuori Trigoria non ti faccia con le dita il segno della vittoria, non c'è amico che non chieda un numero spropositato di biglietti «Perché sarà una serata storica», non c'è commento in radio, in tv o sui giornali che non parli delle grandi chance della Roma. Un'allucinazione collettiva? A posteriori evidentemente sì, ma confesso che anch'io prima della gara ero fiducioso, perché la squadra girava e tutti i segnali erano positivi. Non partiamo neanche male, ma... al primo tiro Robben fa gol, e di lì in poi la gara diventa rapidamente un incubo. Segnano tutti: Götze, Lewandowski, ancora Robben, Müller, Ribéry, Shaqiri, praticamente ogni tiro finisce in rete come quell'altra notte allucinante a Old Trafford. Il 7-1 finale è la disfatta peggiore della mia vita, la peggiore perché avviene all'Olimpico, mentre le altre bastonate europee sono state tutte in trasferta. Io esco alla fine del primo tempo sullo 0-5, in una partita senza più speranze occorre gente che corra molto per turare le falle.

La gente nemmeno fischia, tanto male ci è rimasta. Anzi, ci rincuora perché capisce subito il rischio del contraccolpo psicologico: non sarà facile "dimenticare" una batosta simile. A fine gara mi cerca Guardiola per dirmi che gli dispiace di averci umiliato, ma che in Champions non ci si ferma e so che ha ragione. Ci eravamo incrociati per qualche mese a Roma, nell'autunno del 2002, ai tempi di Capello: ma siccome giocava poco, a gennaio se n'era tornato a Brescia. Ricordavo un playmaker ormai maturo, poco dinamico in campo ma molto abile nel far correre il pallone, e una persona di un altro livello rispetto ai calciatori normali. Si sentiva di passaggio, ed era rimasto abbastanza sulle sue; ma ora che è diventato il tecnico più famoso del mondo, ce ne stiamo cinque minuti a parlare delle famiglie, di Mazzone e di vecchi compagni di squadra. Non cura il dolore per il 7-1, ma fa comunque piacere.

La batosta col Bayern segna un prima e un dopo nell'esperienza romana di Garcia. Lo deprime a tal punto da fargli perdere molte delle sue sicurezze. Anziché archiviare la partita come un incidente di percorso ci rimugina sopra per mesi, seminando così confusione in un'organizzazione tattica che aveva trovato il suo equilibrio. Garcia non è un allenatore da schemi ferrei, lascia la giusta libertà ai suoi interpreti, crea contesti di gioco nei quali puoi scegliere fra più soluzioni: il suo valore aggiunto è la serenità che trasmette, ma se è lui per primo ad averla persa, diventa complicato seguirlo. La stessa Francesca smette di venire a Trigoria, in cerca di una tregua al bombardamento dei social che la giudicano causa del problema, e il mercato di gennaio completa la frittata: occorre sostituire Gervinho, che è in Coppa d'Africa, ma l'attaccante che arriva, Doumbia, è via per la stessa manifestazione. C'è pure Ibarbo, prelevato dal Cagliari come Nainggolan: ma colpi come quelli del Ninja non si ripetono ogni anno, e questo non ci va nemmeno vicino.

Garcia arriva sulle ginocchia alla fine della stagione, e già in estate cominciano a sentirsi strani discorsi, come se la sua posizione fosse instabile malgrado due secondi posti consecutivi. Il mercato è importante: arrivano Szczęsny, Džeko, Salah e Rüdiger senza che parta nessun big, sulla carta mi pare la Roma più forte da molti anni a questa parte e in campionato, a fronte di una pesante crisi in avvio della Juve (perde quattro delle prime dieci gare), partiamo discretamente andando in testa e battagliando soprattutto con l'Inter. Il problema è che io mi faccio male il 26 settembre contro il Carpi, dieci minuti dopo essere entrato in campo e aver servito un assist a Salah: tutti festeggiano il suo gol, io chiamo il medico perché ho sentito una fitta al solito tendine. Passo così il lunedì del mio trentanovesimo compleanno a Villa Stuart, cercando di capire la gravità dell'infortunio. Finisce che resto fuori fino all'anno nuovo, e quando rientro – nel finale della partita contro il Milan – la situazione si è ormai irrimediabilmente deteriorata. Garcia ha passato fra mille tormenti il girone di Champions, meno difficile rispetto alla stagione precedente, in campionato è quinto a sette punti dal Napoli e in Coppa Italia è stato clamorosamente eliminato dallo Spezia. Le voci sull'esonero sono ormai un concerto, ma la società decide di dargli ancora una chance dopo Capodanno, penso più che altro perché vorrebbe scegliere con calma a primavera il nuovo allenatore.

Sono giorni penosi, perché si capisce perfettamente che una decisione è stata presa, e la condanna soltanto rinviata. Garcia s'è arreso, non ha più le energie mentali e fisiche per governare la situazione, attende la sentenza come una liberazione. Alla cena di Natale, organizzata in un ristorante sulla Tiburtina, vedo la rappresentazione dello scollamento fra il club e il tecnico, perché i suoi assistenti non sono stati invitati – solo squadra e allenatore – e Rudi si ritrova improvvisamente solo. L'osservo di sottecchi, cercando di non farmi scorgere, perché fa impressione: ha lo sguardo di un animale braccato, gli occhi saltano senza posa da un commensale all'altro, come se da chiunque potesse aspettarsi l'ultimo colpo, quello mortale. Dopo il pari casalingo con il Milan del 9 gennaio, l'esonero diventa ufficiale: la squadra riceve due giorni di riposo e quando torna, alle dieci del mattino di martedì, trova Garcia in attesa per i saluti. «Ci siamo voluti bene, mi avete dato tante soddisfazioni. Grazie a tutti e lavorate sodo, perché potete giocare molto meglio di quanto si è visto con me...» Baci e abbracci contengono una nota di fretta. Alle dodici è previsto il ritorno a Trigoria di Luciano Spalletti.

18

Il secondo tragico Spalletti

Sono contento che torni Spalletti. Al termine del suo primo ciclo si era lasciato sfuggire qualche frase risentita anche nei miei confronti, ma poi ogni volta che ci siamo rivisti – a Firenze per esempio – sono stati baci e abbracci. Durante il suo lungo mandato alla Roma era diventato amico di Claudio, il padrone del ristorante La Villetta, che come sapete è il mio rifugio preferito; così negli anni successivi, quando lui gli segnalava che stavo cenando lì, il mister gli spediva una sua foto a torso nudo – una delle sue mattane preferite – per farmi vedere che non aveva accumulato un etto di grasso. Nell'altro ristorante che frequento, Checco dello Scapicollo, mi capitava poi di incrociare spesso Daniele Baldini, suo collaboratore storico, e negli ultimi mesi di Garcia, quando la panchina del francese si era fatta traballante, la frase era sempre la stessa: «Dai Francesco, riportaci alla Roma tu che puoi...». Scherzi e battute, ma allo stesso tempo segnali di un buon feeling, di un desiderio di tornare a lavorare assieme.

Lo dico anche a Ilary, che mi è andata bene. Vale

il ragionamento inverso rispetto a quello fatto per Zeman: entrambi mi conoscono bene, ma mentre il boemo è incrollabile nei suoi principi atletici, Spalletti è un uomo più flessibile, sa di cosa ha bisogno il mio fisico per rendere al massimo e certamente farà in modo di aiutarmi a gestire bene l'uscita di scena. Perché ormai è di questo che si parla: mi sono posto l'obiettivo di giocare in serie A a quarant'anni, e poi chiudere. Vale a dire finire la stagione in corso e giocarne un'altra. Quando ci rivediamo per il primo incontro con la squadra – siamo rimasti in pochi del suo vecchio gruppo – Spalletti mi stringe la mano e chiede come stiano mamma e papà, che all'epoca aveva conosciuto bene visto che abitava all'Axa. Un approccio misurato. Stranamente, però, non chiede nulla dell'infortunio che mi ha costretto a tre mesi di inattività, e dal quale sono rientrato giusto il sabato precedente. La cosa mi puzza e ne parlo anche con Ilary. È presto per preoccuparsi, ma mi aspettavo un contatto diverso. Più caldo, più partecipato.

La sera che precede Roma-Verona, prima del "suo" campionato, Spalletti ci riunisce per dettare alcune regole di comportamento. «Ho saputo che l'ultima vigilia, quella della gara col Milan, alcuni di voi hanno fatto tardi giocando a carte. Ecco, io non voglio che giochiate a carte, come prescritto peraltro dal vostro regolamento interno.» Mi sento chiamato in causa, sono il "cartaro" più appassionato del gruppo, ai limiti del compulsivo. Non faccio tardi, ma in ritiro ci gioco eccome.

«Veramente quel regolamento non è stato firmato da tutti...» provo a difendermi.

Spalletti replica lapidario: «Non mi rompere il cazzo, Checco». Usa il diminutivo confidenziale, quello con cui mi chiamano gli amici, per inviare a me e insieme allo spogliatoio un messaggio di totale chiusura. Non ribatto. È la prima discussione, e l'ha vinta lui.

La seconda è semiprivata. Dico "semi" perché fin dall'inizio del suo secondo mandato Spalletti fa in modo che a ogni nostra discussione siano presenti due testimoni, in tutta evidenza uno per parte, visto che Vito c'è sempre e lui ci aggiunge un membro dello staff oppure dell'ufficio stampa. Non un grande segnale. Prima di Juve-Roma, la sua seconda partita, abbiamo un confronto perché in allenamento ho sbagliato alcuni passaggi, lui mi ha ripreso duramente e a un certo punto l'ho mandato a quel paese. Gli spiego che ci sto mettendo più tempo del previsto a recuperare al cento per cento, e che non mi aiuta il fatto di vederlo parlare con tutti tranne che con me, che sono pur sempre il capitano. Lui risponde con insolita durezza, senza concedere nulla alle paure di un quasi quarantenne.

«L'altra volta ti ho permesso tutto, Francesco, ora non più. Devi correre come gli altri, anche se ti chiami Totti» è il senso del suo discorso, che mi infastidisce molto visto che io non ho mai preteso favoritismi. La sera dopo saluto Buffon negli spogliatoi dello Stadium, lui allarga il sorriso e mi chiede: «Come va col dobermann?», salvo farsi subito serio nel vedere la mia faccia.

Dopo un po' i compagni capiscono che Spalletti mi ha puntato, perché i frequenti rimproveri in allenamento sono di quelli che normalmente un allenatore muove ai ragazzini che si sono montati la testa. Farli al capitano contiene qualcosa di stonato, e qualcuno a colazione mi chiede cosa gli abbia fatto. È lo stesso dubbio di Ilary che a casa, davanti ai miei racconti, si pone sempre come avvocato del diavolo. «Sei sicuro di non avergli mancato di rispetto in qualche modo? Una parola o un gesto che lui possa avere male interpretato?» Giuro che l'esame di coscienza me lo faccio più volte, perché l'incredulità prevale ancora sulla rabbia. Finché alcune sue risposte alle domande dei giornalisti, molto polemiche, fanno capire che lui è ancora convinto di un mio ruolo – o meglio di una mia "omissione di soccorso", visto che mi accusa di non aver detto niente – nella precedente conclusione del suo rapporto con la Roma, nel 2009.

Il difficile rapporto con Spalletti si somma con un recupero dai guai fisici mai così lento e faticoso. Gioco finalmente uno spezzone contro il Frosinone, poi a Reggio Emilia col Sassuolo mi manda a scaldare alla fine del primo tempo e mi dimentica, tanto che dopo mezz'ora comincio a palleggiare con un raccattapalle che ha l'età di Cristian, gli chiedo in quale ruolo giochi, insomma una cosa carina. La partita è abbastanza facile, una volta esauriti i cambi torno in panchina, faccio uno scherzo a Pjanić, si chiude 2-0 e tutto fila per il meglio, penso. Macché. Già dalla sera le immagini del palleggio col bambino fanno il giro delle tv, e qualcuno commenta che non mostro molta partecipazione alle sorti della squadra. Il giorno dopo leggo su vari quotidiani del mio sostanziale menefreghismo. Un'inutile cattiveria scritta – guarda un po' – dai giornalisti tradizionalmente più vicini alla società. Se tengo il muso, perché tieni il muso? Se scherzo, perché scherzi? Sospetto per la prima volta che il mio ritiro non stia a cuore soltanto a Spalletti.

La squadra comunque va molto bene. Dopo la sconfitta di Torino infila una serie di otto vittorie che la riporta al terzo posto, quello che vale il preliminare di Champions, mentre in Europa scontiamo il sorteggio contro il Real Madrid e usciamo agli ottavi. Il fatto che i rapporti fra noi si siano guastati non mi impedisce di vedere che Spalletti è sempre un grande allenatore: in una squadra così raddrizzata sono certo che saprei rendermi utile, e invece non me ne viene data la possibilità. Sono così depresso che, in vista della trasferta di Carpi, a metà febbraio, faccio una cosa che non avevo mai fatto prima: mi do malato. O meglio, siccome sento un po' di fastidio al tendine, dico che non ce la faccio in modo da restare a Roma. Penso che tra la panchina e il divano non ci sia differenza, guardare per guardare, e quando poi ci ragiono, a mente fredda, capisco che è l'inizio della fine. Non credo più in me stesso, a questo sono arrivato.

Sono giorni amari nei quali Ilary è straordinaria, perché mi rincuora senza però recedere dalla sua posizione: secondo lei dovrei ritirarmi a fine stagione, il mio tempo è arrivato. Ed è un parere che pesa, perché ho la certezza che non sia interessato. Il sabato successivo, 20 febbraio, vigilia della gara interna col Palermo, ho un appuntamento fissato da tempo con Donatella Scarnati della Rai per un'intervista sui dieci anni del titolo mondiale. Registriamo all'ora di pranzo, alla presenza di un addetto stampa che autorizza Donatella a pormi anche qualche domanda sul mio momento alla Roma; nello stesso istante – ma questo lo saprò soltanto dopo – Spalletti sta dicendo in conferenza che la sera dopo, per la prima volta da quando è tornato, partirò titolare.

Sentita e risentita – facile trovarla in rete ancora oggi – è un'intervista nella quale dico che mi sarei aspettato da lui un trattamento diverso: soprattutto avrei voluto sentirmi dire in faccia certe cose che ho letto sui giornali. Niente di più. Non chiedo di giocare, non lo critico, anzi riconosco il suo valore per la Roma di oggi e per quella che verrà. Chiedo più rispetto e chiarezza alla società, questo sì, perché a fine stagione mi scade il contratto e io ho ancora voglia di giocare. Lì o altrove, le proposte dall'estero non mi mancano. Il rispetto è farmi sapere la verità. La mia è che ho parlato in estate a Boston col presidente Pallotta, che mi ha detto: «Decidi tu». L'ho rivisto a dicembre a Roma, all'hotel De Russie, e mi ha chiesto che cosa ho intenzione di fare da dirigente. Io gli ho risposto che vorrei giocare un altro anno e lui mi è parso sorpreso; qualche giorno dopo l'intervista alla Rai, Pallotta è nuovamente a Roma, e sul mio futuro propone di sentire il parere di Spalletti. «Credo che non ne voglia sapere» gli rispondo, e ci salutiamo così, sempre in ottimi rapporti, ma con il problema ancora sul tavolo.

Ma facciamo un passo indietro, dal momento che gli strascichi dell'intervista provocano la prima grande crisi con l'allenatore. Succede domenica mattina a colazione, perché come spesso accade la parola scritta desta maggiore impressione di quella pronunciata in tv. Anche il Tg1 sabato sera ha fatto il titolo su un mio attacco al mister che francamente non vedevo – ho detto che mi aspettavo un trattamento diverso, ma è un attacco? –; i giornali del mattino dopo rincarano la dose. Io mangio da solo, in un angolo lontano dal tavolo di Spalletti e dello staff, al quale è seduto anche Vito. È lui a venirmi a chiamare: «Ti vuole parlare dell'intervista». Andiamo in sala riunioni. Il tecnico ha in mano la rassegna stampa. La agita come se fosse un randello.

«Che cosa devo fare io, adesso?» Se lo chiede tre volte, in tono sempre più spazientito.

«Mister, ma ha sentito l'intervista? Guardi che Vito l'ha registrata...»

«Non me ne frega niente dell'intervista, conta quello che c'è scritto qui, sui giornali.»

«Guardi che io di lei ho parlato soltanto bene, è alla società che ho chiesto più rispetto.» Gli do del lei, a memoria è la prima volta: un evidente segno del gelo ormai sceso fra noi. Andiamo avanti a lungo, io per chiarire e lui per ribadire la sua irritazione. Penso che mi beccherò una bella multa, per quell'intervista. Non immagino la sberla che sta per arrivare.

«Basta, inutile proseguire, tanto non capisci. Hai sbagliato, e adesso vai a casa.»

È la punizione più umiliante. Cacciato da Trigoria. Io. Cacciato da casa mia. Tremo dalla rabbia. Dopo un lungo silenzio, affilo le parole più taglienti che mi vengono in quel momento.

«Molto bene, accetto la sua punizione. Vedremo se sarò io o sarà lei a pagarne le conseguenze.»

«Mi stai per caso minacciando?»

«Lei sa che a Roma la gente è dalla mia parte. Io ho soltanto parlato bene di lei, eppure mi vuole cacciare. Si assuma le sue responsabilità.»

«Tu ormai sei come gli altri, dimenticati di quando eri insostituibile.»

«Vigliacco, adesso che non ti servo più mi rompi il cazzo, eh? Sei tornato qui con una missione, portala a termine!»

Ce le diciamo tutte, alla fine di sottinteso non resta nulla. Me ne vado stremato, un quarto d'ora dopo suono il campanello a casa e mia moglie rimane stupefatta. Sono molto giù di morale, il punto più basso che mi ricordi, non ho voglia di vedere nessuno e se potessi prendere un aereo per cambiare continente lo farei quel giorno stesso. La partita con il Palermo è in notturna, ma escludo di andare all'Olimpico, non sopporterei gli sguardi di tutti su di me. Ed è qui, in questo preciso momento, che Ilary – spalleggiata da Vito che le dà ragione – prende il controllo della situazione: «Invece allo stadio ci andiamo tutti: noi, amici, parenti, tutti. Non hai nulla da nascondere né da farti perdonare, anzi. Devi metterci la faccia proprio per questo motivo, perché si sappia chi ha la coscienza a posto». E appena provo in qualche modo a ribellarmi, lei è definitiva: «Guarda, se questa sera non andiamo allo stadio io ti pianto. Non sopporterei l'idea che ti pieghi alle ingiustizie». Dettata dall'amore, ma è una bella minaccia. «Va bene, chiama tutti e organizza, stasera andiamo all'Olimpico.»

Prima della partita passo anche dallo spogliatoio, dove l'ambiente è un po' mogio. Un braccio di ferro tra allenatore e capitano finisce inevitabilmente per destabilizzare la squadra. Incrocio Spalletti che pare sorpreso, mi chiede che cosa sia venuto a fare, gli rispondo che un capitano va sempre a salutare i suoi compagni e finisce lì, né io né lui abbiamo voglia di riattizzare il fuoco. Immagino che la litigata sia costata qualcosa anche a lui. Mentre sto tornando su, nel nostro palchetto, telefona Angelo per dirmi che alla lettura delle squadre il nome di Spalletti è stato fischiato. Dallo spogliatoio alla tribuna è un percorso ansioso, perché mi vengono in mente mille pensieri, e soprattutto mi chiedo cosa aspettarmi una volta uscito allo scoperto, lì dove tutti potranno vedermi.

Solo applausi. Una standing ovation, addirittura, un boato appena compaio in tribuna, e vengo inquadrato dalla telecamera che rimanda le immagini al maxischermo. Vi ricordate quel che dicevo all'inizio del libro, a proposito del dubbio su cosa possa mai aver fatto per meritarmi un simile affetto da parte di tanta gente? Ecco. Ho la pelle d'oca per l'emozione e la riconoscenza. Ilary aveva ragione, e prima di poterglielo dire lei mi manda un messaggino, perché in quel frastuono non è facile intendersi. Non l'ho mai cancellato. Dice: «Questa è la soddisfazione più grande che ti potevi prendere». Le mando un bacio di gratitudine.

La Roma vince facile, 5-0 con doppiette di Džeko e Salah, la gente canta e fischia Spalletti ogni volta che la telecamera lo inquadra. Nel mese successivo gioco qualche spicciolo contro la Fiorentina, oltre agli ultimi minuti al Bernabéu: pochissimo ed è un peccato, perché ormai sono recuperato al cento per cento, una nuova dieta mi ha fatto perdere quattro chili, sono tirato come un ragazzino. Per tornare in campo devo aspettare l'11 aprile, Roma-Bologna, e in un certo senso siamo agli sgoccioli perché due mesi di lontananza dal campo stanno finendo di intaccare la mia resistenza psicologica: detta brutalmente, ormai mi sto convincendo che Spalletti abbia ragione, che il mio tempo sia finito e che di certo abbia smesso di essere importante. L'autostima è scesa sotto il livello di guardia. Sono sorpreso quando il tecnico, alla fine del primo tempo che ci vede sotto per 1-0, mi invita a scaldarmi per farmi entrare subito, alla ripresa del gioco. I pochi spezzoni concessi fin qui sono arrivati a risultato acquisito, come se soltanto così si potesse rischiare un mio impiego. Umiliante, a pensarci. Adesso, invece, subentro dal 46' con un risultato da recuperare. È l'occasione che cercavo.

Una delle magie del calcio consiste nella facilità con la quale ti torna anche se non pratichi da tempo. Nessuna giocata se n'è andata per questo: sono tutte lì, in attesa che tu ne abbia nuovamente bisogno. Certo, poi ci sono i calciatori che sbagliano le prime due e s'inibiscono, convinti di non esserne più capaci. Non è il mio caso: la prima palla che tocco è un filtrante al volo che sega in due il centro della difesa del Bologna e libera Salah al gol dell'1-1. Semplice. È una giocata che mica ho pensato: è stato l'istinto, felice di darmi il suo bentornato. Non segniamo altri gol e finisce così, ma so che i miei quarantacinque minuti – che improvvisamente mi sembrano tanti – sono stati di buon livello. Ho quasi una sensazione "grafica", con l'indicatore dell'autostima che inverte la sua direzione e riprende a salire. Bastava poco.

La bontà della mia prestazione è testimoniata anche dal fatto che i media riprendono a parlare di me in un certo modo, e so che questa, ai fini degli equilibri interni, non è una buona cosa. La corsa al secondo posto – il Napoli non perde un colpo – ci porta il turno successivo a Bergamo, e alla vigilia intuisco del movimento. Negli hotel delle trasferte Spalletti finisce invariabilmente per occupare una stanza adiacente alla mia, tanto che una volta gli chiedo proprio se sia un caso, e lui di rimando mi dice: «Voglio controllarti meglio». Me lo conferma anche un addetto alla logistica, il mister pretende sempre di piazzarsi fra me, Nainggolan e Pjanić, i tre inseparabili che stanno assieme prima di andare a dormire. Il suo rovello è il solito, il gioco delle carte, che secondo lui toglie energie e concentrazione.

Da quando è tornato, conoscendo la sua fobia (e memori del primo discorso), noi abbiamo smesso. Veramente. Ciascuno si porta dietro un pc oppure un tablet, in attesa del sonno è lì che ci divertiamo, i giochi al computer sono infiniti. Sabato sera a Bergamo io, Mire e Radja siamo riuniti in camera mia – sullo schermo c'è il Texas Burraco – quando, attorno alle 23.30, Spalletti in tuta nera arriva di soppiatto davanti alla mia porta e si siede a terra subito fuori, la schiena appoggiata alla parete, in attesa, praticamente invisibile perché il corridoio è poco illuminato. Per sorprenderci non ha fatto però i conti con la stanza della fisioterapia, che resta sempre aperta ed è accanto alla mia. Poco prima di mezzanotte ne esce De Rossi, che la sera prima delle partite ha spesso bisogno di un massaggio per dormire. Nella semioscurità non crede ai suoi occhi. «Mister, è lei? Ma che sta facendo?» Spalletti risponde a bassa voce: «Niente, niente, tanto so che adesso avviserai i tuoi amici...». Daniele fa lo gnorri, «Ma che avvisare, mi faccio gli affari miei», torna in camera e manda subito un WhatsApp a Pjanić: «Occhio che avete il mister in agguato fuori dalla porta». Sono le 0.15, un quarto d'ora dopo l'orario limite: nulla di particolarmente grave, ma Radja e Mire valutano ugualmente l'idea di scappare dalla finestra lasciandosi cadere giù. Siamo al secondo piano, però. È troppo alto.

Non sappiamo cosa fare, se non ridere cercando di soffocare il rumore, perché la situazione è oggettivamente comica ma farci sentire non sarebbe astuto. Alla fine socchiudo la porta di quel tanto che basta per vedere le gambe distese di Spalletti. Radja esce fingendo di inciamparvi, «Oddio, chi è? Mister, ma che diavolo...», Pjanić lo segue e io... chiudo la porta alle loro spalle. In tempo però per sentire la voce sarcastica di Spalletti: «Non fate i furbini, io lo so cosa facevate nella camera di Francesco, giocavate a carte», e Mire subito: «Quali carte? No, eravamo al computer!». «Facciamo i conti domani» è l'ultima, minacciosa frase che mi arriva.

Il mattino dopo, a colazione, non ci saluta. Marco Domenichini, uno del suo staff, viene in avanscoperta: «Ma che, giocavate a carte?». E daje... «No, niente carte. Computer.» Mi sembra di parlare a dei bambini, e ancora non è finita perché nella riunione prepartita, quella in cui viene comunicata una formazione che non prevede Pjanić (la punizione è evidente), Spalletti ribadisce che il gioco delle carte è vietato e che qualcuno, la notte scorsa, si è fatto beffe di questo divieto. Non ho più la forza di replicare.

La partita è pazza. Andiamo avanti 2-0 quasi in scioltezza, con Digne e Nainggolan, ma D'Alessandro e una doppietta di Borriello rovesciano la situazione: 3-2 per l'Atalanta, Spalletti si gira verso di noi

– Mire e io siamo seduti vicini – e dice «Mo' sono cazzi vostri, in conferenza stampa racconto tutto». A dieci minuti dalla fine mi butta dentro al posto di Daniele, e in breve trovo il gol del 3-3 con un bel tiro dal limite. Bravi Perotti a portare in area il pallone e Florenzi ad allungarmelo in scivolata, ma il destro che batte Sportiello reca il mio marchio di fabbrica, e due minuti dopo manca poco che Džeko sfrutti un mio assist per chiudere con un fantasmagorico 4-3.

Espulso per proteste a un minuto dalla fine, Spalletti ci aspetta sull'uscio dello spogliatoio, visibilmente su di giri. Quando anche l'ultimo di noi è entrato si chiude la porta alle spalle, sbattendola, e comincia a urlare. Il mio armadietto è il più lontano dall'ingresso, sono accanto a De Rossi e Florenzi, chinato sulle scarpe che mi sto sfilando. Non mi accorgo dell'improvviso silenzio. Quando rialzo la testa trovo la faccia di Spalletti a un centimetro dalla mia. Mi aspettava. «Basta, hai rotto le palle, pretendi ancora di comandare e invece te ne dovresti andare, giochi a carte malgrado i miei divieti, hai chiuso.» Il tutto gridato a massimo volume. È l'ultimo litigio tra me e Spalletti, nel senso che perdo le staffe anch'io e ci devono separare in quattro perché altrimenti ce le daremmo di santa ragione. Di lì in poi, chiuso. Recuperata la calma lui va in sala stampa a dire che anche se ho segnato io il merito della rimonta è della squadra – e va benissimo, ma tutti notano il desiderio di sminuirmi – e io esco dallo spogliatoio avvisando i dirigenti che «Adesso parlo», e subito mi si crea attorno un cordone sanitario. In realtà rinuncio alle polemiche, perché come sempre penso che alla Roma farebbero del male, e il giorno dopo, su richiesta dello staff che lo vede ancora alterato, vado da Spalletti con Radja e Mire per scusarmi. Non per aver giocato a carte – lui continua a ripeterlo come un disco rotto – ma per aver fatto tardi il sabato. Lui dice l'una mentre era mezzanotte e un quarto, ma ha comunque ragione perché il limite era fissato a mezzanotte. Meglio spegnere, tanto la questione è chiusa: a fine stagione lascerò la squadra, per fare cosa si vedrà.

Ma una certa dinamica si è messa ormai in moto, ed è difficile non vederci la mano di un grande regista. L'assist contro il Bologna, il gol del pareggio contro l'Atalanta, quale può essere il passo successivo? Forse una doppietta per rovesciare il risultato? Tre sere dopo è in calendario l'ultimo turno infrasettimanale del campionato, arriva all'Olimpico il Torino e al minuto 86 siamo sotto 2-1: Džeko e Pjanić sono già subentrati, Spalletti mi lancia come ultimo cambio, ma manca veramente poco. Entro a gioco fermo, c'è una punizione per noi dalla trequarti destra, Manōlas allunga la traiettoria e io, entrando da sinistra in spaccata, riesco a metterla in porta. Sotto alla Curva Sud. Impazzisco.

L'ultimo gol all'Olimpico era stato anche l'ultimo in assoluto fino alla rete di tre giorni prima a Bergamo: era la quarta giornata, settembre, 2-2 col Sassuolo. L'avevo segnato nell'altra porta, era quello dell'1-1, un errore del portiere che aveva sbagliato il rinvio, e Pjanić aveva recuperato palla per darmela subito. Ero da solo, e l'avevo colpita pure male. Nulla di paragonabile a questo col Torino, che mi restituisce la vecchia emozione di correre sotto la curva scavalcando un paio di cartelloni pubblicitari. Roba che, a furia di non giocare, uno si chiede anche: «Ma se segno lo salto, o rischio di inciampare e farmi ridere dietro dallo stadio?». Invece è come nuotare, appena ti buttano in acqua ricordi come si fa. La curva in quel momento ha un richiamo magnetico, perché il recupero del risultato unito al fatto che abbia segnato io autorizza ad andare fuori di testa. Tempo tre minuti e l'arbitro Calvarese ci regala un rigore, il fallo di mano di Maksimović su cross di Perotti proprio non c'è. Normale che tocchi a me, ed è una responsabilità doppiamente pesante perché investe la squadra – la vittoria è necessaria per tenere a distanza le inseguitrici – e la mia storia personale: riuscissi a firmare anche il gol del sorpasso, nei quattro minuti (più recupero) che mi sono stati concessi, l'impresa sarebbe fra le mie più grandi. Visto che abbiamo parlato molto di carte, è il più classico degli all-in. Il campo è pesante perché ha piovuto, valuto il solito collo destro ma non calcio un buon rigore, non abbastanza angolato né violento. Almeno è rasoterra, però: Padelli lo tocca senza riuscire a bloccarlo, e finisce in gloria. I compagni che mi abbracciano sono letteralmente esaltati, la gente in curva piange, uscendo dal campo perfino Spalletti non riesce a fare a meno di assestarmi una pacca complice. È semplicemente una conclusione incredibile.

Come ho già raccontato più volte, l'amore della gente è stato il vento che mi ha spinto per tutta la carriera. Un sentimento irrazionale e potente, certamente spiegabile nelle sue radici – un capitano romano e romanista, e pure forte – ma non nella sua selvaggia intensità. Naturalmente nei venticinque anni trascorsi fra il debutto in serie A e l'ultima partita ci sono stati alcuni momenti in cui questo affetto mi è scivolato addosso leggero e altri in cui l'ho sentito ruggire sulla mia pelle, bruciante e assoluto. Questo è uno dei periodi in cui lo avverto di più perché arriva, citando la formula dei matrimoni, non nella buona ma nella cattiva sorte. Dopo la doppietta al Torino gioco gli ultimi minuti contro il Napoli – gara chiave per avvicinarci e tentare il sorpasso in extremis – e innesco l'azione che all'89' porta all'1-0 di Nainggolan. La settimana successiva entro a Genova e dopo qualche minuto realizzo con una gran punizione la rete del 2-2, cui El Shaarawy nel finale aggiungerà il gol del successo. Un'altra settimana ancora e nella mia mezz'ora – Spalletti mi sta facendo giocare di più – contro il Chievo disegno per Pjanić un assist volante così bello da non farlo nemmeno esultare: spinge la palla in rete e poi subito mi indica alla gente, fa segno che il gol è interamente merito del mio passaggio.

I tifosi festeggiano perché, anche se il Napoli non perde più colpi e ci chiude davanti, obbligandoci al preliminare Champions, la Roma con Spalletti sembra rinata. Ma se prima, all'interno di questa rinascita, molti avevano il cruccio del mio scarso impiego, e quindi di una storia straordinaria che si stava chiudendo in modo malinconico, le ultime settimane hanno visto la mia piena partecipazione ai successi della squadra. E percepisco un sollievo che potrebbe essere quello dei bambini quando mamma e papà smettono di litigare. La gente quell'anno aveva sofferto per me e con me, senza nemmeno potersela prendere troppo col tecnico perché il suo lavoro lo stava comunque svolgendo bene. Ora che ho recuperato un ruolo da parziale protagonista – parziale perché lo so anch'io che alla mia età non posso pretendere novanta minuti a domenica – la felicità popolare non ha più ombre. Nessuno si sente più in colpa con la propria coscienza per aver esultato di una vittoria alla quale il capitano non ha partecipato. Com'è giusto che sia, ma alla sfera irrazionale non sempre si comanda.

Mentre scrivo questo libro, adesso che è passata un'intera stagione dal mio addio, e il grande polverone di quei giorni si è dissolto, sono certo di una cosa. Mi sarei dovuto ritirare la sera di Roma-Torino: mi vengono dati quattro minuti soltanto, io me li faccio bastare per ribaltare il risultato con una doppietta, corro sotto alla Sud, la squadra vince, i compagni mi portano in trionfo. Sarebbe stata la conclusione perfetta, me l'hanno detto sia Ilary sia Vito, che su queste cose hanno una sensibilità parallela. A dire il vero il pensiero mi aveva sfiorato, quella sera di gioia esplosiva, ma si era subito dissolto perché in quel momento non avrei saputo come introdurlo, come dirlo, come farlo. Avrei dovuto improvvisare, e forse sarebbe stata la scelta migliore perché la gente, di me, ha sempre apprezzato innanzitutto la spontaneità.

Prima che la stagione sia conclusa affronto il discorso con Mauro Baldissoni, il nostro direttore generale, e intuisco che il mio brillante finale ha cambiato qualcosa nella percezione societaria, non c'è più ostilità al rinnovo. Difatti a giugno Pallotta torna a Roma col contratto pronto, devo soltanto firmare. È il momento del grande dubbio, perché ho numerose offerte dall'estero – da Cina e Giappone al campionato americano e ad Abū Dhābi – e Ilary sarebbe favorevole: «Mi prendo un anno di pausa dalla televisione» dice per convincermi «e tu vivi in serenità il distacco dal calcio giocato. Non guardare al finale di questa stagione, perché è stato un miracolo. L'anno prossimo sarà peggio, non illuderti». So che ha ragione, ma c'è una cosa che non può capire. Che nessuno può capire, a meno di esserci passato. Io avevo smesso di considerarmi un giocatore e poi, all'improvviso, mi sono risentito tale. Una sensazione inebriante, quasi un nuovo debutto anziché l'ovvio pensiero di aver soltanto rinviato il tramonto. In quei giorni sogno addirittura di poter rigiocare dall'inizio almeno alcune partite. Sono fuori di me dalla contentezza di risentirmi vivo. E firmo.

L'ultima stagione in pratica inizia e finisce con l'intervista che Ilary rilascia alla «Gazzetta» in occasione del mio quarantesimo compleanno, e nella quale definisce Spalletti un «piccolo uomo». Soltanto chi ha un rapporto distorto con la propria donna può pensare che avrei potuto o dovuto fare qualcosa per fermare quell'intervista. Ilary è una donna di forte personalità, ha sofferto nel convivere con la mia amarezza, ha lottato per non farla diventare depressione, ha cercato per quanto possibile di spiegarla ai nostri figli, con Cristian soprattutto – è il più grande – ha affrontato più volte il discorso dell'inizio e della fine di ogni cosa, e del fatto che quel padre campione di cui è così orgoglioso stava semplicemente tramontando. Quando ha pensato che fosse opportuno dire la sua, l'ha fatto. E la sera prima che uscisse l'intervista – eravamo a cena a casa, c'era anche Angelo – mi sono scoppiati tutti a ridere in faccia anticipandomi i contenuti più pepati. «Ma sei matta? Qui viene fuori un casino, quello m'ammazza...»

Spalletti infatti, il giorno dopo, mi dice che una situazione del genere non è normale: o la sistemo io parlando con mia moglie o lo farà lui. Ma c'è poco da sistemare, Ilary non è certo il tipo che ventiquattr'ore dopo aver espresso un parere se lo rimangia. Poi il tecnico mostrerà anche senso dell'umorismo, girando per farmi gli auguri il video nel quale regala a me il modellino della DeLorean – la macchina di *Ritorno al futuro* – e a mia moglie il singolo di Mia Martini, assicurando di aver molto amato *Piccolo uomo*. Invito Spalletti alla festa anche per l'insistenza di lei, attenta a che io non passi mai dalla parte del torto. E il dialogo con lui a Trigoria, quel giorno, ha qualcosa di surreale.

«Francesco, ma tu vuoi veramente che io venga alla tua festa?»

«Mister, veda lei. Io l'ho invitata...»

«Ma se vengo finisce che i tuoi amici mi menano.»

«E se la menano vuol dire che c'è una ragione...»

Il tutto, sia chiaro, recitato in tono molto più leggero rispetto ai confronti accesi della stagione precedente. In ogni caso, la domenica a Torino ho segnato su rigore il gol numero duecentocinquanta della mia carriera in serie A. L'ultimo. Da lì in poi gioco soltanto pochi spezzoni, cinque minuti di qua, tre di là, qualche partita intera in Europa League, dove usciamo agli ottavi. Ilary me l'aveva detto, a inizio stagione: «Questa è l'ultima-ultima Francesco, e siccome un anno vola comincia a prepararti adesso, perché poi dovrai mettere un punto». Non è semplice. A giugno, firmando l'ultimo rinnovo, Pallotta mi aveva detto che sognava per me una stagione alla Kobe Bryant, un lungo addio città per città, magari organizzando alcuni eventi collaterali. Io gli avevo spiegato che l'Italia non è l'America, ma in realtà l'idea mi piaceva: peccato non aver provato a metterla in pratica. Da lì in poi l'unica volta in cui la società ha parlato del mio ritiro è stato a cinque giornate dalla fine, prima di Roma-Lazio, quando mi è stato chiesto se volevo dire qualcosa in conferenza stampa a proposito del mio ultimo derby. Ormai l'avevo capito, era ovvio, tanto che a febbraio avevo completamente mollato anche sul fronte degli allenamenti: che mi dovessi ritirare, però, l'ho saputo ufficialmente in quel modo.

Immagino che dire «È finita» a uno come me non sia la cosa più facile del mondo. Più avanti, a fine giugno, quando Ilary e io andiamo a Londra per incontrare Pallotta e mettere giù i termini del nuovo rapporto di lavoro – prima di lasciare Rosella Sensi mi aveva fatto un contratto da dirigente, che ovviamente andava messo a punto con la proprietà in carica il giorno del mio ritiro – troviamo all'incontro anche Franco Baldini. Ciò che ci diciamo è come l'ultima pagina di un romanzo giallo. La rivelazione dell'assassino. E poi il modo per ripartire.

«Sono stato io, Francesco.»

«A fare cosa, Franco?»

«A farti ritirare.»

«...»

«Ho voluto e sostenuto Spalletti perché sapevo che la pensava come me. Anni fa ti dissi che volevo venderti, ma ogni allenatore che contattavo mi chiedeva la garanzia della tua presenza.»

«Me lo ricordo.»

«Spalletti non me l'ha chiesta, anzi. Del resto sappiamo tutti che in queste ultime stagioni la tua presenza è stata un peso per la Roma.»

«E i milioni guadagnati con le mie magliette? E il cachet delle amichevoli, che cambiava a seconda che io ci fossi o no?»

«Questo è vero. Ma vedrai che dalla prossima stagione la Roma, liberata da una presenza così ingombrante, e per la quale naturalmente nutre una profonda gratitudine, aprirà un nuovo capitolo della sua storia. Un capitolo felice, e tu ci sarai comunque.»

«Vorrei fare il vicepresidente. Non perché tenga particolarmente alle cariche, ma a Trigoria vorrei essere il più alto in grado.»

«Non ti serve, Francesco.»

«Perché?»

«Tu sei Totti, e lo sarai per sempre. La gente ascolta te, crede a te, vuole bene a te. Noi dirigenti siamo percepiti come noiosi passacarte, la Roma vera sei tu. Ed è sempre come Totti che potrai ricominciare a renderti utile.»

19

Speravo de mori' prima

L'ultima partita della mia carriera è un concetto troppo grande per riuscire a razionalizzarlo. Cercando di non pensarci lo tengo lì, sullo sfondo, per un mese buono. Ma si avvicina.

A quattro giornate dalla fine Spalletti mi infligge l'ultima umiliazione, perché ci terrei a salutare in campo San Siro, uno stadio mitico che mi ha sempre trattato con rispetto e ammirazione. So che i tifosi del Milan hanno anche preparato una coreografia per me – e questo è un onore enorme, in genere se hai proprio stima per un avversario storico, lo applaudi – e quando El Shaarawy a dieci minuti dalla fine segna il 3-1 per noi, immagino che l'ultima sostituzione spetterà a me. Invece, all'84', Spalletti chiama Bruno Peres e mette lui, al posto di Džeko. «Temevo le loro ripartenze» risponderà il tecnico alle domande scandalizzate di molti giornalisti, che avvertono uno sfregio in quel cambio mancato. Come se non bastasse, in quegli ultimi e ininfluenti minuti guadagniamo anche un calcio di rigore. Lo tira Daniele, ma se fossi stato in campo sarebbe toccato a me: chiudere a San Siro con l'ultimo gol della carriera, pensa che bella storia.

Sempre lanciati verso il secondo posto, che vale l'accesso diretto alla Champions, alla trentaseiesima giornata battiamo 3-1 la Juve all'Olimpico, rimandando la sua festa scudetto e tenendo a distanza il Napoli, che ormai non lascia più punti da nessuna parte. Entro al 93', un minuto buono per andare da Buffon a salutarlo, ma in campo. Sono piccole cose, però in quel momento mi sembrano importanti. La settimana successiva vinciamo con un po' di affanno a Verona, e allora resta solo la gara casalinga col Genoa. La Roma deve fare gli ultimi tre punti per andare in Champions senza preliminare, sarebbe un ottimo risultato. Eppure in città non ne parla nessuno: Roma-Genoa vedrà l'Olimpico esaurito per tutt'altro motivo.

Che sia una settimana speciale lo capisco anche dal fatto che Spalletti cerca il confronto. Viene da me usando atteggiamenti che appartenevano al suo primo ciclo, quando mi ci ero trovato bene. Ma deve affrontare la mia freddezza, il clima dell'ultimo anno e mezzo non può venire dimenticato.

«Francesco, troviamo insieme un bel modo per farti giocare quest'ultima partita.»

«Cos'ha in mente, mister?»

«Dimmelo tu. Vuoi giocare dall'inizio?»

«Mmh, non mi piace... Se poi non vinciamo è colpa mia.»

«Ma figurati.»

«Mister, faccia come sempre quest'anno. Pensi al bene della squadra, la protegga da me. Se poi all'ultimo minuto stiamo vincendo 4-0, allora entro e saluto tutti.»

«Ecco, lo sapevo che con te non si può ragionare...»

Sono risentito, è normale. Però lo sto ad ascoltare, per un'ora buona, perché mi chiede cosa abbia intenzione di fare adesso, e capisco che in ogni caso non lo riguarderà perché ha deciso di andarsene. Vito sostiene che i grandi campioni abbiano bisogno di qualcuno che dica loro «È finita», perché altrimenti continuerebbero in eterno: non ci rendiamo conto del passare del tempo. Spalletti è stato per me quel qualcuno, ma ha finito per pagare anche lui, a livello di stress, il modo in cui l'ha fatto. Lo dice lui stesso in tv: potesse tornare indietro, non accetterebbe il secondo giro alla Roma. Chiudiamo la lunga discussione accordandoci su un impiego nella ripresa, il tempo lo deciderà lui anche in base a come si sarà messa la partita. Ho quarant'anni e otto mesi, da febbraio non mi alleno più con lo scrupolo necessario, non devo dimenticare che la Roma domenica si gioca parecchio.

È una settimana complicata. Intanto per reperire tutti i biglietti che mi vengono chiesti: ne ho sempre procurati molti, ma in situazioni normali amici e conoscenti si accontentavano di due o tre tagliandi. Stavolta invece ne hanno bisogno a pacchi, dieci-quindici ciascuno, perché nessuno vuole perdersi il mio addio e chi mi è vicino – nel senso che può arrivare a me – è letteralmente assediato di richieste. Non vorrei pensarci troppo, a domenica; ma è impossibile. Chiunque incontri mi dice «Non ci credo, tu non puoi ritirarti», che ovviamente è una formula di cortesia, ma cosparge di sale una ferita aperta. Perché ancora in quei giorni la parte più intima, più profonda di me non vorrebbe lasciare. Ilary, che lo sa, cerca di tenermi impegnato con i preparativi della cerimonia – sarà giusto chiamarla così? Mica è una festa... – e la logistica della giornata. Da buon amico qual è, Walter Veltroni mi spedisce il canovaccio di una lettera piena di poesia e di ricordi, ma mi sembra troppo impegnativa. «Devi scriverla tu, io ti posso aiutare» giudica Ilary, e ci piazziamo sul lettone per mettere assieme i pensieri più importanti. Ogni tanto mi blocco, perché ho un nodo alla gola. «Non piangere, eh!» si raccomanda con la consueta decisione. Non piango. Oppure piango solo un po', provando a fare in modo che non se ne accorga. Ho l'allergia. Ho il raffreddore. Un moscerino nell'occhio. L'ultima lettera che ho scritto è stata per lei, un messaggio d'amore in vista del matrimonio. Le dico che mi sto commuovendo per quel ricordo, e forse mi crede.

Ma sarò in grado di leggere questa lettera davanti a ottantamila persone? Il dubbio mi viene improvviso perché in fondo io, davanti a una simile folla, sono abituato a giocare a calcio, mica a parlare. Naturalmente mi è successo in diverse occasioni di dire qualcosa in pubblico, ma non a *questo* pubblico. E se non riuscissi ad andare avanti? Ilary ha un'idea. «Se tu ti blocchi, vanno avanti i ragazzi. Una specie di passaggio del testimone, come in una staffetta.» Cristian agita subito la mano, vigorosamente, non ci pensate neanche. Chanel invece è più che disponibile. Desiderosa. Fosse per lei, la leggerebbe direttamente al posto mio. Mettiamo giù anche con Vito gli aspetti salienti del pomeriggio. Ci sono momenti in cui mi sembra di organizzare il ritiro di qualcun altro, e altri in cui devo farmi forza per raffreddare l'ansia che cresce. Però non riesco a concentrarmi su nulla per più di cinque minuti: un programma tv, una telefonata, il computer. Cerco di distrarmi andando a cercare su YouTube gli addii dei grandi giocatori inglesi moderni: Beckham, Gerrard, Terry. Ecco, quei video li vedo tutti, anche in cerca di ispirazione. Non provo dolore, per quel che sta per succedere. La giusta definizione dello stato emotivo in cui mi trovo è malinconia.

Sabato sera. Ceniamo a casa, in cucina, e noto che Cristian e Chanel, invece di essere in pigiama come al solito a quest'ora, sono vestiti per uscire. Sembrano anche in fermento, la tata di Isabel è ancora in giro, tutte stranezze sulle quali però non indago. Ho un magone grosso così che mi opprime. Finito di mangiare mi piazzo sul divano a guardare una partita, all'intervallo sono ancora tutti svegli e arzilli. «Be'? Perché non andate a dormire?» Prima di ricevere risposta noto con la coda dell'occhio un movimento nel monitor di sorveglianza del cortile esterno. È entrato un motorino. È raro, a quest'ora. Lo dico a Ilary, che come sempre minimizza: «Andrà dal vicino». Mah. Resto davanti allo schermo, e nel giro di pochi minuti entra un secondo motorino, poi un terzo, alla fine sono una decina. «Ilary, chiama la guardia, questa è una banda!» Lei va di là, dove ha lasciato il telefono (e dove non la posso vedere) e due minuti dopo torna con un'espressione canzonatoria dipinta in viso, «C'è una festa dal vicino, stai tranquillo, mamma quanto sei stressato». Un attimo di silenzio, non so bene cosa risponderle. Lei non se lo lascia scappare: «Senti, andiamo a prenderci tutti un gelato all'Eur che magari ti calmi un po', eh?». Cristian soffoca una risata. Domani mi ritiro, e qui mi stanno pigliando in giro.

Prendiamo i nostri, di motorini. Cristian sale con me perché ha paura di andare con sua madre, glielo dico sempre che Ilary non lo sa portare. Si apre il cancello che dà sul cortile esterno... e la carovana che avevo visto nel monitor di sorveglianza è lì ad attenderci. Clacson, applausi, battute, allegria. Tutti gli amici più cari sono schierati con il casco in mano. Guardo Ilary. «Tanto stanotte non dormiresti. Andiamo a farci un giro per Roma» mi fa. Sorpreso. Contento. Eccitato dove qualche minuto prima ero triste. Amo questa donna.

È una calda serata di fine maggio, il periodo dell'anno nel quale lo splendore di Roma raggiunge il suo apice. Non mi nego nulla. Guido la comitiva lungo la Cristoforo Colombo, deviamo verso

Testaccio perché ho saputo che i tifosi hanno messo un adesivo alla targa di piazza Santa Maria Liberatrice, e non posso non farmi scattare una foto sotto la nuova iscrizione "Piazza Francesco Totti, ottavo re di Roma". Una meraviglia. Da lì proseguiamo sul Lungotevere, e quando siamo all'altezza del centro ci buttiamo dentro, perché mi è salita una voglia di vedere dopo tanti anni piazza Navona che non sto nella pelle. Stupenda. La giriamo due o tre volte, non ne ho abbastanza ma dobbiamo andare perché la gente mi ha riconosciuto (eppure ho il casco, chissà come fa) e a quell'ora di sera – saranno le undici – c'è ancora un discreto assembramento. Percorriamo via del Corso, altro luogo che mi mancava da tempo, e andiamo a prendere un gelato sulla terrazza del Pincio, sopra piazza del Popolo. A me e a Ilary lo portano gli amici, così per un po' possiamo restarcene in disparte, su una panchina, a guardare i tetti di Roma illuminata, ed è un momento perfetto. Racconto a tutti della lettera che ho preparato, sono entusiasti all'idea di ascoltarla all'Olimpico. Poi altri giri, altri scatti col semaforo ancora rosso perché la gente in macchina mi riconosce, altri panorami, altre bellezze, e tutte grandi. Quando rientriamo a casa sono le quattro del mattino, e nell'intero arco della notte non ho provato smarrimento pensando al fatto che l'indomani mi ritirerò dal calcio. Anzi, mi è sembrato di rivivere la notte dello scudetto. Sono perfino stanco. Mi addormento subito, come un angioletto.

Domenica mattina. Vado a Trigoria a fare colazione, come sempre, ma che l'occasione è speciale me lo ricordano i crocchi di ragazzi sulla strada e accanto al cancello del centro sportivo. La partita è importantissima, ma i loro cori non sono i consueti incitamenti alla vittoria. Stavolta riguardano solo me. A Trigoria indugio a lungo, cercando di non farmi notare, sugli sguardi che mi lanciano i compagni. Li vedo tristi ma insieme emozionati all'idea dello spettacolo dello stadio pieno, così raro ormai. Si aspettano tutti un pomeriggio di grandi lacrime, ma di quelle dolci, positive, affettuose. «Pensa che giornata sarà» mi dicono alcuni. «Il tuo addio al calcio, e capita all'Olimpico: immagina la sfiga se l'ultima partita fosse stata in trasferta.» Non ci avevo pensato, ma è così.

Giochiamo alle sei. Dopo mangiato c'è la riunione tecnica, seguo distrattamente la breve analisi video degli schemi del Genoa su calcio piazzato. Il nervosismo sta montando. Da quando mi sono svegliato è stata tutta una sequela di "l'ultima volta che faccio questo, l'ultima volta che faccio quello", ma adesso che si avvicina l'ora della partenza in pullman per lo stadio – un'altra ultima volta, e di quelle potenti – non riesco a stare fermo. Prima della riunione ha chiamato mia madre: «Non vengo, non posso farcela. Goditi la serata, io piangerò davanti alla tv». Sono rimasto tutta la vita a Roma per te, mamma. Innanzitutto per te. Se stasera la gente traboccherà affetto da tutti i pori, come immagino, sarà anche per merito tuo.

Vito mi chiama quando mi sto rivestendo dalla

doccia. «Ci sono un paio di ragazzi che vorrebbero fare una foto.» Arrivo, arrivo, ma rapidi che il pullman parte. Pure oggi i selfie, eh? Magari si poteva evitare… Esco nel piazzale, c'è un pullman. Mi monta una rabbia irrefrenabile. «Ahó, ma c'avrà cinquanta posti! Devo fa' 'na foto co' tutti? Te sei matto.» Vito non risponde. Sorride. All'interno del pullman gli occupanti scattano in piedi nello stesso momento, erano chinati sui sedili per non farsi vedere. Ilary compare davanti, sugli scalini dell'uscita, e basta un rapido sguardo d'assieme per capire che lì dentro ci sono tutte le persone a me care. Cantano, ballano e mostrano la loro "divisa", una t-shirt bianca con la scritta "6 unico". Brillante citazione. Non so cosa dire. «Sul numero ci hai quasi preso» mi dice Vito, «perché sono quarantotto. Poveracci, guarda come sono sudati: è dall'ora di pranzo che ti stanno aspettando qui fuori al sole.» Un bacio e un abbraccio a tutti, ad Angelo, a Giancarlo e Giancarlo, a Bambino, a Silvia e Melory. Il sostegno più importante è arrivato, adesso devo farcela da solo.

Sulla strada per lo stadio spengo la telecamera puntata su di me in vista di un futuro documentario. De Rossi e Florenzi mi si sono seduti dietro e appena mi distraggo fanno le boccacce, maledetti. Se ne approfittano adesso, perché al momento giusto si scioglieranno. Daniele me l'ha detto: «Verrò a consegnarti il regalo della squadra, ma tu non pensare neanche lontanamente di farmi dire qualcosa. Dall'emozione non riuscirò nemmeno a guardarti in faccia, è giusto che tu lo sappia». Arrivando allo stadio penso di avere la febbre, perché qualche lungo brivido gelato mi percorre la schiena, eppure fa molto caldo. Il tragitto dal pullman allo spogliatoio, mai così spezzato: mi fermano tutti, gente che conosco e gente mai vista, ho l'impressione che qualcuno si sia "venduto" qualche posto in prima fila perché anche certe zone vietate ai non addetti sono piene di facce sconosciute, e visibilmente eccitate. Quando i fotografi mi chiedono un giro di campo preventivo per scattare qualche bella immagine dei saluti, dico di sì volentieri: lo spogliatoio è troppo affollato.

La partita è strana. Segna subito il loro ragazzino, Pellegri, per fortuna Džeko pareggia altrettanto in fretta. La Roma ovviamente comanda, costruisce le sue occasioni ma non riesce a sfondare. Si va all'intervallo sull'1-1, mentre il Napoli, in casa della Samp, vince già 2-0. Lo sapevamo, ma questa è la conferma: non c'è un'altra possibilità, se vogliamo chiudere al secondo posto dobbiamo vincere. Rientrando negli spogliatoi Spalletti mi invita a iniziare il riscaldamento.

È in quel momento che avverto con chiarezza un rumore diverso dal solito dell'Olimpico. Una specie di lungo rombo, come di un motore potentissimo in arrivo da molto lontano, e che quindi cresce lentamente nei decibel, e che quando sarà qui avrà un effetto fragoroso. Nel giro di campo prima dell'inizio ho visto che ovunque la gente ha esposto bandiere e striscioni a me dedicati, un prologo di quello che – immagino – avverrà dopo il 90'. Poi, però, il pathos della partita ha preso il sopravvento in una sorta di libera uscita concordata: si sa che entrerò nel secondo tempo, finché non succede ci si può concentrare sulle sorti della Roma. Vedermi corricchiare a bordo campo riporta l'attenzione di tutti sul motivo per il quale sono lì. A costo di sembrare egocentrico, devo dire che in quel momento la percezione è totalizzante. Quasi paralizzante, perché quando Spalletti mi chiama per farmi entrare al posto di Salah – per inciso, il congedo dalla Roma di un campione per il quale, l'anno seguente, si sarebbe parlato di Pallone d'Oro – le gambe mi tremano. Se fossimo a Brescia in marzo anziché a Roma a fine maggio, sono certo che nel tentativo di fare presto i pantaloni della tuta mi si impiglierebbero negli scarpini come quel pomeriggio del 1993. Sarebbe la perfetta chiusura del cerchio fra la prima partita in serie A e la numero seicentodiciannove, quella che Tagliavento mi invita a iniziare facendomi segno di entrare. È il 9' della ripresa: stavolta Spalletti mi dà molti minuti, e soprattutto mi schiera a risultato non ancora acquisito.

Fisicamente sono giù, lo sapevo e il campo me ne dà la conferma. Di conseguenza gioco al volo, sfruttando la mia tecnica: libero Strootman al tiro dalla distanza appena fuori e poi, a centroarea, col mio movimento detto a Džeko una facile sponda di testa. Sto per colpirla col destro quando De Rossi, che quel giorno è una furia, entra di sinistro con una decisione tre volte più forte della mia. Devo addirittura alzare la gamba, altrimenti rischierebbe di colpirla: è il gol del 2-1, che sembra allontanare le ombre dal nostro campo. Ma qualche minuto dopo Lazović, approfittando di un'uscita fuori tempo di Szczęsny, riporta il punteggio sul 2-2, e nell'azione di contropiede successiva ancora Lazović colpisce il palo. Panico. La gente è lì per me, ma perché la giornata risulti pienamente riuscita la vittoria è indispensabile. Da trenta metri metto un pallone sulla testa di El Shaarawy, che però manda alto. Ormai si gioca fissi nella metà campo genoana, e il premio arriva al 90': torre di Džeko e gran tiro al volo di Perotti da pochi passi, 3-2 e tutti impazziti. Diego ha saltato un paio di tabelloni pubblicitari ed è corso sotto alla Sud, io sono fra gli ultimi a raggiungerlo, anche perché scavalco tutto con lentezza, non vorrei farmi male adesso. La paura è quasi passata. Quasi. Tagliavento segnala un recupero di cinque minuti, e intanto ammonisce Perotti per eccesso di felicità.

Cinque minuti. Ecco, la valanga mi viene addosso qui. Finché la Roma inseguiva un risultato, la mente era concentrata su altro. Ora che quel risultato è raggiunto, e la missione è di "perdere" cinque minuti, la situazione mi appare all'improvviso nella sua enormità. E nel suo paradosso: devo *perdere* gli ultimi cinque minuti della mia carriera. Io, che se potessi di minuti ne giocherei altri cinquemila. Il pensiero mi tormenta finché mi ritrovo, chissà come, sulla bandierina del corner, pronto a battere con Laxalt davanti. Colpisco il pallone, e in quell'istante Tagliavento fischia tre volte. È finita. Un paio di genoani mi vengono incontro per abbracciarmi per primi, Laxalt lo fa dopo, come se solo in quel momento gli fosse venuto in mente di aver fatto parte di una scena più grande di lui.

È finita. Sento allargarsi dentro di me un buco enorme, una voragine da togliere il respiro. Faccio brevemente festa con i compagni perché comunque abbiamo raggiunto il nostro obiettivo, e questa è una grande cosa, ma poi ho fretta di guadagnare lo spogliatoio. Mi ero ripromesso questo: se senti di perdere il controllo emotivo, affidati alla scaletta che hai imparato a memoria. Quindi a quel punto devo sparire a cambiarmi, mentre gli altri restano in campo, il presidente scende dalla tribuna e la scenografia può essere allestita.

Il primo momento durissimo è questo. Nello spogliatoio vuoto, dove i rumori dello stadio sono un brusio distante, ci siamo io, Vito e i nostri cinque magazzinieri. Che sono persone fondamentali, malate di me da una vita, anzi da più di una vita perché prima c'erano i loro padri, a ribadire questa straordinaria storia familiare che è la Roma. Pensate a Giannini, il cui papà era dirigente delle giovanili. Pensate a De Rossi, il cui papà è allenatore della Primavera. Pensate a Bruno Conti e ai rapporti che vi ho raccontato con suo figlio Daniele. Ecco, i cinque magazzinieri cominciano a piangere come vitelli e io devo mettermi a urlare – con la voce spezzata dalle prime lacrime – «Nun ce provate», «Se iniziamo così famo notte» e tutte le scemenze che mi vengono in testa per bloccare la deriva. Si voltano loro per non guardarmi, mi volto io per non vederli, Vito mi racconterà di aver sfiorato lo svenimento in quel preciso istante, quando, dandogli le spalle, mi sono tolto la maglia. Ha pensato che quella era l'ultima maglia della Roma che mi sfilavo, l'ultima intrisa del mio sudore, e si è sentito mancare la terra sotto i piedi. Una coltellata. Io vacillo un attimo dopo, togliendomi gli scarpini. Allora affretto le operazioni ed esco dallo spogliatoio. Mi siedo sui gradini che ci sono lì fuori, e aspetto che arrivi il momento di entrare in scena. Passano molti minuti, una ventina, ci sono fotografie che mostrano il mio sguardo fisso nel vuoto. In realtà penso: non al futuro, ma al passato. Penso e rivivo vittorie, sconfitte, infortuni. La privazione è lancinante. Una mutilazione. Quando mi fanno cenno che è ora – tutto è pronto e lo stadio mi aspetta – mi avvio verso l'uscita dei Distinti Sud pensando a quanto sarebbe bello se Pallotta mi stesse aspettando con un nuovo contratto in mano, e dicesse che è stato tutto un enorme scherzo. Ma è una sciocchezza che mi balena in mente per pochi istanti. So benissimo che è finita, e basta. Esco alla luce, e il boato dell'Olimpico è quello dello scudetto. Sono tutti in piedi ad applaudire. Nell'aria galleggia la musica del *Gladiatore*.

Ho rivisto molte volte le immagini di quei momenti. Continuo a farlo ancora oggi, e ogni visione mi regala un particolare nuovo, uno striscione che non avevo notato, una faccia che mi comunica emozioni ad altissima intensità. Ciò che succede all'Olimpico quel pomeriggio non ha precedenti, perché migliaia e migliaia di persone piangono come se fosse morto loro un parente carissimo, interpretando il mio ritiro dal calcio come l'addio a una parte importante della loro vita. Senza ipocrisie, sapevo che sarebbe stata una cerimonia speciale, in bilico fra la festa di laurea e il lutto cittadino. Ma così, no. La quantità di affetto e riconoscenza che mi viene rovesciata addosso è talmente enorme da riportarmi alla solita domanda, ho fatto abbastanza per meritarmela? Posso rispondere in un modo solo: io amo questa gente, dal profondo del cuore, e tutto ciò che ho fatto ha avuto una sola finalità, sentirla ruggire di gioia e di orgoglio nel momento in cui la Roma segnava un gol. Sono una persona semplice e disponibile, non dico quasi mai di no, e a volte soffro per come il troppo amore popolare in ultima analisi mi neghi il piacere di godermi la mia città. Ma rifarei tutto, senza il minimo dubbio, pur di risentirmi oggetto di una passione così esagerata. Lo striscione più famoso di quel giorno, "Speravo de mori' prima", fa molto ridere ma fa anche pensare: sia pure per gioco, e con quell'umorismo un po' amaro tipicamente romano, chi l'ha scritto ha messo il dolore per il mio ritiro davanti a quello per la sua stessa morte... Non riesco ancora a rendermene conto.

Pallotta è il primo a venirmi incontro, mi abbraccia, mi parla a lungo nell'orecchio in inglese, non capisco quasi niente ma è il tono a importare, ed è affettuoso e rispettoso. La gente lo fischia e sinceramente mi dispiace, come mi dispiace che arrivino dei sibili anche quando vado a salutare gli altri dirigenti. È finita, lo deve capire anche chi mi ama. Il secondo momento durissimo arriva con Ilary e i nostri figli sul prato. È una condizione che ho posto, durante il giro di campo voglio accanto solo la mia famiglia. Ma quando i ragazzi mi corrono incontro, le difese che avevo eretto per non commuovermi vengono giù di schianto. Restiamo abbracciati a lungo, molto a lungo. Si vede che avevo bisogno di un piccolo sfogo, perché da quelle lacrime in poi mi sento abbastanza rinfrancato. Prendo in braccio Isabel e cominciamo il giro.

Piangono proprio tutti. Chi compostamente, chi squassato dai singhiozzi, tante coppie piangono abbracciate, c'è persino chi si gira perché non riesce a guardarmi, non trova la forza. Non è soltanto un momento indimenticabile. Molto di più. Lentamente passo sotto la Curva Nord, ogni tanto mi inchino perché è l'unica maniera di rendere a mia volta omaggio a un affetto così esorbitante. Vi amo. Vi amo tutti, uno per uno. Quando arrivo sotto la Tevere mi fermo, appoggiato a un cartellone, e cerco con lo sguardo – perché so che sono lì – i vecchi tifosi della Curva Sud, quelli che un quarto di secolo prima mi avevano tenuto a battesimo, e fin da subito eletto a beniamino, sostenendomi e difendendomi. Sono ricordi che in quel momento bruciano, mi metto una mano fra i capelli, mi commuovo ancora e deve arrivare Vito a portarmi via, al solito con dolcezza e decisione insieme, perché altrimenti resterei chissà quanto nell'occhio di quel ciclone di emozioni. Ogni tanto spazzolo con una mano la testa bionda di Cristian, come a cercare energia giovane. Ce ne vuole tanta, per il giro di campo – anzi, di pista – più faticoso della mia carriera. Che diventa un Everest una volta davanti alla Sud.

Il programma è di calciarci un pallone, ma ce n'era uno più pazzo, se il destino me ne avesse dato l'opportunità: se in quell'ultima domenica avessi avuto a disposizione un calcio di rigore – diciamo a risultato acquisito – l'avrei tirato direttamente in curva, una specie di regalo estremo alla mia gente. Quella del risultato acquisito era una condizione che avevo promesso ai pochissimi che sapevano, in realtà avrei avuto voglia di farlo comunque... a partire da un gol di vantaggio. Ecco, sì, non esageriamo. In ogni caso il rigore non c'è stato, e il pallone che devo regalare alla curva è questo che mi sta porgendo Vito, assieme a un pennarello. Ci scrivo "Mi mancherai", lo firmo e, prima di calciarlo lontano, l'osservo a lungo, riluttante a separarmene. Mi pare tutto simbolico, e l'ultimo tiro ha una valenza elettrica. Poi mi decido. Mezzo giro per prendere slancio, e collo esterno destro in curva, per spedirlo nei settori più alti. Vedo una bella mischia lì dove atterra, e per un attimo mi chiedo chi se lo porterà a casa. Lo scoprirò presto, appena un paio di giorni dopo, perché il ragazzo che è riuscito a catturarlo verrà a Trigoria per farmelo sapere, mostrando anche il video – ripreso dal suo cellulare – nel quale si vede il pallone partire e volare sempre più vicino fino ad atterrare sullo schermo dello smartphone. Sì, l'ho colpito facendolo cadere, e il risultato è che si è rotto il vetro; ma da quel che mi racconta il ragazzo, non ci sono problemi di rimborso. «Mi hanno già offerto centomila euro per quel pallone, ma non lo darei via nemmeno per dieci milioni.» Ma dai, mica è una reliquia.

Tornato sotto la tribuna d'onore trovo la squadra schierata. De Rossi è l'ultimo della fila, ne esce per portarmi il regalo e, come promesso, guarda platealmente a terra perché non ha la forza di fissarmi negli occhi. Se la cava accarezzando Cristian ma poi, quando mi porge il piatto-targa con le firme di tutti i compagni, io lo abbraccio e lui si scioglie. Torna al suo posto, io inizio i ringraziamenti andando all'altro capo della fila. Dove mi aspetta Spalletti. Rompo gli indugi andando a stringergli la mano senza che i nostri sguardi si incrocino. Durante il mio giro le telecamere l'hanno inquadrato un paio di volte, e lo stadio l'ha fischiato con veemenza; so che in seguito avrà un'accesa discussione con un giornalista di Sky, pensando che fosse lui a dettare le inquadrature. Inizio a risalire la fila da Fazio, mi fermo ad abbracciare Emerson Palmieri perché ha le stampelle, e gli dico «Mi raccomando». È un bravo ragazzo, ci tengo che torni forte. Abbraccio anche Lobonț, il vecchio

Lobonț, mio compagno di rieducazione, un ragazzo eccezionale. In tanti piangono, Alisson mi dice «Grazie» e ha il volto rosso come un peperone, nemmeno un duro come Manōlas trattiene le lacrime, finché arrivo in coda, dove mi aspettano i compagni a me più vicini per varie ragioni. Radja Nainggolan non è tipo da fazzoletti, ma non nasconde la sua commozione. Florenzi è distrutto dalle lacrime. De Rossi, be'... me l'aveva detto. Nemmeno stavolta mi guarda. Quanto ci vogliamo bene, Daniele.

Mi consegnano il microfono, mentre dall'Olimpico sale il coro «Un capitano, c'è solo un capitano» che ho voluto richiamare nel titolo di questo libro, perché è quello al quale sono più affezionato. Quello che a un certo punto di ogni partita mi ha richiamato al mio ruolo, ai suoi privilegi e alle sue responsabilità, dovunque giocassi, in Italia o in Europa.

Leggo la lettera preparata con Ilary interrompendomi spesso, ma non per la commozione, piuttosto per dare un ritmo. Ormai sono abbastanza freddo, com'è necessario che sia visto il calore dei concetti che ho scritto. Ce n'è uno in particolare che voglio esprimere, quello della paura di cosa succederà ora che non potrò più far lavorare i miei piedi. Mi è stata perdonata qualsiasi cosa, grazie a loro. Ho avuto confidenza con persone incredibili, grazie a loro. Ho attraversato venticinque anni meravigliosi, grazie a loro, perché sono entrato nello spogliatoio della Roma che ero un bambino, e ne esco oggi che sono un uomo. Ricordo a tutti che nascere romano e romanista è un privilegio, e che aver fatto da capitano alla mia gente per tanti anni è stato un grandissimo onore. Ora si piange con minore intensità, il megaschermo continua a inquadrare tifosi molto provati, ma da alcuni primi piani noto sulle guance scie salate già asciutte. È il momento di razionalizzare quanto successo, per tutti. Di ricordare un'ultima volta la nostra gloria – e il richiamo al giorno dei giorni, quello dello scudetto, è doveroso – e cominciare a pensare a quello che verrà. Ma nel clima che si respira all'Olimpico ci sono, bene avvertibili, le vite di tutti noi che siamo lì. Le vite vere, profonde, l'umanità che c'è in loro. Tutto ciò che ci unisce è figlio della nostra umanità. A proposito di figlio: in molti avrebbero voluto che, sfilata la fascia da capitano, la legassi poi al braccio di Cristian. Non ci ho mai pensato, non voglio mettergli addosso né ipoteche né pressioni. Il calcio lo diverte moltissimo e ci gioca anche benino, ma sarà lui, al momento giusto e in base alle capacità che avrà sviluppato, a decidere della sua vita. E trovo che questa libertà sia il regalo più grande che un padre possa fare ai suoi figli. La fascia quindi finisce sul braccio di Mattia, il capitano degli Esordienti, classe 2006, quella del mio titolo mondiale. Se la lega al braccio stretta stretta, facendole fare due giri, perché è terrorizzato all'idea di perderla. So che oggi, quando gioca sui vari campi della città, in molti lo indicano: «È quello che ha ricevuto la fascia da Totti». Spero di non avergli creato un problema, ma se è un capitano vuol dire che ha già la sua giovane personalità. La dote fondamentale, se vuoi portare la fascia.

Il resto sono i compagni che mi lanciano in aria – e io abbozzo, perché questo tipo di festeggiamento mi ha sempre fatto paura –, l'ultima doccia con loro, miliardi di fotografie in campo e fuori, perché ciascuno ha un parente che «Non può assolutamente perdersi quest'occasione», e i commenti su quanto si è appena visto all'Olimpico mentre stiamo tornando a Trigoria, dove ho lasciato la macchina. Sono molto calmo, adesso. Avevo paura di quest'appuntamento, temevo succedesse qualcosa in grado di rovinarlo, e invece è filato tutto liscio. Mi sento bene, ma vuoto. L'inquietudine, adesso, riguarda il dopo. La mia vita scorre sempre uguale da venticinque anni, non sarà semplice trovare nuovi ritmi, nuove cose che mi appassionino. Ma ci penserò domani, adesso voglio solo andare a casa. Ilary, invece, ha un'idea diversa: «Andiamo da Claudio, non è una serata da passare sul divano questa».

«Vabbe', ma avremmo dovuto avvertirlo. Sarà chiuso, adesso.»

«Proviamoci.»

Arriviamo alla Piramide, da lontano vedo che l'insegna è spenta, come le luci del ristorante. Mi sale un po' di malumore. Bastava una telefonata.

«Andiamo a vedere meglio, dai.» Ripensando al giro notturno per Roma della scorsa notte, intuisco che anche qui c'è qualcosa di segretamente organizzato. Ma è giusto dare soddisfazione a Ilary, perciò fingo di non aver capito. «Se proprio vuoi andiamo, ma io vedo tutto chiuso.» Ci avviciniamo alla Villetta con fare circospetto, dentro è tutto buio e silenzio. Lei prova la maniglia, che "stranamente" va giù. È il segnale. Le luci si accendono, la gente sbuca dietro ai tavoli, sono amici e parenti in numero allargato rispetto al pullman di Trigoria, centocinquanta persone con la stessa maglietta, l'ormai proverbiale "6 unico". È una bella serata piena di canti e perfino balli, perché a un certo punto Claudio libera i tavoli e non ci par vero di salirci sopra: si ride, si scherza, si parla ancora del pomeriggio all'Olimpico, si brinda per mille cose, soprattutto si tiene alto il volume accanto alle mie orecchie per impedire che il silenzio e la solitudine mi inducano a pensare. E a intristirmi.

Torniamo a casa alle due e mezza, Cristian e Chanel sono distrutti dal sonno, il cancello scorre sui suoi binari e Ilary nota subito le luci accese in cucina. Che succede? La faccio scendere prima di portare la macchina in garage, e quando entro in casa – due minuti dopo – l'agitazione è massima. Isabel fatica a respirare, il trambusto delle tate nasce da lì. Che facciamo? Ilary chiama sua madre, che abita accanto a noi, e insieme partono per il pronto soccorso del Bambino Gesù. Io metto a letto gli altri due e mi piazzo sul divano in attesa di notizie. L'angoscia è tale che improvvisamente ho dimenticato tutto, la giornata, i mesi precedenti, la mia carriera: l'emergenza di Isabel prevale su ogni cosa, o meglio lo spostamento del riflettore su di lei toglie luce a tutte le mie storie, che sono durate anche troppo. Voglio solo che lei stia bene, è l'unica cosa che chiedo, e il sospiro di sollievo che tiro quando Ilary, con un sms, mi segnala che sta reagendo bene alle cure, l'avranno sentito in tutta Italia. Altri due messaggi e il quadro si chiarisce, il medico ha detto che si tratta di un laringospasmo – un ingrossamento delle corde vocali che rende difficoltosa la respirazione – dovuto a qualche allergia o virus. Quando realizza che è mia figlia, e che quindi ha passato il pomeriggio a rotolarsi sul prato dell'Olimpico, dice che l'ha preso sicuramente lì. Nulla che un antibiotico non possa guarire.

Naturalmente non c'è alcuna connessione – se non appunto la presenza sul prato – fra il mio ritiro e lo choc che ha preso Isabel. Ora che sono più tranquillo, però, non posso fare a meno di pensare che la vita vera mi abbia inviato subito un segnale di festa finita: Francesco, ti sei divertito abbastanza. Alle sette del mattino Ilary rientra con Isabel, che dorme serena. La giornata più lunga della mia vita può dirsi finalmente conclusa.

Tre mesi di vacanza, all'interno dei quali c'è l'incontro a Londra con Pallotta e Baldini di cui vi ho già detto, e riparto cercando di rubare il mestiere a Monchi, il nuovo direttore sportivo, uno spagnolo che a Siviglia ha fatto grandi cose e che fin dal primo momento ha mostrato garbo e piacere nel condividere con me il suo lavoro. La Roma in questi anni è diventata un club molto solido, non più esposto alle turbolenze finanziarie diventate così normali nell'ambiente, e quando giro il mondo per rappresentarla – per esempio ai sorteggi di Champions – il rispetto generale si sente. Per la società, e ovviamente per me. Una volta concluso l'apprendistato, credo che il ruolo migliore per me sarà nell'area tecnica, a contatto con l'allenatore e la squadra, perché so bene di cosa abbiano bisogno per rendere al massimo. E poi, lasciatemi dire che i campioni io li riconosco al volo, o comunque prima degli altri. Mi basta vedere uno stop, un tiro o un dribbling per sapere quanto calcio ci sia dentro un ragazzo. Se il suo talento oltrepassa una certa soglia, in qualche modo riesce a comunicare con il mio. È una specie di magia.

Sono molto determinato a incidere anche in questa nuova carriera, ma quella vecchia non sarà mai dimenticata, anche perché è in larga parte registrata, e mi basta il telecomando per organizzare un bel viaggio nel tempo. Però devo portare Cristian da un bravo oculista: l'altra sera mi ha beccato sul divano mentre riguardavo una vecchia compilation di gol, ai tempi del primo Zeman, e mi ha chiesto se stessi piangendo. Che idea. Una banale allergia. Ero raffreddato. E poi mi era appena finito un moscerino nell'occhio.

RINGRAZIAMENTI

Quando Paolo Condò mi ha proposto di scrivere assieme la storia della mia vita ho detto subito di sì perché delle sue interviste conoscevo e apprezzavo la profondità del racconto umano. A quel punto, però, dovevo fornirgli tutta la "materia prima" in mio possesso – quarant'anni di ricordi – più quella conservata nella memoria di chi mi ha accompagnato lungo questo viaggio straordinario. Ho chiesto aiuto a mamma Fiorella e papà Enzo per ricostruire gli anni dell'infanzia. Mio fratello Riccardo e mio cugino Angelo sono stati preziosi per rivivere gli episodi più divertenti dell'adolescenza. Amici impagabili come i due Giancarlo – di cognome fanno Pantano e Ciccacci – hanno tirato fuori momenti che non avevo dimenticato, ma che riposavano nella mia testa sotto un velo di polvere. Ho sorriso molte volte nel rammentare certe storie; ho ricollegato la mia parte più giovane con quella attuale del Francesco padre. Penso che Cristian e Chanel – e un giorno la piccola Isabel – rideranno molto di alcune imprese del loro papà ragazzino.

Il lavoro di recupero, naturalmente, è diventato più facile – e più dolce – dal capitolo in cui incontro Ilary, la donna che mi ha cambiato la vita pur senza essere una superesperta di calcio. Anzi, proprio per questo. Il suo amore e la sua straordinaria sensibilità le hanno sempre permesso di leggere i miei stati d'animo come persona e non come personaggio, e di darmi di conseguenza i consigli giusti nei momenti più delicati. Senza il suo sostegno non avrei retto il lungo addio al calcio giocato, ed è incredibile il modo in cui ha saputo spiegare ai ragazzi – senza farli soffrire – perché loro padre, dopo molti anni allegri e spensierati, tornasse spesso a casa col magone. Ilary è veramente il mio segreto, e ringrazio sua sorella Silvia per aver favorito all'epoca il nostro primo incontro, e per la cura con la quale mi ha gestito nel periodo in cui ho dovuto dedicare del tempo alla lavorazione del libro pur avendo molti impegni come dirigente della Roma.

Vito Scala ha travalicato da tempo i confini della mia vita sportiva: è l'amico che auguro a chiunque di avere, leale, prezioso, capace di farti ragionare con un coraggioso "no" piuttosto che mandarti a sbattere con un comodo "sì". Ci siamo incontrati che ero poco più di un bambino, abbiamo percorso assieme tutta la mia carriera da calciatore, nella Roma e in Nazionale. Parecchi ricordi "di campo" sono suoi; nel riascoltarli, a volte mi sono commosso. Le foto, poi: Luciano Rossi e suo figlio Fabio me ne hanno scattate a migliaia, e con materiale di tale qualità l'opera di selezione è stata lunga ma non difficile.

Paolo conosce bene Roma ma non è romano, e quindi ha avuto bisogno di un aiuto per cogliere fino in fondo alcuni aspetti del mio mondo: Alessio Nannini, giornalista nato e cresciuto tra i quartieri Quadraro e Capannelle, e abituato a lavorare con lui, gli ha spiegato bene gli ambienti del calcio giovanile e le aspettative che mi hanno accompagnato fin da quando ero ragazzino. Erano pure le sue, visto che tifa Roma. Ho indicato poi a Paolo e Alessio diversi "depositari" dei miei segreti, da Claudio – il padrone del ristorante La Villetta – a Vincent Candela, da Daniele Pradè a Giorgio Perinetti, da Rosella Sensi a Marcello Lippi. Ringrazio ciascuno di loro per la disponibilità a ricordare, e anche per il piacere di farlo.

Mi sono sentito molto lusingato dalla determinazione con la quale Rizzoli ha voluto la mia storia. Mi ha fatto sentire davvero importante, e ha dedicato alla realizzazione del libro le migliori forze della sua squadra. Massimo Turchetta – il direttore – mi ha marcato a uomo finché non ho firmato il contratto; Andrea Canzanella – l'editor – ha lavorato in profondità sul testo migliorandolo in numerosi punti (l'ha ammesso anche Paolo, sia pure a denti stretti); Luisa Colicchio – la pierre – ha curato la messa a punto e il lancio del volume. Ho parlato più volte con loro, e ho capito una cosa: non è stato solo lavoro. Figuratevi che alla fine sono stati loro a ringraziare me…

INDICE

Finito di stampare nel mese di settembre 2018
Presso Grafica Veneta S.p.A.
Via Malcanton, 2 – Trebaseleghe (PD)